Нора
Робертс

Последний шанс

Роман

МОСКВА
«ЭКСМО-ПРЕСС»
2000

УДК 820(73)
ББК 84(7США)
Р 58

Nora ROBERTS
THE REEF

Перевод с английского *И. Файнштейн*

Разработка оформления художника *С. Курбатова*

Робертс Н.

Р 58 Последний шанс: Роман/Пер. с англ. И. Файнштейн. — М.: Изд-во ЭКСМО-Пресс, 2000.— 448 с.

ISBN 5-04-005239-1

Известный морской археолог, красавица Тейт Бомонт, так же, как и искатель сокровищ Мэтью Лэситер, мечтает найти давно похороненное на дне старинное колье, известное под названием «Проклятие Анжелики». Оказавшись против своей воли партнером Мэтью, Тейт обнаруживает, что этот отчаянный, дерзкий парень хранит не меньше опасных тайн, чем само море. Эти тайны, а также поиски сокровищ едва не приводят молодых людей к гибели...

УДК 820(73)
ББК 84(7США)

ISBN 5-04-005239-1

ЧАСТЬ I

Прошлое

ПРОЛОГ

Спокойное море, переливаясь всеми цветами радуги, мягко покачивало небольшое судно. Дальше к западу клубилась белая пена прибоя, создавая обманчивое впечатление близости земли, но Австралия скрывалась за горизонтом, а волны бились о Большой Барьерный риф — цепь коралловых островков, протянувшихся вдоль побережья на тысячи миль.

День был изумительным. Безоблачное небо. Легкий теплый бриз без малейшего намека на дождь. Умиротворяющий плеск волн, набегавших на корпус корабля, косяки рыбешек, быстрыми тенями пронзавших прозрачную воду.

А ниже, на самом дне, затаились сокровища.

Британское торговое судно «Морская звезда» затонуло у Большого Барьерного рифа около трех столетий назад. Больше года команда Джеймса Лэситера работала как проклятая и нашла останки судна, но не его сокровища.

Сокровища есть. В этом Джеймс не сомневался, однако сейчас он думал не о «Морской звезде». Мысли унесли его далеко от Австралии и рифа, потрясающе красивого и столь же опасного, в теплые воды Карибского моря... к знаменитому колье «Проклятие Анжелики».

Интересно, размышлял Джеймс, драгоценный амулет был отмечен проклятием с самого начала или в его золоте, рубинах и бриллиантах сохранилась темная власть колдуньи? Легенда гласила, что колье, дар мужа, в смерти которого обвинили Анжелику, было на ней в тот день, когда ее заживо сожгли на костре.

Джеймс, очарованный легендой, мечтал завладеть «Проклятием Анжелики».

Всю свою жизнь он посвятил изучению историй погибших кораблей и поискам сокровищ. Всю свою жизнь он погружался в морские глубины и мечтал. Мечты украли у него жену и подарили сына.

Джеймс взглянул на Мэтью, возившегося с аквалангом. Парню скоро шестнадцать. Он здорово вытянулся и возмужал за последний год. Темные непослушные волосы — Мэтью упрямо отказывался стричь их коротко — падали на его лицо. «Ангельское личико», как вроде бы совсем недавно сказала одна официантка, вогнав мальчишку в краску, но в синих глазах, унаследованных от отца, не осталось ничего ангельского. Все чаще в них разгорался дьявольский огонь.

«Нрав Лэситеров, судьба Лэситеров, — подумал Джеймс, качая головой, — тяжелое «наследство».

Но скоро, очень скоро все его мечты осуществятся, а пока ключ к будущему покоится в тропических водах Вест-Индии. Бесценное колье с рубинами и бриллиантами, окутанное историей, запятнанное кровью. «Проклятие Анжелики».

Джеймс улыбнулся. Он найдет колье, и неудачи, преследующие Лэситеров, останутся в прошлом. Надо только проявить терпение. Ему всего сорок лет, и впереди у него вся жизнь.

Джеймсу и в голову не приходило, что через час он умрет.

— Хватит возиться, Мэтью. Время уходит.

Мэтью откинул волосы с глаз. Восходящее солнце окружало золотистым сиянием высокую фигуру отца. «Словно король, готовящийся к сражению», — восхищенно подумал Мэт. Он обожал отца, но, как настоящий мужчина, не говорил о своей любви.

— Я заменил твой манометр. Хочу проверить старый.

— Молодец. Присматриваешь за своим стариком. — Джеймс положил руку на плечо сына. — Сегодня подниму тебе со дна целое состояние.

— Позволь мне спуститься с тобой. Вместо *него.*

Джеймс подавил вздох. Мэтью еще не научился скрывать свои чувства. Особенно неприязнь.

— Ты же знаешь наш график. Вы с Баком погружаетесь после обеда, мы с Ван Дайком — по утрам.

— Я не хочу, чтобы ты нырял с ним. — Мэтью стряхнул с плеча отцовскую руку. — Я слышал, как вы спорили вчера вечером. Он тебя ненавидит.

«Взаимно», — подумал Джеймс, но промолчал. Он подмигнул сыну.

— Партнеры часто спорят. Главное — Ван Дайк финансирует экспедицию. Пусть позабавится за свои деньги.

— Он дерьмовый аквалангист, — презрительно сказал Мэтью.

— Не такой уж и плохой. — Желая положить конец спору, Джеймс начал натягивать гидрокостюм. — Бак починил компрессор?

— Да. Папа...

— Хватит, Мэтью.

— Хотя бы сегодня, — упрямо сказал Мэт. — Я не доверяю этому изнеженному ублюдку.

— Твой лексикон нуждается в улучшении, юный Мэтью, — улыбаясь, заметил поднявшийся на палубу Ван Дайк, элегантный и совсем не загорелый, несмотря на безжалостное солнце. — А твоему дяде нужна помощь.

— Сегодня я хочу поработать с отцом.

— К сожалению, с этим придется подождать. Как видишь, я уже надел костюм.

— Мэтью, пойди посмотри, что нужно Баку, — нетерпеливо приказал Джеймс.

— Есть, сэр! — Вызывающе сверкнув глазами, Мэт скрылся в каюте.

— У парня отвратительный язык и еще более отвратительные манеры, Лэситер.

— Парень просто терпеть тебя не может, — беспечно откликнулся Джеймс. — Я бы сказал, у него отличная интуиция.

— Экспедиция близится к концу, — резко сказал Ван Дайк. — Как мое терпение и моя щедрость. А без меня вы через неделю останетесь без денег.

— Может, да. — Джеймс спокойно застегнул «молнию». — А может, и нет.

— Мне нужен амулет, Лэситер. Ты знаешь, что он

там, внизу, и я уверен, ты знаешь — где. Я купил его. Я купил тебя.

— Ты купил мое время и мое мастерство. Меня ты не купил. Ты знаешь правила, Ван Дайк. Кто найдет «Проклятие Анжелики», тому оно и будет принадлежать. — «И ты не найдешь его на «Морской звезде», — мысленно добавил Джеймс, ткнув Ван Дайка пальцем в грудь. — Держись от меня подальше.

Самообладание, выработанное на заседаниях совета директоров, удержало Ван Дайка от резких слов. Все свои сражения он выигрывал с помощью терпения, денег и сознания собственного превосходства. Успех в бизнесе сопутствует тем, кто умеет держать себя в руках.

— Ты горько пожалеешь, если попытаешься обмануть меня, — кротко улыбнулся он. — Я тебе обещаю.

— Жду с нетерпением, Сайлас. — Считая разговор законченным, Джеймс заглянул в каюту. — Эй, парни, вы что, голых девчонок в журнале разглядываете? Вылезайте.

Оставшись один, Ван Дайк быстро склонился над аквалангом Джеймса, а когда Лэситеры вышли на палубу, уже забрасывал на спину свои баллоны.

Жалкая троица. Эти ничтожества забыли, с кем имеют дело. Ван Дайк всегда добивается своей цели. Неужели они думают, что оскорбляют его, не принимая в свой «мирок»? Плевать ему на них. Давно пора с ними расстаться и нанять новую команду.

Ван Дайк оглянулся на оживленно обсуждающих что-то Лэситеров.

Бак — толстый и лысеющий. Внешне — жалкая пародия на красавца брата. Преданный, как щенок-дворняга, и с такими же мозгами.

Мэтью — наглый, подозрительный мальчишка. Омерзительный червяк, раздавить которого — одно удовольствие.

И Джеймс... более хитрый и несговорчивый, чем казалось на первый взгляд. Не пожелавший стать простым орудием в руках хозяина. Вообразил, что обманул Сайласа Ван Дайка!

Джеймс Лэситер решил завладеть «Проклятием Анжелики», амулетом, дающим власть и силу. Амулетом, которым владела колдунья и обладать которым веками жаждали многие. Значит, Джеймс — идиот. В эту экспедицию вложены деньги, время и силы, а Сайлас Ван Дайк никогда не делает невыгодных вложений.

— Сегодня будет отличная охота. — Джеймс надел акваланг, застегнул утяжеленный ремень. — Я носом чую. Готов, Сайлас?

— Ныряй. Я за тобой.

Джеймс поправил маску и шагнул к борту.

— Папа, подожди...

Но Джеймс только помахал рукой и исчез, погрузился в подводный мир, в свой мир, как всегда безмолвный и захватывающий. Тайный мир причудливых коралловых пещер и замков, пронизанный изломанными солнечными лучами.

Большая акула окинула пришельцев скучающим взглядом и поплыла прочь. Джеймс нырнул глубже. Ван Дайк не отставал.

Обросший кораллами разбитый деревянный нос корабля превратился в фантастическую скульптуру, словно усыпанную аметистами, изумрудами, рубинами. Изумительное произведение искусства, созданное морской водой и солнцем.

Джеймс не уставал восхищаться подобным зрелищем, а сегодня его не покидало приподнятое настроение. На этот раз его ждет удача. Скоро он станет богатым и знаменитым. После долгих и кропотливых исследований он в конце концов наткнулся на ключ к разгадке и сумел соединить все обрывочные сведения. Лэситеры снарядят собственную экспедицию за бесценным амулетом.

Джеймс даже испытал жалость к недоумку Ван Дайку и поймал себя на том, что гладит коралловую ветвь, как домашнюю кошку. Он тряхнул головой, но затуманившееся сознание не прояснилось, лишь промелькнула тревога, далекая и смутная.

«Зов бездны» на такой глубине? Они же не достигли и ста футов, как-то отрешенно подумал Джеймс, но по въевшейся привычке постучал по баллону, привлекая внимание напарника. Он мог этого и не делать. Ван Дайк уже наблюдал за ним холодно и оценивающе. Просигналив подъем, Джеймс стал подниматься и почти не удивился, когда Ван Дайк потянул его назад, указывая на корабль. И не запаниковал. Джеймс был не из тех людей, кого легко напугать. Он понял, что его снаряжение повреждено, только одурманенный мозг не мог сообразить, как это случилось.

«Ван Дайк — новичок в подводном мире, — напомнил себе Джеймс, — он просто не понимает опасности». Джеймс протянул руку к воздушному шлангу Ван Дайка... и промахнулся.

Борьба под водой очень медлительна и так же таинственно безмолвна, как окружающий мир. Разноцветные рыбешки бросились врассыпную, но любопытство снова собрало их, и они стали следить за разыгрывающейся драмой.

Джеймс чувствовал, как сознание постепенно ускользает от него. Кружилась голова, он плохо ориентировался, но еще помнил, что надо бороться, и, лягаясь, умудрился подняться футов на десять.

А потом вдруг изумился, зачем хочет оставить этот чудесный синий мир, и расхохотался, выпустив фонтан воздушных пузырьков. Его охватил восторг. Он обнял Ван Дайка, медленно закружился с ним, словно в вальсе, желая поделиться своим ликованием. Как прекрасно здесь, где сверкающие драгоценные камни самых невероятных цветов только и ждут...

Когда Джеймс начал барахтаться, Ван Дайк высвободился из его объятий. Потеря координации — еще один симптом. Один из последних. Ван Дайк выдернул загубник изо рта своей жертвы. Джеймс озадаченно замигал и пошел на дно. Он умер счастливым человеком.

ГЛАВА 1

Сокровища. Золотые дублоны, песо, реалы. Если повезет, их можно собирать с морского дна так же легко, как персики с дерева. Во всяком случае, думала Тейт Бомонт, так говорит ее отец.

Только десять лет охоты за сокровищами доказали, что для успеха требуется больше, чем просто удача. Нужны деньги, и время, и изматывающий труд. Нужно мастерство, и месяцы поисков, и хорошее снаряжение. Однако Тейт с удовольствием играла по правилам, установленным отцом.

Разве можно назвать лишениями плавание в теплых

прозрачных водах Карибского моря среди сверкающих рыб и причудливых кораллов? Каждое погружение вселяло новые надежды, рождало новые предвкушения. Что таится под белым песком? Что прячется среди колышущихся водорослей? Что скрывается за фантастической коралловой скульптурой?

Вряд ли сокровища. Но как изумительно предвкушение!

Тейт прекрасно помнила свою первую находку. Помнила, с каким восторгом гладила почерневшую серебряную ложку и пыталась представить, кто пользовался ею. Может, капитан роскошного испанского галеона? Или его любовница?

А как она визжала от радости, когда мама высвободила из слипшихся раковин, поднятых на палубу, старинное золотое кольцо!

Подобные находки позволяли Бомонтам несколько месяцев в году охотиться за новыми сокровищами.

Плывший рядом с дочерью Рэймонд Бомонд похлопал ее по руке и указал на ленивую морскую черепаху.

Веселые искры в отцовских глазах рассказывали собственную историю. Он всю жизнь работал без отдыха и теперь наслаждался плодами своих трудов. Для Тейт такие моменты были дороже золота.

Промелькнул косяк рыбок, сверкнув золотыми на черном полосками. Наслаждаясь игрой света, Тейт сделала медленный кувырок и рассмеялась. Вырвавшийся поток пузырьков испугал любопытного морского окуня.

Вслед за отцом Тейт нырнула глубже, напомнив себе, что надо искать затонувшие сокровища, а не увлекаться морскими чудесами.

Это было их первое в сезоне погружение. Они искали никем не тронутый корабль — мечту любого охотника за сокровищами и знакомились с подводной территорией, которую детально изучили по книгам, географическим и морским картам.

Одиннадцатого июля 1733 года к северу от островов Невис и Сент-Кристофер — или, как его еще называли, Сент-Китс — шторм потопил четыре испанских корабля. Два из них — «Сан-Кристобаль» и «Вака» — были найдены несколько лет тому назад, однако «Санта-Маргарита» и «Изабелла» до сих пор ждали своего часа где-то в морских глубинах.

Согласно документам и судовым декларациям, корабли везли не только сахар, но и драгоценные камни, и фарфор, и более десяти миллионов песо золотом и серебром.

Тейт стала осторожно расчищать песчаный холмик, затем оглянулась. Отец обследовал коралловую гряду. Сколько бы Рэй Бомонт ни мечтал о сокровищах, он был большим поклонником чудес, созданных морем.

Ничего не найдя в холмике, Тейт увлеклась красивой полосатой раковиной... и краем глаза заметила приближающуюся темную тень. Акула! Тейт повернулась, как ее учили, выхватила нож и приготовилась защищать себя и отца.

Тень оказалась аквалангистом. Быстрым и изящным. Он помахал ей, затем указал на своего спутника, но Тейт не могла отвести изумленного взгляда от дерзко ухмыляющегося лица за маской, от синих, как море, глаз, от длинных темных волос, развеваемых течением.

Да он же смеется над ней! Несомненно, угадал ее реакцию на их нежданное появление.

Парень поднял руки, демонстрируя миролюбие, подмигнул и помахал Рэю.

Пока компания обменивалась молчаливыми приветствиями, Тейт изучала вновь прибывших. Хорошее снаряжение, все необходимое для поисков подводных сокровищ: объемные сумки на поясах, ножи, компасы, специальные часы.

Парень — худой, широкоплечий. Загорелые руки с длинными пальцами покрыты шрамами, руки ветерана-искателя.

Второй мужчина — лысый, пузатый, но проворный, как рыба, и, похоже, уже достиг соглашения с ее отцом. Тейт хотела возразить: «Это наше место! Мы первые сюда прибыли!» Но что она могла сделать?

Внимание Тейт привлек бугорок неподалеку. Она поплыла к нему и уже протянула руку, но длинные исцарапанные пальцы опередили ее.

Подонок!

Парень быстро извлек из-под песка находку. Старинная шпага с ржавым эфесом!

И ему хватает наглости ухмыляться! Мерзавец! Он еще и салютует ей выхваченной из-под ее носа шпагой.

Парень стал подниматься, и Тейт бросилась за ним. Они вынырнули на поверхность одновременно.

Тейт выплюнула изо рта загубник.

— Я первая ее увидела!

— Я так не думаю. — Продолжая ухмыляться, парень сдвинул на лоб маску. — В любом случае ты не успела. А кто смел, тот и съел.

— Глупости. Существуют правила. Ты был на моей территории.

— Ну, это с какой стороны посмотреть. Я считаю,

что это ты была на моей. Может, тебе повезет в следующий раз.

— Тейт, доченька, — крикнула Мариан Бомонт с палубы «Приключения». — Ленч готов. Пригласи своего знакомого, и поднимайтесь.

— Не откажусь.

Несколько мощных гребков, и наглец уже был у кормы «Приключения». Сначала о палубу звякнула шпага, затем плюхнулись его ласты.

— Рад познакомиться. — Парень пригладил мокрые волосы и ослепительно улыбнулся. — Мэтью Лэситер.

— Мариан Бомонт. Добро пожаловать на борт. — Мариан Бомонт сняла солнечные очки и улыбнулась не менее ослепительно.

Проклиная отвратительное начало того, что обещало стать изумительным летом, Тейт подплыла к корме и, игнорируя любезно протянутую Мэтью руку, выбралась на палубу. В этот момент над водой показались головы отца и второго чужака.

— Вижу, вы уже познакомились с моей дочерью и моим мужем, — продолжала Мариан.

— Некоторым образом. — Мэтью расстегнул тяжелый ремень, снял и отложил маску. — У вас отличная яхта.

— О да, спасибо. — Мариан окинула горделивым взглядом свои владения. Она не очень-то любила готовить и убираться, но ее яхта всегда сияла, как военный корабль перед парадом. — А это, очевидно, ваше судно? «Морской дьявол».

Тейт только фыркнула. Очень подходящее название. Каков хозяин, таков и корабль. Не в пример «Приключению», «Морской дьявол» не мог похвастаться приличным видом.

— Ничего особенного, — сказал Мэтью, — но держится на воде.

Он отвернулся и помог выбраться на палубу Рэю и Баку.

— Отличные глаза, мальчик. — Бак Лэситер хлопнул племянника по спине. — Этот парень — прирожденный искатель, — сказал он Рэю таким голосом, словно стеклом поскребли по стеклу. Тут Бак вспомнил, что не представился, и протянул Рэю руку. — Бак Лэситер. Мой племянник Мэтью.

Уклонившись от обряда знакомства, Тейт сложила свое снаряжение, сняла резиновый костюм и удалилась в каюту.

Ничего страшного, размышляла она, натягивая футболку. Отец так и не воспитал в себе настороженности и подозрительности профессионального охотника за сокровищами. Ее родители всегда радушно приглашают незнакомцев на борт. Врожденное южное гостеприимство достойно восхищения, но лучше бы они были более разборчивыми в своих привязанностях.

Тейт услышала, как отец искренне поздравляет Мэтью с удачной находкой, и стиснула зубы.

Черт побери, она первая увидела шпагу!

«Дуется», — решил Мэтью, когда Тейт появилась на палубе. Как любая женщина. А в том, что эта малышка — женщина, сомневаться не приходилось. Пусть ее рыжие волосы коротко, как у мальчишки, подстрижены, однако только слепой не заметил бы соблазнительную фигурку.

И хорошенькая. Личико угловатое. Скулы кажутся

острыми как ножи, но глаза — огромные и зеленые, русалочьи глаза. Он вспомнил, как эти глаза метали в него стрелы под водой, и усмехнулся. Поскольку им предстоит нырять на одной территории, он здорово развлечется, поддразнивая ее.

Тейт мельком взглянула на парня, по-турецки усевшегося на палубе. Бронзовая от загара кожа, на шее поблескивает на цепочке серебряная испанская монета. Ей захотелось расспросить его об этой находке, она почти уговорила себя не дуться, но он явно смеялся над ней, и она не присоединилась к общей беседе.

Мэтью вонзил зубы в огромный сандвич с ветчиной.

— Потрясающе, миссис Бомонт. Гораздо лучше, чем наша с Баком стряпня.

— Попробуйте картофельный салат. — Польщенная, Мариан навалила гору салата на его бумажную тарелку. — И, пожалуйста, называйте меня Мариан. Тейт, иди сюда.

— Тейт? — Мэтью прищурился. — Необычное имя.

— Девичья фамилия Мариан. — Рэй, размякший от жары и хорошей компании, обнял жену за плечи. — Тейт начала нырять, когда была совсем маленькой. Я не мог бы пожелать себе лучшего напарника. Мариан любит море, любит ходить под парусом, но не желает плавать.

Мариан засмеялась.

— Начинаю паниковать, как только вода поднимается выше колен. Наверное, в прошлой жизни я утонула. Но я люблю смотреть на море и возиться с яхтой.

— Она у вас красотка.

Бак уже оценил «Приключение». Тридцать восемь футов в длину, тиковая обшивка, затейливая отделка. Наверняка две каюты и отдельное помещение для камбуза. У него не было с собой очков, а маску с оптическими стеклами он, естественно, снял, однако и без очков ясно, что бриллиант в обручальном кольце Мариан не меньше пяти карат, а второе кольцо — ценный антиквариат. Бак почуял запах денег.

— Послушайте, Рэй, мы с Мэтью ныряем здесь уже несколько недель. Не видели вас прежде.

— Сегодня первое погружение. Мы отплыли из Северной Каролины, как только Тейт закончила весенний семестр.

Господи, студентка! Мэтью заставил себя отвести взгляд от ее ног и сосредоточился на еде. Он дожил почти до двадцати пяти лет и никогда не связывался с высокомерными студентками.

— Мы собираемся провести здесь все лето, — продолжал Рэй. — Может, дольше, если Тейт отложит осенний семестр. В прошлую зиму мы несколько недель ныряли у мексиканского побережья. Там есть хорошие корабли, но в основном полностью разработанные. Правда, нам удалось найти неплохие вещицы. Керамика, курительные трубки.

— И прелестные флакончики, — вставила Мариан.

— Значит, вы давно в деле, — подсказал Бак.

— Десять лет. — Глаза Рэя вспыхнули. — Пятнадцать с того момента, как приятель уговорил меня поучиться нырять с аквалангом. Пройдя аттестацию, я отправился с ним на Алмазные отмели. Одно погружение, и я попался на крючок.

— Теперь каждую свободную минуту он ныряет, или планирует следующее погружение, или болтает о предыдущем. — Мариан рассмеялась. — Поэтому я научилась управлять яхтой.

— А я, я охочусь за сокровищами больше сорока лет. — Бак сгреб со своей тарелки остаток картофельного салата. Ничего подобного он не ел уже целый месяц. — Это у меня в крови. Мой отец был искателем. Мы работали у побережья Флориды. Я, мой отец, мой брат. Все Лэситеры.

Рэй хлопнул себя по колену.

— Ну конечно же. Я читал о вас. Ваш отец — Великий Мэт Лэситер. Нашел «Эль Дьяболо» у рифа Кончо в шестьдесят четвертом.

— В шестьдесят третьем, — ухмыльнувшись, поправил Бак. — Чего там только не было! Золото, драгоценности, серебряные слитки. Я собственными руками держал золотую цепь с драконом. Траханым золотым драконом! — Бак осекся и покраснел. — Прошу прощения, мэм.

— Ничего, ничего. — Мариан как зачарованная протянула ему еще один сандвич. — Какой он был?

Бак забыл о своей промашке.

— Вы такого и представить не смогли бы. Глаза — рубины, хвост весь в изумрудах. — Бак с горечью уставился на свои пустые руки. — Он один стоил целое состояние.

Лицо Рэя приняло мечтательное выражение.

— Я видел фотографии. «Дракон дьявола». Потрясающе.

— Но вмешалось государство, — продолжал Бак. — Таскали нас по судам несколько лет. Утверждали, что трехмильная зона отсчитывается от рифа, а не от берега. Ублюдки обобрали нас до нитки и в конце концов выиграли дело. Почище пиратов.

— Как ужасно! — прошептала Мариан. — Найти все это и потерять.

— Они разбили отцу сердце. Больше он никогда не нырял. Ну, есть и другие затонувшие корабли. Другие сокровища. — Бак внимательно взглянул на Рэя и рискнул: — «Санта-Маргарита», например, или «Изабелла».

— Да, они здесь. — Рэй спокойно встретил испытующий взгляд Бака. — Точно.

— Вероятно. — Мэтью потянулся за шпагой, повертел ее в руках. — А может, оба корабля унесло в море.

— Но с других судов видели, как «Изабелла» и «Маргарита» пошли ко дну, — возразил Рэй.

— Мэтью — циник, — заметил Бак, — не дает мне помечтать. Но я кое-что скажу вам, Рэй. Я провел собственное расследование. Три года назад мы с парнем больше полугода прочесывали двухмильную полосу между Сент-Кристофером и Невисом. Кое-что находили. Корабли, правда, не нашли, но они там. Я уверен.

— Мне кажется, вы искали не в том месте, Бак, — задумчиво сказал Рэй. — Я, конечно, не говорю, что знаю больше вас, но по моей информации два пропавших корабля потерпели крушение к северу от Сент-Кристофера.

Бак скупо улыбнулся.

— Я тоже так думаю, но море велико, Рэй. У меня сорокалетний опыт, и парень ныряет с тех пор, как научился ходить. Чего у нас нет, так это финансов.

Рэй закончил свою карьеру главным администратором крупной брокерской фирмы и без труда понял, что ему предлагают сделку.

— Вы ищете партнера, Бак? Давайте обговорим условия.

— Я посижу в тени, подремлю над книжкой, — улыбнулась Мариан. — А вы, дети, развлекайтесь.

— Пожалуй, поплыву к себе, почищу добычу. — Мэтью взял большой пластиковый пакет. — Не возражаешь, если я одолжу это? — Не дожидаясь согласия Тейт, он положил в пакет свой костюм, подхватил акваланг. — Не хочешь помочь?

— Не хочу.

— Я думал, тебе интересно, — спокойно сказал Мэтью и стал ждать, когда любопытство победит ее раздражение. Ждать пришлось недолго. С недовольным видом Тейт выхватила пакет и прыгнула в море.

При ближайшем рассмотрении «Морской дьявол» оказался еще хуже, чем издали. К тому же он вонял рыбой. Правда, снаряжение было аккуратно сложено и закреплено, но палубу не мешало покрасить или хотя бы вымыть. Пара перевернутых ведер и свернутая койка служили сиденьями. Сквозь окна маленькой рубки — грязные, в соляных разводах — виднелась еще одна койка, подвесная.

— Это не «Куин Мэри»[1], но и не «Титаник», — невозмутимо заметил Мэтью, забирая у Тейт пакет и складывая свой костюм в большой пластмассовый бак. — Пить хочешь?

Тейт снова огляделась.

— Есть что-нибудь стерильное?

Мэтью откинул крышку ящика-холодильника, выудил банку пепси и бросил ей.

— Вы живете на судне?

— Угадала.

---

[1] «Куин Мэри» — лайнер, пришвартованный к пирсу Лос-Анджелеса и превращенный в отель.

Он прошел в рубку, и Тейт потянулась к шпаге, погладила ее.

Украшала ли она пояс испанского капитана? Убивал ли он ею пиратов? Сжимал ли ее в руке, когда волны обрушились на его корабль?

Тейт подняла глаза и увидела, что Мэтью стоит в дверях рубки и следит за ней. Она смущенно отдернула руку, открыла банку, отпила и как можно небрежнее заметила:

— У нас дома есть шпага. Шестнадцатый век.

И не стала уточнять, что у них только эфес, и тот — сломанный.

— Вам повезло. — Мэтью взял шпагу, уселся на палубу. Он уже сожалел о своем импульсивном приглашении. Сколько он ни убеждал себя, что Тейт молода для него, не помогало. Мокрая футболка слишком плотно облепляла ее, чуть позолоченные солнцем ноги казались слишком длинными. А голос... чертовски сексуальный голос. Голос женщины, а не ребенка.

Тейт хмуро смотрела, как он терпеливо отчищает ржавчину.

— Зачем тебе партнеры?

Мэтью не поднял глаз.

— Я не говорил, что мне нужны партнеры.

— Но твой дядя...

— Деловой стороной занимается Бак.

Тейт поставила локти на колени, подперла руками подбородок.

— А чем занимаешься ты?

Он наконец поднял глаза, беспокойные, в противоположность терпеливым рукам.

— Охотой.

— Это чудесно, правда? Где ты нашел монету? — В ответ на озадаченный взгляд Мэтью Тейт коснулась серебряного диска на его груди. — Эту.

— Моя первая добыча, — неохотно сказал он. — В Калифорнии. Мы жили там некоторое время. Почему ты решила нырять с аквалангом вместо того, чтобы сводить с ума очередного студентика?

— Это слишком легко, — сказала Тейт, стараясь выглядеть как можно искушеннее, — а я предпочитаю трудные задачи.

— Осторожнее, малышка.

— Мне уже двадцать, — заявила она с высокомерной гордостью юной женщины, прибавив себе пару месяцев. — А почему ты не работаешь?

Мэтью усмехнулся.

— Потому что я отличный искатель сокровищ. Если бы ты была половчее, то не злилась бы сейчас из-за шпаги.

Ему не удалось раздразнить Тейт.

— А где твой отец? Он бросил подводную охоту?

— Можно и так сказать. Он умер.

— О, прости.

— Девять лет назад. Мы тогда плавали в Австралии.

— Несчастный случай?

— Нет. Он был слишком опытен для несчастного случая... Его убили.

Мэтью так безразлично произнес «убили», что до Тейт смысл слова дошел не сразу.

— О господи, как...

— Я не знаю наверняка. — Он даже не знал, почему сказал ей это. — Отец спустился под воду живым, а подняли мы его мертвым. Передай мне ту тряпку.

— Но...

— Хватит. Какой смысл ворошить прошлое!

Тейт подавила желание положить ладонь на его исцарапанную руку, резонно рассудив, что ему это не понравится.

— Странное заявление для искателя сокровищ.

— Детка, смысл имеет только то, что полезно в данный момент. Как эта шпага.

Тейт рассеянно взглянула на шпагу и прошептала:

— Серебро. Это серебро. Офицерская. Я так и знала.

— Отличная вещь.

Забыв обо всем, кроме находки, Тейт провела кончиками пальцев по блестящему эфесу.

— Думаю, восемнадцатый век.

— Неужели?

— Я специализируюсь по морской археологии. — Тейт нетерпеливо откинула с глаз челку. — Она могла принадлежать капитану.

— Или любому другому офицеру, — сухо заметил Мэтью. — В ближайшем будущем я не буду испытывать недостатка в пиве и креветках.

Тейт ошеломленно отпрянула.

— Ты собираешься продать ее? За деньги?

— Не за раковины же.

— Но разве ты не хочешь узнать, откуда она, кому принадлежала?

— Не особенно. — Мэтью повернул шпагу, и эфес блеснул на солнце. — На острове есть один торговец антиквариатом. Он даст приличные деньги.

— Это ужасно! Это... — Тейт вскочила на ноги, лихорадочно подыскивая самое оскорбительное слово. — Это невежество. Шпага могла принадлежать капитану «Изабеллы» или «Санта-Маргариты». Это археологическая находка. Ее место в музее.

«Любители, черт побери!» — с отвращением подумал Мэтью, вставая.

— Ее место там, куда я продам ее. Я ее нашел.

Тейт представила, как шпага пылится в лавке или, еще хуже, продана какому-нибудь случайному туристу, и сердце ее сжалось.

— Я дам за нее сто долларов.

Мэтью улыбнулся.

— Рыжик, я мог бы получить больше, просто расплавив эфес.

Тейт побледнела.

— Ты шутишь! Ты не сможешь! — Еще как сможет! Тейт мысленно распрощалась со стереосистемой, которую собиралась купить. — Две сотни.

— Я все же попытаю счастья на острове.

— Авантюрист!

— Не спорю. А ты — идеалистка. — Мэтью насмешливо улыбался, глядя на ее сжатые кулаки, пылающие глаза, разгоревшиеся от гнева щеки. Потом взглянул поверх ее плеча. — И, кажется, Рыжик, на радость или на горе, мы партнеры.

— Только через мой труп!

Мэтью взял ее за плечи, и Тейт показалось, что он швырнет ее за борт, но он развернул ее лицом к «Приключению». Сердце Тейт ушло в пятки. Отец и Бак Лэситер пожимали друг другу руки.

ГЛАВА 2

Сверкающее солнце погружалось в море, и золотисто-розовое небо быстро темнело. В соленом воздухе витал аппетитный запах жарящейся рыбы, с «Морского дьявола» доносилась бодрая ритмичная музыка, однако чудесным тропическим сумеркам не удалось улучшить настроения Тейт.

— Не понимаю, зачем нам партнеры?

Не оборачиваясь, Мариан посыпала рыбу измельченным розмарином.

— Твоему отцу очень понравился Бак. Я рада, что у него появился приятель его возраста.

— У папы есть мы, — проворчала Тейт.

— Конечно. — Мариан улыбнулась дочери. — Но мужчинам нужна мужская компания, милая. Иногда им просто необходимо отпустить крепкое словцо, не извиняясь каждую секунду.

Это было настолько несовместимо с безупречными манерами отца, что Тейт только фыркнула.

— Мы ведь ничего о них не знаем. Они выпрыгнули из ниоткуда, словно черти из табакерки. Почему мы должны доверять им?

— Потому что они — Лэситеры, — ответил Рэй, входя в камбуз и чмокая дочь в макушку. — Мариан, откуда только в нашей девочке такая подозрительность? — Он подмигнул жене и, поскольку была его очередь дежурить по камбузу, начал накрывать на стол. — Конечно, глупо доверять всем и каждому, но иногда надо просто следовать интуиции. Моя подсказывает, что Лэситеры — именно то, что необходимо для завершения нашей маленькой авантюры.

— Каким образом? — Тейт подперла кулачками подбородок. — Мэтью Лэситер — высокомерный, ограниченный и...

— Молодой, — весело закончил ее нелестную характеристику Рэй. — Мариан, божественный аромат. У меня уже слюнки текут. — Обняв жену, он уткнулся носом в ее шею, вдохнул аромат «Шанели» и лосьона от загара. — Осталось только попробовать на вкус.

Однако Тейт, раздраженная утренней неудачей, не желала менять тему.

— Папа, а ты знаешь, что он хочет сделать с той шпагой? Он продаст ее какому-то торговцу!

Рэй сел за стол, задумчиво поджал губы.

— Доченька, большинство охотников за сокровищами продают свою добычу. Так они зарабатывают себе на жизнь.

Тейт автоматически взяла протянутое матерью блюдо и положила рыбу себе на тарелку.

— Но ведь сначала надо исследовать и датировать находку, а ему наплевать, откуда она, кому принадлежала. Для него это просто нечто, что можно обменять на ящик пива.

— Как жаль, — вздохнула Мариан. — Я понимаю тебя, дорогая. Тейты всегда ценили историю.

— И Бомонты, — добавил Рэй, наливая в ее стакан вино. — Как все южане. Ты по-своему права, Тейт, и я разделяю твои чувства, но я понимаю и Мэта. Быстрая сделка, немедленная награда за труд. Если бы его дед думал так же, то умер бы богатым человеком, но он выбрал другой путь, поделился своим открытием и остался ни с чем.

— Должна быть золотая середина, — не сдавалась Тейт.

— Не для всех. Но, по-моему, мы с Баком ее нашли. Если мы обнаружим «Изабеллу» или «Санта-Маргариту» в прибрежных водах, то подадим официальную заявку на разработки, а если дальше, то поделимся находками с правительством Сент-Китса и Невиса. — Рей поднял свой бокал, пристально разглядывая вино. — Бак согласился очень неохотно, но согласился, так как у нас есть то, чего нет у него.

И что же это?

— Средства на поиски, если даже некоторое время не будет результатов. А если повезет, то мы можем позволить себе необходимое оборудование для длительной поисковой операции.

— Значит, они нас используют. — Тейт раздраженно оттолкнула свою тарелку.

— Партнеры всегда используют друг друга.

Тейт поднялась налить себе лимонада. Теоретически она не возражала против партнерства, понимая ценность командной работы... просто ее беспокоила именно эта команда.

— А что же приносят в партнерство они?

— Во-первых, они профессионалы, а мы любители. — Тейт открыла было рот, но взмахом руки Рэй остановил ее возражения. — Как ни прискорбно сознавать, но я так и не нашел ни одного затонувшего судна, только разрабатывал чужие находки. Не спорю, иногда нам везло. — Он погладил старинное золотое кольцо жены. — Мы подбирали безделушки, не замеченные другими, но с самого первого погружения я мечтал найти свой корабль.

— И найдешь, — с непоколебимой верой в мужа заявила Мариан.

— Это могло бы случиться сейчас, — вздохнула Тейт. При всей любви к родителям она так и не смирилась с их непрактичностью. — Папа, ты копался в архивах, изучал документы, свидетельства очевидцев, морские течения. Столько труда!

— Правильно, — согласился Рэй. — Именно поэтому я очень рад, что мои выводы совпадают с результатами исследований Бака. Я столькому могу научиться у него. Он три года занимался поисками в Северной Атлантике на глубине в пятьсот футов. Холодные воды, темные воды. Акулы. Ты только представь себе!

Глаза отца затуманились, губы изогнулись в мечтательной улыбке. Вздохнув, Тейт положила ладонь на его плечо.

— Папа, только оттого, что у него больше опыта...

— Больше на целую жизнь. — Рэй похлопал ее по руке. — Именно это его вклад: опыт, упорство, профессионализм и рабочая сила. Две команды гораздо эффективнее одной... Тейт, мне очень важно, чтобы ты поняла мое решение, но, если ты не согласишься, я расторгну договор с Баком.

«И принесешь в жертву свою гордость, ведь ты уже дал слово. Откажешься от надежд», — с печалью подумала Тейт.

— Я понимаю и смогу смириться с ними. Только один вопрос: как мы узнаем, не утаят ли они свою находку?

— Очень просто. Мы меняемся партнерами. Я погружаюсь с Баком, ты — с Мэтью.

— Разве не замечательная идея? — воскликнула Мариан, втайне наслаждаясь растерянностью дочери. — Кто хочет пирога?

Раннее утро купалось в ярком солнечном свете, теплое и ароматное. Голубое небо и бирюзовая вода сверкали серебряными и золотыми искрами. В отдалении просыпались высокие утесы Сент-Китса, окутанные тропической зеленью. Дальше к югу поблескивали пустынные песчаные пляжи крохотного Невиса, над которым господствовал вулкан со словно срезанной облаками вершиной.

Три пеликана пронеслись над водой и разом нырнули, подняв фонтан брызг, затем взметнулись в небо и снова нырнули с комичной синхронностью.

На лениво покачивающейся палубе «Приключения» Рэй и Бак наслаждались утренним кофе и беседой, а хмурая Тейт и Мэтью готовились к погружению: проверяли манометры, часы, компасы, подводные ножи.

— Я радуюсь не больше, чем ты, — пробормотал Мэт, поднимая ее акваланг и помогая закрепить баллоны.

— Уже легче.

Искоса поглядывая друг на друга, они застегнули тяжелые грузовые ремни.

— Просто старайся не отставать и не попадаться мне под ноги, и все будет нормально.

— Сам не попадайся мне под ноги! — Тейт презрительно хмыкнула, но тут же натянуто улыбнулась подошедшему с отцом Баку.

— Готова? — спросил Рэй, проверяя ее снаряжение, затем взглянул на ярко-оранжевую пластмассовую бутылку-буек, подпрыгивающую на легкой ряби. — Помнишь направление?

— Норд-норд-вест. — Тейт поцеловала отца в щеку, благоухающую лосьоном после бритья. — Не волнуйся.

Рэй попытался убедить себя, что не волнуется. Конечно же, не волнуется. Просто его дочурка очень редко спускалась под воду без него.

— Желаю повеселиться.

Тейт перевела взгляд на Бака. Тот стоял, расставив похожие на сучковатые пеньки ноги, зацепив большие пальцы рук за пояс шортов. В замасленной бейсбольной кепке и темных очках он был похож на растолстевшего, обтрепавшегося и — как ни странно — очень обаятельного гнома.

— Я пригляжу за вашим племянником, Бак.

Старик гулко расхохотался.

— Спасибо, девочка, и желаю удачной охоты.

Кивнув, Тейт прыгнула в воду, подождала, как и положено ответственному напарнику, Мэта и начала погружение.

Если бы Тейт ныряла с отцом, то помедлила бы, чтобы насладиться потрясающим ощущением погружения в подводное царство. Она полюбовалась бы колышущимися разноцветными водорослями, собрала бы для мамы красивые раковины или просто любовалась пестрыми рыбешками, однако сейчас дух соперничества вытеснил все остальные чувства, и она была полна решимости не доставить Мэту очередной радости победы.

Мэт проскользнул мимо нее. Смена лидера — обычный порядок при подводной работе, однако Тейт злилась, пока снова не оказалась впереди. Затем они разделились, продолжая держать друг друга в поле зрения... не столько ради безопасности, сколько из подозрительности.

Целый час они безрезультатно прочесывали пространство, где нашли шпагу, и радостное чувство предвкушения у Тейт начало испаряться. Вдруг в песке что-то блестнуло. Перед ее мысленным взором мелькнула старинная пряжка, но находка оказалась алюминиевой банкой из-под кока-колы.

Расстроившись, Тейт поплыла дальше на север и попала в коралловые заросли, усыпанные яркими раковинами. Фантастическая красота подводного мира заворожила ее, и она замерла, наблюдая за огромным моллюском в оранжевой раковине, целеустремленно ползущим по камню; за маленькой рыбкой, ловко проскользнувшей мимо ядовитых алых щупалец прожорливой актинии; за троицей морских чертей, важно проследовавших мимо в поисках завтрака.

Как ребенок в кондитерской, думал Мэт, однако даже мысленно не мог обозвать ее глупышкой. Он сам всегда восхищался подводным театром. И сейчас вокруг них разыгрывались драмы и комедии: солнечно-желтые губаны, словно фрейлины, суетящиеся вокруг королевы, деловито чистили царственного спинорога; затаившаяся в засаде мурена в смертоносном броске сомкнула челюсти на зазевавшемся морском окуне.

Тейт не вздрогнула, не отшатнулась от свершившегося на ее глазах убийства. «Хорошая напарница, — подумал Мэт. — Сильная, ловкая, разумная». Ей явно не нравится его общество, но она честно выполняет свои обязанности и — не в пример большинству любителей — не поддается унынию из-за безрезультатных поисков.

Желая заключить перемирие, Мэт подплыл к ней, похлопал по плечу. Тейт оглянулась и окинула его холодным взглядом. Мэтью указал назад, привлекая ее внимание к косяку крохотных серебристых рыбешек, и увидел, как вспыхнули ее глаза: мерцающая лента проскользнула, чуть не задев ее протянутую руку.

Тейт все еще улыбалась, когда заметила в метре от себя зубастую пасть и остекленевшие глаза барракуды, и теперь уже она указала Мэту на нежданную компанию. Успокоенный тем, что Тейт не испугалась, Мэт кивнул и возобновил поиски.

Тейт иногда оглядывалась, чтобы убедиться, что их движения не беспокоят барракуду, но та без всякого интереса наблюдала за ними, а через некоторое время незаметно исчезла.

Тейт увидела кусок спекшейся породы, только когда пальцы Мэта уже сомкнулись на нем, и проплыла несколько ярдов к северу. Если не приглядывать за навязанным ей напарником, он так и будет выхватывать находки у нее из-под носа! Она ничем не выдала своего раздражения, наоборот, безразлично пожала плечами... и тут ее внимание привлекло какое-то темное пятно.

Не надеясь на удачу, Тейт все же осторожно разгребла песок и — вместо ржавой современной жестянки! — обнаружила почерневший диск и сразу почувствовала, что прикоснулась к легенде. У нее учащенно забилось сердце.

Испанская монета. Пиратский тайник! Добыча флибустьера!

Осознав, что затаила дыхание — опасная ошибка, — Тейт медленно выдохнула, потирая большим пальцем неровный диск. Тускло засияло серебро.

Оглянувшись и убедившись, что Мэтью не смотрит в ее сторону, Тейт самодовольно ухмыльнулась и сунула монету под манжет гидрокостюма.

Когда часы и манометр показали, что время и воздух в баллонах истекает, Тейт отметила координаты находки и поплыла вслед за Мэтью на восток, постепенно поднимаясь к поверхности.

— Не повезло, Рыжик! — со злорадством заметил Мэт, указывая на ее пустую поясную сумку.

Тейт подавила улыбку и, схватившись за поручни трапа, бросила ласты отцу.

— Может быть. Кто знает!

— Как дела? — спросил Рэй, освобождая дочь от акваланга и ничем не выдавая своего разочарования. — Ничего стоящего, малышка?

— Я бы так не сказал, — заметил Мэтью, вручая свою полную сумку Баку. — Может, найдем что-нибудь в этом конгломерате.

— У мальчика интуиция на сокровища. — Бак положил сумку на скамью, еле сдерживая желание немедленно заняться находкой.

— Я сама отчищу. Вам же не терпится спуститься под воду, — предложила Мариан. — Только сначала сниму на видео. Тейт, вы с Мэтью наверняка хотите перекусить и выпить лимонада.

— Конечно. — Тейт откинула с лица мокрые волосы. — Ах, да. Говоря об удаче... — Она отвернула манжет гидрокостюма, и полдюжины тяжелых монет со звоном покатились по палубе.

— Черт побери!

Мэтью присел на корточки. Он сразу понял, что она нашла. Пока остальные громко выражали восхищение, Мэтью потер пальцами одну из монет, затем холодно взглянул на самодовольно улыбающуюся Тейт. Он не завидовал ее удаче, просто терпеть не мог, когда его выставляли идиотом.

— Где ты их нашла?

— В нескольких ярдах к северу от того места, где ты усердно собирал камни. — Раздражение, вспыхнувшее в его сощурившихся глазах, почти примирило ее с потерей шпаги. — Ты был так увлечен, что мне не хотелось мешать тебе.

— Так я и поверил.

— Испанская, — сказал Рэй, пристально рассматривая монету на ладони Мэта. — Тысяча семьсот тридцать третий год. Дата совпадает. Это могут быть наши корабли.

— Или любые другие, — возразил Мэтью. — Течения и штормы за столетия могли далеко разбросать обломки.

Его замечание не погасило лихорадочный огонь в глазах Бака.

— И все же эти монеты могут быть с «Изабеллы» или «Санта-Маргариты». Мы с Рэем еще раз прочешем то место, где вы их нашли. — Бак поднял одну монету и протянул ее Тейт. — Остальные пойдут в общий котел, но эту, я думаю, вы должны взять себе. Ты согласен, Мэтью?

— Конечно. — Пожав плечами, Мэт направился к ящику-холодильнику. — Подумаешь, мелочь.

— Для меня не мелочь, — прошептала Тейт, беря протянутую Баком монету. — Я впервые нашла монеты. Песо. — Она рассмеялась и, поддавшись порыву, поцеловала Бака. — Потрясающее чувство.

Румяные щеки Бака побагровели. Женщины так и остались для него тайной за семью печатями, и он старался держаться от них подальше.

— Сохраните его... это чувство, девочка. Иногда проходит очень много времени, прежде чем удача возвращается. — Бак хлопнул Рэя по спине. — Одевайтесь, напарник.

Через полчаса, когда вторая команда спустилась на дно, Мариан расстелила тряпку и занялась глыбой, а

Тейт, пожертвовав ленчем, стала чистить серебряные монеты. Мэтью устроился на палубе рядом с ними.

— Мариан, вы потрясающе готовите, — похвалил он, уминая второй сандвич. — Пожалуй, я украду вас на свой корабль.

— Любой может сделать сандвич, — отмахнулась Мариан. — Но ты должен как-нибудь пообедать с нами.

Мэтью готов был поклясться, что услышал зубовный скрежет Тейт.

— Спасибо. Я могу смотаться на Сент-Китс и привезти любые продукты.

— Очень мило. — Сменив ярко-желтый сарафан на шорты и просторную рубаху, потея на жарком солнце, Мариан все равно умудрялась выглядеть светской красавицей, планирующей официальный прием. — Мне нужно немного молока для песочного печенья.

— Песочное печенье? Мариан, ради домашнего печенья я вплавь притащу с острова целую корову.

Мариан рассмеялась.

— Хватит и галлона. Нет, не сейчас... — Она взмахнула рукой, поскольку Мэтью уже поднимался на ноги. — У нас полно времени. Наслаждайся ленчем и солнцем.

— Прекрати очаровывать мою маму, — пробормотала Тейт, и Мэтью придвинулся поближе к ней.

— Мне нравится твоя мама. У тебя ее волосы... И глаза тоже. — Он снова вонзил зубы в сандвич. — Очень жаль, что в остальном ты на нее не похожа.

— Еще я унаследовала ее фигуру, — процедила Тейт сквозь зубы.

Мэтью окинул ее оценивающим взглядом.

— Да, пожалуй, ты права.

Ощутив вдруг неловкость, Тейт немного отодвинулась.

— Не наседай. От тебя никуда не деться, даже под водой.

— Угощайся. — Мэтью невозмутимо поднес сандвич к губам Тейт, и ей ничего не оставалось, кроме как откусить кусочек. — Ты — мой талисман.

Тейт чуть не подавилась.

— Прости, не поняла.

— Здорово у тебя получается. Безупречная и в то же время ледяная вежливость, — похвалил Мэт. — Мой талисман. Ведь ты была рядом, когда я нашел шпагу.

— Это ты был рядом, когда я нашла шпагу, — возмутилась Тэйт.

— Неважно. Есть кое-что, к чему я никогда не поворачиваюсь спиной. К мужчине с алчностью в глазах, к женщине с огнем в глазах... и к судьбе, счастливой или несчастливой.

— По-моему, умнее не искушать судьбу.

— Нет. Лучше встретиться с ней лицом к лицу. Лэситеров долго преследовало невезение. — Пожав плечами, Мэт доел сандвич. — Кажется, ты принесла мне удачу.

— Это я нашла монеты.

— Может, и я принес удачу тебе.

— У меня кое-что есть! — воскликнула Мариан. — Посмотрите.

Мэтью поднялся и, поколебавшись, протянул руку. С не меньшей настороженностью Тейт приняла его помощь.

— Гвозди. — Мариан вытерла потное лицо носовым платком. — И вот еще... — Она извлекла из обломков ракушек маленький кружок. — Кажется, пуговица. Медная или бронзовая.

Мэтью склонился над ее находками. Два железных гвоздя, несколько черепков, искореженный кусок металла — вероятно, бывшая пряжка или булавка. Однако его заинтересовали только гвозди. Он взял один, повертел в руках, представляя обреченный на гибель корабль.

— Медь, — восхищенно объявила Тейт, оттирая пуговицу смоченной раствором тряпкой. — С гравировкой. Маленькая роза. Наверное, с платья пассажирки, — добавила она.

Мэтью мельком взглянул на пуговицу.

— Вероятно, мы наткнулись на место, где корабль ударился о дно. Затем течение могло протащить его куда угодно. — Он обвел взглядом безбрежную морскую гладь. — Куда угодно.

Тейт покачала головой.

— Тебе не удастся обескуражить меня после такой находки. Мэтью, подумай только, одно погружение — и мы поднялись не с пустыми руками. Монеты и гвозди...

— Черепки и медная пуговица. — Мэтью швырнул гвоздь обратно в кучку. — Ерунда, Рыжик. Даже для любителя.

— Это только начало. Папа верит, что нам повезет. Я тоже.

Вся дрожит от гнева, заметил Мэт. Подбородок гордо вздернут, острый, как гвозди у ее ног. Глаза горят. Господи, как жаль, что она студентка!

Он дернул плечом и снисходительно похлопал ее по плечу.

— В любом случае мы развлечемся. Только гораздо чаще подобной ерундой все и заканчивается. Отдохните, Мариан, я приберу на палубе.

— Ты настоящий оптимист, Лэситер. — Почему-то под его пристальным взглядом Тейт стало жарко, и она стянула футболку. — Я поплаваю.

Когда Тейт нырнула в воду, Мариан улыбнулась.

— Точно как ее отец. Уверена, что труд и настойчивость непременно принесут плоды. Когда веришь, что этого недостаточно, легче переносить неудачи. Я сама уберу, Мэтью. У меня своя система. А ты привези мне молока.

ГЛАВА 3

Тейт считала пессимизм разновидностью трусости и защитой от разочарований, а потому хуже всего она чувствовала себя, когда пессимизм одерживал верх.

За две недели, поочередно работая под водой от рассвета до заката, обе команды нашли всего лишь несколько проржавевших железяк. Тейт говорила себе, что рано падать духом, и продолжала поиски с энтузиазмом и тщательностью, в общем-то совершенно безосновательными.

С каждым погружением они продвигались все дальше на север, обследуя новые территории. Каждый раз Тейт охватывала дрожь предвкушения, и она говорила себе, что уж сегодня их точно ждет удача.

Вечерами она корпела над картами и копиями документов. Чем высокомернее становился Мэтью, тем отчаяннее она хотела найти затонувшее судно... хотя бы для того, чтобы доказать его неправоту.

Безусловно, эти две недели не были потрачены зря. Погода стояла прекрасная, от красоты подводного мира захватывало дух, а когда Мариан настаивала на отдыхе, они совершали набеги на сувенирные лавочки и устраивали пикники на берегу. Тейт обследовала кладбища и старинные церкви, надеясь найти ключ к тайне погибших в 1733 году кораблей, однако больше всего ей нравилось наблюдать за Баком и отцом.

Они представляли собой странную парочку. Один — толстый, приземистый, абсолютно лысый. Второй — высокий, худощавый, с роскошной, тронутой сединой, белокурой гривой. Отец говорил с ласкающей слух аристократической медлительностью, Бак пересыпал свою быструю речь отборными ругательствами... но при всех внешних различиях казалось, что после долгой разлуки встретились закадычные друзья.

Часто, поднимаясь на поверхность после своей смены, они хохотали, как только что нахулиганившие мальчишки, и всегда им было что рассказать друг другу.

Дома Рэй дружил с бизнесменами, которые только и говорили о делах, здесь он пил с Баком пиво, загорал и мечтал о сокровищах. Мариан фотографировала их, снимала на видео и называла «старыми морскими волками».

Готовясь к очередному утреннему погружению, Тейт вслушивалась в их спор за кофе и рогаликами.

— Все знания Бака о бейсболе уместились бы в чайной ложке, — заметил Мэтью, — но он подзубрил, чтобы сразиться с Рэем.

Тейт опустилась на палубу, чтобы натянуть ласты.

— По-моему, мило.

— Я не сказал, что это плохо.

— Ты никогда ничего не называешь милым.

Мэтью сел рядом с ней.

— Ладно, мило. Общение с твоим отцом идет Баку

на пользу. В последние годы ему пришлось нелегко. Не видел, чтобы он так наслаждался жизнью с тех пор, как... в общем, давно.

Тейт вздохнула. Трудно сердиться на такую искренность.

— Я знаю, ты любишь его.

— Естественно. Он всегда был рядом. Я сделал бы для него все на свете. — Мэтью поправил маску. — Черт, я же согласился нырять с тобой, разве нет? — Выпустив эту стрелу, он бросился в воду. Тейт только ухмыльнулась и нырнула следом.

Вода приятно охлаждала лицо и руки, развевала волосы. Рыбы уже привыкли к пришельцам, и часто какой-нибудь любопытный окунь или морской черт заглядывал в их маски. Тейт стала брать с собой целлофановый пакет с хлебными крошками и, прежде чем приступить к поискам, кормила вьющихся вокруг рыбок.

Верная барракуда, которую они окрестили Везунчиком, хотя она пока не принесла им удачи, неизменно приплывала понаблюдать за ними.

По установившейся традиции они работали, держа друг друга в поле зрения, и Тейт гораздо спокойнее переносила присутствие Мэта в подводном мире, безмолвие которого лишь изредка нарушалось ревом проносившегося над их головами прогулочного катера и несущейся из его приемника музыкой, приглушенной толщей воды.

Мысленно подпевая Тине Тернер, вопрошающей, какое отношение имеет ко всему этому любовь, Тейт подплыла к странному красно-коричневому нагромождению кораллов и чуть не задохнулась от изумления.

Это вовсе не кораллы, а камни. Корабельный балласт! И, судя по цвету, балласт галеона! Для шхун использовалась серая галька.

Неужели один из кораблей, погибших в 1733 году? И именно она нашла его!

Тейт закричала, подзывая Мэта, но ее крик вылился в фонтан пузырьков, затуманивших зрение. Опомнившись, она выхватила из ножен подводный нож и застучала по баллону. Мэт, тенью маячивший в нескольких ярдах от нее, зажестикулировал, явно не собираясь приближаться. Тейт снова застучала. Безрезультатно! Она застучала ножом по баллону в третий раз.

Плыви же сюда, черт побери! Плыви, гордец, и готовься к унижению!

Мэтью наконец подплыл, и Тейт точно угадала мгновение, когда он оценил ее находку. Она победно ухмыльнулась и исполнила плавный пируэт.

Изучив обросшую кораллами кучу, Мэтью взял Тейт за руку. Она ожидала, что они поднимутся на поверхность объявить о находке, но он потянул ее туда, откуда приплыл сам.

Сопротивляясь, Тейт замотала головой, показала большим пальцем наверх и забила ногами, однако Мэтью успел схватить ее за лодыжку. Тейт уже подумывала ударить его, но он перехватил ее руку и потащил назад. Она приготовила гневные, язвительные слова, которые скажет, как только сможет заговорить, и тут увидела то, что нашел Мэт. Она изумленно раскрыла рот, затем поправила загубник и уставилась на... корабельные пушки!

Ржавые, наполовину погрузившиеся в песок, оброс-

шие кораллами, огромные пушки, когда-то защищавшие испанский флот от пиратов и врагов короля!

Чуть не разрыдавшись от счастья, Тейт неуклюже обняла Мэтью и закружилась с ним в подобии победного танца. Вода забурлила вокруг них, косяк испуганных рыбешек метнулся прочь серебристыми лезвиями. Когда их маски столкнулись, Тейт хихикнула и, все еще прижимаясь к Мэту, рванулась вместе с ним наверх.

Как только они вылетели на поверхность, она сдернула маску, выплюнула загубник.

— Мэтью, ты видел? Мы нашли, нашли!

— Похоже на то.

— Мы первые нашли корабль. Через двести пятьдесят лет мы нашли его!

Он улыбнулся во весь рот, сверкнув белоснежными зубами, обхватил Тейт ногами.

— Нетронутый корабль. И весь наш, Рыжик!

— Поверить не могу. Раньше первым всегда был кто-то другой, но это... — Тейт откинула голову и рассмеялась. — Господи! Как чудесно! Бесподобно!

Она обвила Мэта руками, чуть не потопив их обоих, и прижалась губами к его губам.

Ее губы были прохладными, изогнутыми в улыбке, и их прикосновение в одно мгновение лишило его способности соображать. Он не заметил, когда впился в ее губы зубами, когда его язык проскользнул в ее рот, когда поцелуй из невинного превратился в страстный, только почувствовал, как у нее перехватило дыхание, как смягчились ее губы, и услышал ее прерывистый вздох.

Ошибка! Слово неоновой вспышкой пронзило мозг Мэта, но неожиданная капитуляция Тейт разрушила всю его оборону.

Тейт изумленно впитывала вкус соли, моря и мужчины. Непреодолимое сочетание. Ей казалось, что ее сердце остановилось, но это уже не имело значения. Ничто не имело значения в странном и прекрасном мире, кроме вкуса и ощущения его губ... и вдруг дверь в сверкающий мир захлопнулась перед ее носом. Она осталась одна, забарахталась, с трудом удержав голову над водой, уставилась на Мэта огромными затуманенными глазами и сжала губы, словно не желая расставаться с поцелуем.

— Мы попусту тратим время, — рявкнул он и мысленно обругал и себя, и ее.

— Что?

Раздражение в его голосе и оскорбительный смысл его слов прорвали волшебный туман.

— Я просто хотела поздравить тебя, — выдавила Тейт, решив, что не позволит ему портить такой изумительный день.

— Ну, считай, что поздравила. Надо сообщить остальным и поставить буйки.

— Хорошо. — Тейт быстро поплыла к яхте, бросив через плечо: — Не понимаю, с чего ты так раскипятился.

— И не поймешь, — пробормотал Мэт, догоняя ее.

Тейт забралась на палубу. Сидевшая под тентом Мариан отвлеклась от своего маникюра и улыбнулась.

— Ты что-то рано, дочка. Мы ожидали вас только через час.

— Где папа и Бак?

— В рубке. Снова изучают ту старую карту... — Мариан перестала улыбаться, вскочила. Никогда не покидавший ее страх перед акулами, в котором она никому не признавалась, промелькнул в ее глазах. — Что-то случилось? Мэтью! Он ранен?

— С ним все в порядке. Сейчас поднимется. — Тейт услышала, как шлепнулись на палубу его ласты, но даже не оглянулась. — Ничего страшного, мам. Все нормально. Нет, все великолепно. Мы нашли его.

Мариан подбежала к поручням, убедилась собственными глазами, что Мэтью невредим, и успокоилась.

— Кого вы нашли, милая?

— Затонувшее судно. — Тейт провела ладонью по лицу и с удивлением заметила, что пальцы ее дрожат.

— Боже милостивый! — Бак замер в дверях рубки. Его румяное лицо побледнело, голос прозвучал сдавленно: — Какой из них? Какой корабль вы нашли, мальчик?

— Не знаю. — Мэтью освободился от акваланга. Сердце его бешено колотилось о ребра, однако это было связано не столько с потрясающей находкой, сколько с Тейт. — Мы нашли балласт галеона и пушки. — Он перевел взгляд на застывшего в изумлении Рэя. — Думаю, здесь нас ждет много интересного.

— К-какие... — Рэй откашлялся. — Какие координаты, Тейт?

Она открыла рот и тут же снова закрыла, только сейчас сообразив, что слишком увлеклась и не отметила координаты. Мэтью взглянул на ее вспыхнувшее лицо, покровительственно улыбнулся и сообщил Рэю координаты.

— Необходимо расставить буйки. Одевайтесь, я вам покажу, что мы нашли. — Мэт ухмыльнулся. — Вы не зря покупали пневматический насос, Рэй.

— Да. Ты прав. — Рэй перевел прояснившийся взгляд на Бака и вдруг с радостным воплем бросился к нему. Мужчины обнялись и закачались как пьяные.

Чтобы поднять и сохранить сокровища затонувшего судна, нужно действовать по плану. Именно Тейт после шумного празднования высказала эту здравую мысль. Необходимо подать официальную заявку, составить точный каталог всех находок. Нужны хорошие блокноты, камера для подводных съемок, графитовые доски и специальные карандаши для зарисовок под водой.

— Бывало, — протянул Бак, прикладываясь к очередной бутылке пива, — искатель находил затонувшее судно и забирал себе все, что принадлежало ему по праву первооткрывателя... Конечно, приходилось осторожничать и держать рот на замке, да еще отбиваться от пиратов. А теперь сплошные правила и ограничения. Каждый паразит хочет урвать себе жирный кусок и воспользоваться чужой удачей. А многих больше волнуют разъеденные червями деревяшки, чем груз серебра.

— Останки судна важны для истории, Бак, — заметил Рэй, потягивая пиво.

— Дерьмо. — Бак закурил одну из десятка сигарет своей ежедневной нормы. — Раньше мы разбивали корабль вдребезги, если иначе не могли добраться до сокровищ. Не говорю, что это правильно, но было очень весело.

— Мы не имеем права разрушать одно, чтобы добраться до другого, — тихо сказала Тейт.

Бак оглянулся на нее, ухмыльнулся.

— Посмотрим, девочка, как ты заговоришь, когда заразишься золотой лихорадкой. Что-то вдруг блеснет в песке. Монета, цепочка, медальон. Любая безделушка, которую давно умерший мужчина подарил своей давно умершей женщине... Вот она в твоей руке, точно такая,

как в тот далекий день. И тогда ты думаешь только о том, как найти еще что-нибудь подобное.

Тейт подняла голову.

— Если вы найдете все сокровища «Изабеллы» или «Санта-Маргариты», вы все равно будете продолжать это дело?

— Я буду погружаться в море до самой смерти. Это все, что я умею. Все, чего хочу. Твой отец был таким же, Мэтью. Натыкался ли он на золото, возвращался ли с пушечным ядром, он все равно спускался снова. Смерть остановила его. Ничто другое не могло бы его остановить. — Бак уставился на свое пиво. — Он мечтал о «Изабелле». Все свои последние месяцы только и думал, где, когда и как найдет ее. Мы найдем колье в память о нем. Мы найдем «Проклятие Анжелики».

— Что? — Рэй нахмурился. — «Проклятие Анжелики»?

— Оно убило моего брата. Проклятое колдовство... Проклятая ведьма...

Мэтью наклонился и взял пустую бутылку из пальцев дяди.

— Его убил человек, Бак. Человек из плоти и крови. Никакого колдовства, никакого проклятия. — Он встал, поднял Бака на ноги. — Бак становится суеверным и слезливым, когда выпьет. Сейчас начнет рассказывать о Черной Бороде.

— Я видел призрак великого пирата, — промямлил Бак, глупо улыбаясь и близоруко таращась поверх соскользнувших на кончик носа очков. — Думаю, что видел. Помнишь, Мэтью?

— Еще бы не помнить. Завтра у нас нелегкий день, Бак. Пора домой.

— Помочь? — Рэй поднялся и с удивлением заметил, что сам нетвердо держится на ногах.

— Я справлюсь. Просто скину его в надувную лодку и перевезу. Спасибо за ужин, Мариан. Никогда в жизни не ел ничего подобного. — Мэтью взглянул на Тейт. — Будь готова на рассвете, детка. И будь готова к серьезной работе.

— Не сомневайся, я буду готова. — Несмотря на то что Мэт не просил о помощи, она подошла и поддержала Бака с другой стороны. — Идемте, Бак, пора спать.

— Ты милая девочка. — С хмельным восхищением Бак обнял ее. — Правда, Мэтью?

— Просто конфетка. Бак, я спущусь в лодку первым. Если промахнешься, я не стану тебя вылавливать.

Бак захихикал и, когда Мэт перемахнул через поручни, навалился всей тяжестью на Тейт.

— Мэтью шутит. Этот мальчик сразится за меня с десятком акул. Лэситеры не бросают друг друга в беде.

— Я знаю. — Тейт помогла Баку перебраться через перила. — Теперь держитесь. — Бак свалился в лодку, чуть не придавив Мэта, и Тейт не смогла подавить смешок. — Держитесь, Бак.

— Не волнуйтесь, детка. Не сделали еще ту лодку, в которую я не смог бы забраться.

Лодка угрожающе накренилась и зачерпнула бортом воду.

— Черт побери, ты перевернешь нас, Бак. Старый идиот! — Промокший до нитки, Мэт толкнул не менее мокрого старика на дно, и тот сразу же стал вычерпывать воду горстями.

— Ничего, мальчик. Я все вычерпаю.

— Просто сиди спокойно. — Мэтью взялся за весла

и взглянул вверх на семейство Бомонтов. — Надо бы выбросить его в море.

— Спокойной ночи, Рэй. — Бак бодро замахал рукой. — Завтра будут золотые дублоны. Золото, и серебро, и сверкающие драгоценности. — Уронив голову на грудь, он тихо забормотал: — Нетронутый корабль, Мэтью. Всегда знал, что мы найдем его. Бомонты принесли нам удачу.

— Да. — Подведя лодку к борту «Морского дьявола», Мэтью с сомнением посмотрел на дядю. — Ты сможешь подняться, Бак?

— Конечно. Я ведь родился моряком, разве не так?

По счастливой случайности, Баку удалось перебраться на палубу, не перевернув лодки. Когда Мэт присоединился к нему, он уже с энтузиазмом махал Бомонтам:

— Эй! На корабле! Полный порядок!

— Посмотрим, как ты запоешь утром, — проворчал Мэтью, волоча Бака в крохотную рубку.

— Они хорошие люди, Мэтью. Сначала я думал, что мы воспользуемся их снаряжением, а потом приберем к рукам львиную долю добычи. Мы с тобой могли бы спуститься ночью и припрятать самое ценное. Вряд ли они что-нибудь заметили бы.

— Может, и так, — согласился Мэтью, стаскивая с дяди мокрые штаны. — Я сам об этом подумывал. Ничего нет зазорного в том, чтобы обчистить любителей.

— И мы кое-кого обчистили, — хихикнул Бак. — Правда, не могу поступить так со стариной Рэем. Он мой друг. После смерти твоего отца у меня не было такого друга. А еще его прелестная жена и прелестная дочка. Нет. — Бак с сожалением покачал головой. — Невозможно обманывать симпатичных людей.

Мэтью в ответ только хмыкнул, не сводя глаз с подвесной койки. Даст бог, не придется затаскивать в нее Бака.

— Да. Я буду честен с Рэем. — Бак с трудом забрался в койку. — Я должен был рассказать им о «Проклятии Анжелики». Я много думал о нем, но никому никогда не рассказывал, кроме тебя.

— Не беспокойся.

— Может, лучше было бы не говорить им. Не хочу, чтобы с ними случилось несчастье.

Мэтью стянул с себя мокрые джинсы.

— С ними ничего плохого не случится.

— Помнишь, я показывал тебе рисунок? Золото, рубины, бриллианты. Неужели такая красота может приносить зло?

— Не может. — Мэтью стянул рубашку, швырнул ее на джинсы, затем снял с Бака очки. — Поспи, Бак.

— Столько лет прошло с тех пор, как сожгли ведьму, а люди все умирают. Как Джеймс.

Мэтью стиснул зубы.

— Не колье убило моего отца, а человек. Сайлас Ван Дайк.

— Ван Дайк, — сонно повторил Бак. — Мы не смогли это доказать.

— Достаточно знать.

— Это все проклятие. Проклятие колдуньи. Но мы победим ее, Мэтью. Мы с тобой победим ее, — пробормотал Бак и захрапел.

К черту проклятия, думал Мэтью. Он найдет амулет. Не успокоится, пока не найдет. А потом отомстит ублюдку, убившему его отца.

Мэтью устроился в дальнем конце палубы, где не

так был слышен мощный храп Бака, закинул руки за голову. Он смотрел на луну, похожую на разрубленную пополам серебряную монету, на рассыпанные вокруг нее звезды, но видел толстую золотую цепь, усыпанную бриллиантами, и выгравированные на рубиновом кулоне имена обреченных влюбленных.

Мэт знал легенду так, как другие знают сказки, которые им в детстве читали на ночь. Женщину сожгли на костре за колдовство и убийство. Умирая, она прокляла всех, кто извлечет выгоду из ее смерти, и веками ее проклятие преследовало всех связанных с амулетом. Мэт готов был поверить в легенду, но бесценное колье и без всякого проклятия толкало бы алчных и похотливых на убийство.

Он знал это слишком хорошо. Он знал это по собственному опыту. Его отца убили из-за «Проклятия Анжелики».

Однако замыслил и совершил убийство человек. Сайлас Ван Дайк.

Мэтью ничего не забыл. Даже через столько лет он помнил и лицо, и голос... даже запах Ван Дайка. И знал, что когда-нибудь найдет амулет и отомстит убийце.

Странно, что, задремав с такими черными мыслями, он увидел во сне Тейт.

Он плыл без снаряжения в прозрачных водах среди коралловых ветвей и разноцветных рыб, спускаясь все глубже, где цвета постепенно сливались в один — голубой. Однако давление не увеличивалось, не было страха. Было только пьянящее чувство свободы и восторга.

Он мог бы остаться навсегда в этом безмолвном мире. Без груза акваланга, без груза забот.

Как в сказке перед ним выросли мачты с развеваемыми течением рваными флагами. Затонувший корабль, совершенно целый, покоился на песчаном дне. Мэт видел пушки, нацеленные на давно погибших врагов, и штурвал, терпеливо ожидающий призрачного капитана.

Восхищенный, Мэтью проплыл над накренившимся корпусом, читая гордое имя — «Изабелла»... и увидел Тейт. Соблазнительно улыбаясь, она парила совсем рядом и куда-то звала его. Волосы, не короткие, как в жизни, а длинные, шелковистыми огненными прядями струились по обнаженным плечам и груди, кожа мерцала будто жемчуг, а глаза были теми же — зелеными и лучистыми.

Словно прилив, которому невозможно сопротивляться, повлек его к ней, и она обняла его. Ее губы раскрылись, сладкие как мед. Когда он коснулся ее, то понял, что только этого и ждал всю свою жизнь. Ощущение ее кожи, скользящей под его ладонями, дрожь ее тела возбуждали его.

Мэтью услышал ее вздох и еще теснее прижал Тейт к себе. Удивительное тепло окутало его, когда он скользнул в нее, опутанный ее ногами, словно шелковыми цепями. Она изогнулась и еще глубже вобрала его в себя.

Слившись в единое целое, они кувыркались в воде, и Мэт чувствовал себя невесомым и блаженно-счастливым. Он растворялся в ней: в ее теле, в ее поцелуе, в ее улыбке, но вдруг она покачала головой и уплыла прочь. Он погнался за ней, и они резвились как дети вокруг затонувшего корабля.

Тейт подвела его к сундуку и, смеясь, откинула крышку, погрузила руки в сверкающие золотые монеты и драгоценные камни. Бриллианты величиной с орех, изумруды — такие же яркие, как ее глаза, множество сапфиров и рубинов осветили и согрели их подводный мир.

Мэт набрал горсть бриллиантов, осыпал ее волосы... и вдруг увидел колье. Тяжелая золотая цепь была теплой, словно живая. Никогда еще в своей жизни он не видел ничего столь прекрасного, столь неотразимого.

Он надел колье на Тейт, и, восхищенно улыбаясь, она сжала рубиновый кулон в руке.

Вдруг кулон вспыхнул, и, содрогаясь от ужаса, Мэт смотрел, как огонь охватывает ее лицо и тело. Остались только ее глаза, сверкающие страхом и болью.

Он не мог дотянуться до нее, как ни старался. Вода, только что необыкновенно спокойная, забурлила. Со дна поднялся песчаный смерч и ослепил его. Вспыхнула молния, затрещали мачты, дно заходило ходуном, как во время землетрясения, раскалывая корпус корабля.

И сквозь грохот он услышал крики — ее и свои.

Потом исчезло все: пламя, смерч, погибшее судно, амулет. И Тейт. Осталось небо над головой с половинкой луны и россыпью звезд, море — черное как смоль и что-то нашептывающее... Мэт лежал на палубе «Морского дьявола», обливаясь потом и судорожно ловя воздух ртом.

ГЛАВА 4

Утром, как только они спустились на дно, Тейт защелкала подводной фотокамерой и не успокоилась, пока не сделала дюжины две снимков. Решив доставить напарнице удовольствие, Мэт сфотографировал ее на фоне находок и попозировал у проржавевшего пушечного жерла. Потом они вместе прикрепили ядро к поплавку, отправили его наверх и приступили к работе.

Управляться под водой с пневматическим насосом не так-то просто. Требуется и ловкость, и терпение, и умение работать в команде, хотя сам по себе насос — довольно простое устройство. Нагнетаемый компрессором сжатый воздух всасывает воду с песком и выбрасывает их с другого конца, однако, если работать слишком быстро, можно разрушить находки, если слишком медленно — насос засорится раковинами и кораллами.

Пока Мэтью делал в грунте пробные отверстия, Тейт обследовала мутный водоворот песка и легкого мусора, собирала в ведра ржавые гвозди, керамические черепки и все, что заслуживало внимания. Окружающая обстановка располагала к мечтам. Тейт представила себе поток золотых монет... Однако она мечтала закончить университет и бороздить океаны не из жажды наживы, а ради похороненных на дне культурных ценностей. Когда-нибудь ее имя будет иметь вес среди археологов...

Острая боль в пальце вернула ее к реальности. Ну что же, всего лишь легкий порез. Капелька крови тут же растворилась в воде, и Тейт подняла глаза на Мэта. Он указывал на отверстие примерно в фут глубиной. Тейт чуть не взвизгнула от восторга, увидев застрявшее в железных штырях оловянное блюдо, лишь по краям покрытое известковой коркой. Она снова достала камеру, сфотографировала блюдо и еще долго бы с вожделением его разглядывала, но Мэтью уже сверлил новую лунку. Как художник, думала Тейт, наблюдая за ним, только с пневмонасосом вместо кисти.

Находки посыпались, словно из рога изобилия. Каждое перемещение трубы приносило новые открытия.

Груда ложек, спаянных кораллами, разбитая фарфоровая чаша...

Тейт забыла об усталости, о Мэтью, обо всем на свете.

Вдруг из грунта показалась фарфоровая ваза, расписанная по краю изящными розовыми бутонами. Мэтью не стал бы сейчас трогать хрупкую реликвию, но, увидев вспыхнувшие восторгом глаза Тейт, начал длительный и монотонный процесс очистки. Затем, отложив трубу, он вручную освободил вазу от кораллового постамента, изрядно поцарапав руки. Однако все порезы и ссадины были забыты, когда он протянул вазу Тейт и ее сияющие глаза наполнились слезами.

Мэтью подхватил насос, ведро с находками, и они поплыли к поверхности в фонтане мелких пузырьков.

Даже оказавшись над водой, Тейт не могла говорить от переполнявших ее чувств. Отец улыбнулся ей с палубы «Приключения» и крикнул, перекрывая рев компрессора:

— Вы не давали нам скучать! У нас тут столько всего, Тейт. Ложки, вилки, медные монеты, пуговицы...

Рэй поднял на борт ведро и зачарованно умолк, увидев вазу.

— Господи! Фарфор, и без единой щербинки! Мариан... — Его голос сорвался от волнения. — Мариан, иди сюда скорее. Ты только взгляни на это.

Когда Тейт и Мэтью поднялись на борт, Мариан сидела на палубе, благоговейно держа вазу.

— Красивая штучка, — с деланым безразличием заметил Бак, выключая компрессор.

— Там так много всего, — выдавила Тейт, уже не сдерживая слез. — Папа, представь только! Все это лежит на дне и словно ждет нас. — Смахнув слезы со щек, Тейт присела на корточки и осторожно провела пальцем по краю вазы. — Шторм, кораблекрушение, двести пятьдесят лет под водой — и ни единой царапинки.

— Думаю, мы наткнулись на камбуз, — вставил Мэтью. — Кухонная утварь, кувшины для вина, разбитая посуда. — Он с благодарностью взял предложенный Рэем стакан лимонада. — Попробуйте пошарить немного севернее.

— Не будем терять время! — воскликнул Бак, натягивая гидрокостюм.

— Я видел акулу, — тихо сказал Мэт. — Она нами не заинтересовалась, но не мешает прихватить пару ракет.

Рэй опасливо оглянулся на жену, увлеченную видеосъемкой находок, и согласился:

— Лучше подстраховаться, чем потом сожалеть. Тейт, доченька, не хочешь перезарядить для меня камеру?

Двадцать минут спустя компрессор снова работал, а Тейт с матерью сидели в рубке за большим раскладным столом, систематизируя находки.

— Это «Санта-Маргарита», — сказала Тейт. — Мы видели клеймо на одной из пушек. Мама, мы нашли наш испанский галеон.

— Мечта твоего отца сбылась.

— И твоя.

— И моя, — с улыбкой согласилась Мариан. — Сначала это казалось просто интересным хобби. Прекрасное развлечение после скучной работы.

Тейт нахмурилась:

— Я не знала, что ты считала свою работу скучной.

— Ну, совсем неплохо работать секретарем юридической фирмы, пока не задаешь себе вопроса, почему не хватило духа стать адвокатом. — Мариан пожала плечами. — У твоей бабушки, Тейт, были очень старомодные взгляды. Ожидалось, что я буду заниматься подходящим делом, пока не найду подходящего мужа. — Мариан отложила оловянную кружку без ручки. — Правда, с мужем мне повезло. Очень повезло.

— Ты хотела стать адвокатом?

— Ну, эта мысль не приходила мне в голову лет до сорока, — призналась Мариан. — Опасный возраст для женщины. Не могу сказать, что очень переживала, когда твой отец решил удалиться от дел. Я с удовольствием стала охотиться с ним за сокровищами. — Она взяла со стола серебряную монету. — А теперь я понимаю, что мы делаем нечто очень важное. Никогда не думала, что судьба снова улыбнется мне.

— Снова?

— Ты — мой главный дар. Охота за подводными сокровищами увлекательна, но для нас с отцом единственным сокровищем всегда будешь ты... Мэтью, иди к нам.

— Не хотел мешать вашему разговору.

Он всегда чувствовал себя неловко в чужом семейном кругу.

— Глупости, — заверила его Мариан. — Держу пари, ты хочешь кофе.

Мэтью обвел взглядом заваленный находками стол.

— Боюсь, нам понадобится больше места.

Мариан уже вернулась с кружкой дымящегося кофе и тарелкой с солеными крендельками.

— Обожаю оптимистов.

— Мой напарник далеко не оптимист, — поправила Тейт. — Он — реалист.

— Я бы этого не сказал.

— Точно, точно. — Тейт выбрала себе кренделек. — Бак — мечтатель, а ты любишь свободу... солнце, море. Никакой ответственности, никаких уз. Ты не надеешься найти сундук с золотыми дублонами, но умеешь извлечь пользу из случайной безделушки. Чтобы не испытывать недостатка в пиве и креветках.

— Тейт! — Мариан покачала головой, с трудом сдерживая смех. — Не груби.

— Пусть продолжает. — Мэтью отхлебнул кофе. — Это даже интересно.

— Ты не боишься тяжелой работы, потому что всегда найдешь время поваляться в гамаке, подремать. И, конечно, острые ощущения. От погружений, от открытий. — Тейт протянула ему серебряную ложку. — Ты — реалист, Мэтью. Поэтому, когда ты говоришь, что нам нужно больше места, я тебе верю.

— Прекрасно. — Если в начале ее речи Мэт еще сомневался, то теперь точно почувствовал себя оскорбленным. — Можно приспособить под склад «Морского дьявола». — Заметив недоверчивое выражение лица Тейт, он добавил: — А спать мы с Баком можем здесь, на палубе. «Приключение» будет нашей общей базой. Нырять будем отсюда и здесь будем очищать находки, а затем перевозить их на «Дьявола».

— Разумно, — согласилась Мариан. — Раз у нас два судна, надо использовать оба.

— Ладно. Если папа и Бак согласятся, я не возражаю. А пока, Мэтью, не поможешь мне принести то, что осталось на палубе?

— С удовольствием, напарник. Мариан, спасибо за кофе.

— На здоровье, дорогой.

— Вечером я собираюсь на Сент-Китс отдать пленку в проявку. Хочешь со мной? — спросила Тейт.

— Может быть.

Тейт заметила его раздражение и улыбнулась.

— Мэт, я, кажется, поняла, почему мы так хорошо работаем вместе под водой.

Он обернулся. Вдохнул ее аромат, аромат соленого моря и крема от загара. Даже после нескольких недель под палящим солнцем ее кожа оставалась белой как алебастр.

— И почему же?

— Потому что ты реалист, а я идеалистка. Ты безрассуден, я осторожна. И каким-то образом мы поддерживаем равновесие.

— Ты любишь все анализировать, Рыжик.

— Наверное. — Тейт придвинулась поближе, надеясь, что Мэт не поймет, чего ей это стоило. — Я проанализировала, почему ты так разозлился после того, как поцеловал меня.

— Я не злился. И это ты меня поцеловала.

— Я только начала. — Преисполненная решимости, Тейт смотрела ему прямо в глаза. — Ты разозлился, потому что удивился своим чувствам. И я удивилась. — Она положила ладони на его грудь. — Интересно, удивимся ли мы сейчас.

Больше всего на свете Мэт хотел утолить свой голод по этим свежим и щедрым губам... но грубо схватил ее за запястья.

— Ты ступаешь на зыбкую почву, Тейт.

— Не одна. — И вдруг она поняла, что больше не боится. Господи, даже ни капельки не нервничает. — Я знаю, что делаю.

— Не знаешь. — Мэт оттолкнул ее, не заметив, что

все еще сжимает ее руки. — Ты не видишь последствий, но они есть. За легкомыслие придется расплачиваться.

— Я не боюсь тебя. Я хочу быть с тобой.

— Легко говорить, когда твоя мать рядом. Хотя, может, ты умнее, чем кажешься.

Мэт в ярости отпустил ее руки и ушел.

Ее щеки вспыхнули. Она ведь действительно дразнила его. Хотела проверить... Ей просто необходимо было узнать, испытывает ли он хотя бы половину того притяжения, что чувствует она. Охваченная раскаянием, Тейт бросилась за ним.

— Мэтью, прости. Я...

Но он уже перемахнул через борт и плыл к «Морскому дьяволу». Черт побери! Мог по меньшей мере дождаться ее извинений! Она бросилась в воду.

Когда Тейт выбралась на палубу «Дьявола», Мэт открывал бутылку пива.

— Возвращайся домой, пока я не вышвырнул тебя за борт, детка.

— Я же сказала, что сожалею. Это было нечестно и глупо, и я прошу прощения.

— Прекрасно. — Несколько глотков холодного пива не охладили его. Намеренно не глядя на нее, он завалился в гамак. — Марш домой!

— Я не хотела злить тебя. — Тейт решительно подошла к нему. — Я просто пыталась... я просто проверяла.

Мэт поставил открытую бутылку на палубу.

— Ах, проверяла?

Он неожиданно притянул ее к себе. Тейт вцепилась в края гамака, чтобы не упасть, и с изумлением почувствовала, как Мэт обхватил ее за ягодицы и не очень ласково шлепнул.

— Мэтью!

Мэт отшвырнул ее, и Тейт приземлилась на попку, с которой он только что так близко познакомился.

— Вот теперь мы квиты, — спокойно заметил он, снова поднимая свою бутылку.

Тейт не бросилась на него только потому, что не сомневалась: результат будет катастрофическим и унизительным... к тому же она получила по заслугам.

— Ладно, — с достоинством согласилась она. — Квиты.

Вообще-то Мэт ожидал вспышки гнева или по меньшей мере слез, и ее спокойствие восхитило его.

— А ты молодчина, Рыжик.

— Снова друзья? — спросила она, протягивая руку.

— Во всяком случае, партнеры.

— Не хочешь освежиться? Поплавать?

— Может быть. В рубке есть маски и трубки.

— Я принесу. — Но она вернулась с блокнотом и карандашом. — Что это?

— Шелковый галстук. А ты что подумала?

Проигнорировав его сарказм, Тейт присела на край гамака.

— Это ты нарисовал «Санта-Маргариту»?

— Да.

— Очень прилично.

— Я — самый обычный Пикассо.

— Я сказала «очень прилично». А что означают эти цифры?

Мэт вздохнул. Любители, черт побери!

— Сегодня мы нашли камбуз. — Мэт сел, свесив ноги, и ткнул пальцем в рисунок. — Офицерские каюты, каюты пассажиров. Трюм. — Он перевернул страницу и стал быстро рисовать. — Здесь мы нашли балласт. А здесь пушки. Теперь мы попробуем найти середину корабля.

Их плечи соприкоснулись.

— Но потом мы раскопаем весь корабль, так?

Продолжая рисовать, Мэт мельком взглянул на нее.

— На это потребуются месяцы, а может, и годы.

— Да, но ведь сам корабль так же важен, как и его груз. Мы должны все раскопать и законсервировать.

С точки зрения Мэта, само судно было лишь никчемной деревяшкой, но он решил не уточнять.

— Скоро начнется сезон бурь, и мы должны сосредоточиться на ценном грузе. Если останется время, можно будет заняться и всем остальным.

Лично он заберет свою долю и смотается. С золотом, звенящим в карманах, он построит приличную яхту и займется поисками «Изабеллы». В память об отце.

Он обязательно найдет «Проклятие Анжелики» и отомстит Ван Дайку.

— Разумно. — Тейт подняла голову и вздрогнула, увидев холодный блеск его глаз. — О чем ты думаешь?

Мэтью встряхнулся.

— Ни о чем. Конечно, разумно. Оглянуться не успеешь, как все узнают о нашем корабле, и у нас появится компания.

— Репортеры?

Мэт фыркнул:

— Это наименьшее зло. Браконьеры.

— Но у нас ведь официальная заявка!

Он презрительно рассмеялся:

— Это ни черта не значит, Рыжик, особенно со злым роком Лэситеров. Нам придется посменно не только работать, но и спать. Если мы начнем поднимать золото, его унюхают охотники от Австралии до Красного моря. Поверь мне.

— Я верю. Давай проверим папу и Бака, а потом поедем проявить пленку.

Когда они мчались к острову на маленьком катере «Приключение», у Тейт был уже целый список поручений.

— Я должна была это предчувствовать, — простонала она.

— Ничего страшного.

— Ты не видел список. Ой, посмотри! — Тейт показала на группу дельфинов, резвившихся неподалеку. — Когда мне было двенадцать лет, я играла с дельфином. Целая стая сопровождала нашу яхту в Коралловом море. Потрясающе! У них такие добрые глаза.

Она быстро поднялась, прикинула расстояние до пирса и набросила петлю троса на тумбу. Оставив катер, молодые люди направились к пляжу, где между отдыхающими, нежившимися на солнце, сновали официанты в белых шортах и цветастых рубашках.

— Мэтью, если мы найдем сокровища и разбогатеем, что ты будешь делать?

— Потрачу деньги в свое удовольствие.

— На что?

— На разное. — Однако он уже знал, что расплывчатый ответ ее не устроит. — На яхту. Как только у меня будут деньги и время, я построю собственную яхту. Может, куплю домик на острове вроде этого... Я никогда не был богат, но вряд ли трудно привыкнуть к роскошным отелям, шикарной одежде и безделью.

— Однако нырять не перестанешь?

— Естественно.

— Я тоже. — Тейт бессознательно взяла его за руку. — Красное море, Большой Барьерный риф, Японское море. Столько чудесных мест! Когда я закончу колледж, то обязательно везде побываю.

— Морская археология, так?

— Так.

Мэт окинул ее взглядом. Яркая копна волос, взлохмаченная ветром, мешковатые хлопчатобумажные слаксы, крохотная маечка, солнечные очки с квадратными стеклами в черной оправе.

— Ты не очень-то похожа на ученого.

— Ученому необходимы мозги и воображение, а не модная одежда.

— В модной одежде нет ничего плохого.

Совершенно не обидевшись, Тейт пожала плечами. Несмотря на иногда прорывавшееся огорчение матери, она мало думала о модных нарядах.

— Какая разница, что носить, если есть хороший гидрокостюм? Я собираюсь потратить свою жизнь на морские раскопки, а для этого не нужна куча нарядов. Мне еще столько необходимо узнать.

— А меня учеба никогда не волновала. — Конечно, они столько переезжали, что у него просто не было выбора. — Я предпочитаю учиться в процессе работы.

— Понимаю.

Они взяли такси до города, где Тейт сдала в проявку пленку, а потом, к ее удовольствию, Мэтью отправился с ней поглазеть на безделушки, выставленные в многочисленных сувенирных лавочках, и не возражал, когда она надолго застряла у маленького золотого медальона с

жемчужинкой. Любовь к украшениям Тейт считала безобидной слабостью.

— Не думал, что тебе нравятся побрякушки, — прокомментировал Мэтью, опершись о прилавок. — Ты их никогда не носишь.

— Я потеряла в море колечко с рубином — подарок родителей на шестнадцатилетие, и у меня чуть сердце не разорвалось. С тех пор я не ношу украшений, когда мы охотимся за сокровищами. — Тейт с трудом оторвала взгляд от изящного медальона и дернула монету, висевшую на шее Мэта. — Может, я сделаю амулет из той монеты, что подарил мне Бак.

— Мне помогает. Хочешь выпить или еще что-нибудь?

Тейт коснулась верхней губы кончиком языка.

— Мороженого.

— Мороженого? Пошли.

Купив рожки с мороженым, они бродили по узким улочкам, делали покупки для Мариан. Тейт весело смеялась над историей о встрече Бака с призраком Черной Бороды и совсем растаяла, когда Мэт сорвал белую китайскую розу и воткнул ей в волосы.

Уже в сумерках они вернулись на пляж. Мэтью сложил пакеты в катер и обернулся. Закатав до колен штанины, Тейт стояла в набегавших волнах. Последние солнечные лучи золотили ее волосы и кожу, и Мэт вдруг с болью вспомнил свой сон.

— Здесь прекрасно, — прошептала она. — Как будто ничего больше не существует. Неужели в мире, где есть подобные места, может быть зло? — Цветок в волосах, прогулка по пляжу за руку с Мэтом... Он наверняка не понимает, что этот день — самый романтичный в ее жизни. Тейт повернулась к нему. — Может, мы должны остаться здесь навсегда. Просто остаться и...

Она умолкла, с трудом сглотнула подступивший к горлу комок. Глаза Мэта были темными, напряженными, сфокусированными на ней. Только на ней.

Не колеблясь, она подошла к нему. Ее руки скользнули вверх по его груди, сомкнулись на его шее. Несколько секунд Мэт не шевелился, не сводя с нее глаз, затем резко притянул к себе.

Да, ее целовали раньше. Но теперь ее целовал мужчина, а не мальчишка. Мужчина обнимал ее, разжигал пожар в ее крови, и только этот мужчина был ей нужен. Она прижалась к нему, покрывая его лицо отчаянными поцелуями, пока снова не нашла губами его рот, чуть не всхлипнув от удовольствия.

Мэту казалось, что ее тело струится под его ладонями. Опьяненный, он жадно впитывал каждый ее вздох, каждый стон, содрогаясь от пронзавших его желаний.

— Тейт... — Его голос прозвучал хрипло, почти отчаянно. — Мы не можем. Нельзя...

— Можем. Замолчи. — Она уже дышала с трудом. — Поцелуй меня снова. Скорее.

Он снова накрыл ее губы поцелуем, и словно что-то взорвалось в нем.

— Это безумие, — прошептал он. — Я совсем свихнулся.

— Я тоже. Мэтью, я хочу тебя. Я тебя хочу.

Ее слова подействовали на него отрезвляюще. Он отшатнулся, словно получил неожиданный удар.

— Послушай, Тейт... Какого черта ты улыбаешься?

— Ты тоже меня хочешь. — Она ласково погладила

его щеку, окончательно лишив рассудка. — Сначала я сомневалась, и мне было очень больно, потому что я умирала от желания. Ты мне даже не нравился, и все равно я умирала от желания.

— Господи! — Мэт прижался лбом к ее лбу. — Из нас двоих осторожная ты. Это твои слова.

— Только не с тобой. — Тейт доверчиво прильнула к его груди. — Только не с тобой. Когда ты первый раз поцеловал меня, я поняла, что всегда ждала тебя.

У него не было компаса, но он знал, что необходимо кардинально изменить курс.

— Тейт, мы не должны спешить. Поверь мне.

— Ты хочешь заняться со мной любовью. — Она вскинула голову. Ее глаза стали таинственными и бездонными. — Я не ребенок, Мэтью.

— Я хочу тебя, Тэйт, но не могу причинять боль твоим родителям. Не хочу обманывать их доверие.

«Гордость, — подумала Тейт. — Гордость, преданность, честность». Разве удивительно, что она любит его?

Тейт легко коснулась улыбающимися губами его губ.

— Ладно. Не будем спешить. Я могу подождать. Но это касается только меня и тебя, и больше никого.

ГЛАВА 5

Из-за налетевших бурь пришлось на пару дней отложить погружения. Когда улеглась первая волна нетерпения, Тейт устроилась на палубе «Приключения» и занялась изучением и систематизацией находок, поднятых отцом и Баком в их последнюю смену.

Дождь монотонно барабанил по тенту. Из рубки, где шло непрерывное сражение в покер, доносились голоса

и смех, перемежаемые ругательствами. Острова исчезли, растворились в густом тумане. Бескрайний мир съежился до маленькой компании, болтавшейся на яхте в бушующем сером море под разгневанными небесами.

— Помощь не нужна?

— Не помешает. — От одного взгляда на Мэта, нырнувшего под тент с кружкой кофе в руке, сердце Тейт екнуло. — Неужели игра закончилась?

— Нет, закончилась моя удача. — Мэт сел рядом, протянул ей кофе. — Бак только что разгромил мой «полный дом»[1] своим королевским флешем[2].

— Никак не могу запомнить, что важнее. Я лучше играю в рамми. — Тейт протянула ему серебряный крест. — Мэтью, посмотри. Может, этот крест болтался на груди корабельного кока, когда он взбивал масло для бисквитов.

— Может быть. — Мэт потрогал серебро. Безобразная штуковина, будто выкованная кузнецом, и, несмотря на приличный вес, не очень ценная. — Есть что-нибудь интересное?

— Такелажные крюки. Видишь, на них еще сохранились следы канатов. — Тейт устремила взгляд в непроницаемый туман, представляя себе картину далекого прошлого. — Свистящий ветер в клочья рвал паруса, матросы отчаянно пытались спасти корабль. Всех охватил ужас. Мужчины цеплялись за тросы и мачты, матери прижимали к себе детей... и мы нашли то, что осталось от них. — Тейт положила на стол почерневшие

---

[1] «Полный дом» — три карты одного достоинства и две — другого.

[2] Королевский флеш — пять карт одной масти по порядку.

крюки и взяла глиняную трубку. — Какой-то моряк раскуривал ее после вахты и наслаждался покоем. А эта кружка была полна эля.

Мэт повертел в руках кружку, не желая признавать, что нарисованная Тейт картина тронула его.

— Ручка отбита. Очень жаль. Много за эту кружку не выручишь.

— Ты думаешь только о деньгах! — возмутилась Тэйт.

Мэтью усмехнулся.

— Конечно, Рыжик. Тебе — романтика, мне — деньги.

— Но...

Мэт оборвал ее возражения поцелуем.

— Ты очень хорошенькая, когда возмущаешься.

— Правда? — Она была так молода и так влюблена, что приняла близко к сердцу все его слова. — Я не верю, что ты такой корыстный, каким притворяешься.

— Поверь. История хороша только тогда, когда можно извлечь из нее какую-то выгоду. — Он взглянул на небо и не заметил, как Тейт нахмурилась. — Дождь прекращается. Завтра можно будет нырять.

— Не терпится?

— В общем, да. Надоело болтаться без дела. К тому же не успею я моргнуть, как твоя мать сует мне под нос полную тарелку чего-нибудь вкусного. Беда в том, что я могу к этому привыкнуть. — Мэт погладил ее волосы. — Это совершенно другой мир. Ты — другой мир.

— Вовсе нет, Мэтью, — прошептала Тейт, поднимая к нему лицо. — Может, только чуть-чуть.

Его пальцы сжались, затем медленно расслабились. Она слишком мало знает о жизни, о его жизни, чтобы понять разницу. Если бы он был хорошим добрым человеком, то не стал бы касаться ее сейчас, не стал бы искушать ни ее, ни себя. Каждый шаг к сближению — ошибка.

— Тейт... — Пока он мучительно решал, оттолкнуть ее или обнять покрепче, Бак сунул голову под брезент.

— Эй, Мэтью, ты... — Тейт и Мэт отшатнулись друг от друга, а у Бака отвисла челюсть. — А-а... п-простите меня. Ах, да, Мэтью...

— Привет, Бак. — Тейт улыбнулась старику и невозмутимо продолжила записи. — Я слышала, вам повезло в покере.

— Да. Да, я... э... — Так и не найдя подходящих слов, Бак сунул руки в карманы и переступил с ноги на ногу. — Дождь кончается, — наконец объявил он. — Мы с Мэтью... ну, мы перевезем все это на «Морского дьявола».

— Я как раз заканчиваю. — Тейт тщательно завернула колпачок ручки. — Я вам помогу.

— Нет-нет, мы сами. — Бак вытащил руку из кармана, поправил очки. — Нам еще надо покопаться в моторе. Мариан говорила, что вы дежурите сегодня на кухне.

— Правильно, — вздохнула Тейт. — И думаю, пора начинать. — Она сунула блокнот под мышку и поднялась. — Увидимся за ужином.

Пока они запаковывали и грузили добычу, Бак держался. В ответ на предложение Мэта снять под склад сарай или гараж на берегу он лишь что-то пробормотал, пожав плечами, и взорвался, только когда они подходили к «Морскому дьяволу»:

— Ты что, парень, совсем свихнулся?

Мэтью чуть дернул руль.

— Отцепись, Бак.

— Не отцеплюсь, пока не доберусь до твоих мозгов. Как ты смеешь волочиться за этой малышкой?

Мэт выключил мотор, закрепил трос и только тогда процедил сквозь зубы:

— Я за ней не волочился. Это совсем не то, о чем ты подумал.

— Слава богу! — Бак легко подхватил брезентовый тюк и поставил ногу на трап. — Не смей играть в эти игры с Тейт, парень. Она порядочная девушка.

Мэтью взвалил на плечо второй мешок.

— Я знаю.

— Тогда не забывай. — Бак отнес свой мешок в рубку и осторожно развернул брезент на столе. — Бомонты — хорошие, достойные люди, Мэтью.

— А я нет.

Услышав горечь в голосе племянника, Бак удивленно оглянулся.

— Я этого не говорил, мальчик. Просто мы не такие, как они. И никогда не были. Может, ты не видишь ничего плохого в том, чтобы пофлиртовать, пока мы не двинемся дальше, но такие девушки ожидают серьезных отношений. — Бак вытащил сигарету, закурил и пристально взглянул на Мэта сквозь облако дыма. — Хочешь сказать, что думал о ней серьезно?

Мэтью открыл бутылку пива, глотнул, пытаясь смыть хоть часть гнева.

— Нет, не хочу. Но я никогда не обижу ее.

«Не хочешь обидеть», — подумал Бак.

— Смени курс, мальчик. Если зудит, вокруг много женщин. — Старик не дрогнул, увидев, как гневно вспыхнули глаза Мэта. — Кроме меня, никто тебе этого не скажет. Когда мужчина связывается с неподходящей женщиной, плохо обоим.

Пытаясь взять себя в руки, Мэтью снова глотнул пива.

— Как моим родителям?

— Правильно. — Голос Бака смягчился. — Конечно, они влюбились друг в друга без памяти. И поженились, не успев все обдумать. А в результате сплошные мучения.

— Не думаю, что она страдала, — огрызнулся Мэтью. — Ведь она бросила отца, не так ли? И меня. Даже не оглянулась, насколько я знаю.

— Она не смогла привыкнуть к нашей жизни. Если спросишь мое мнение, так большинство женщин не могут. Бесполезно винить их в этом.

— Я — не мой отец, Тейт — не моя мать. Вот в чем суть.

— Я объясню тебе суть. — Бак смял сигарету. — Эта девушка приехала поразвлечься на пару месяцев. Но, когда каникулы закончатся, она вернется в университет, найдет себе подходящую работу и подходящего мужа, а ты останешься ни с чем. Если ты об этом забудешь и воспользуешься ее влюбленностью, тебе же будет хуже.

— По-твоему, я недостаточно хорош для нее?

— Ты хорош для кого угодно, — покачал головой Бак. — Но вы очень разные.

— Кажется, я слышу голос разумного и опытного наставника, — с сарказмом заметил Мэт.

— Может, я не очень-то разбираюсь в женщинах, но я знаю тебя. Нам выпал редкий шанс, Мэтью. Такие, как мы, ищут всю жизнь, и мало кто находит. Мы нашли, и нам осталось только взять. Ты сможешь многое сделать на свою долю. А когда сделаешь, еще останется куча времени на женщин.

— Конечно. Не волнуйся.

Бак с облегчением хлопнул племянника по плечу.

— Вот и хорошо. Давай взглянем на мотор.

— Иди. Я сейчас.

Оставшись один, Мэт уставился на бутылку в своей руке, с трудом подавляя желание разбить ее вдребезги о стену рубки. Бак не сказал ничего нового. Он сам говорил себе все это десятки раз. И гораздо грубее.

Кто он такой? Охотник за сокровищами в третьем поколении, всю жизнь сражающийся с преследующим, как злой пес, невезением. У него нет никакой родни, кроме Бака. Всю свою собственность он может взвалить себе на спину.

Бродяга. Ни больше, ни меньше. Сокровища, лежащие на морском дне под его ногами, позволят бродяжничать с комфортом, но суть от этого не изменится.

Бак прав. Мэтью Лэситер, парень без постоянного места жительства и с четырьми сотнями баксов в жестяной коробке из-под сигар, не имеет права грезить о Тейт Бомонт.

У Тейт на этот счет было совершенно иное мнение, а потому следующие несколько дней принесли ей сплошное разочарование: она оказывалась наедине с Мэтью только под водой!

Это необходимо изменить, пообещала она себе, просматривая то, что выплевывала труба пневмонасоса. И изменить сегодня же. В конце концов, сегодня ей исполняется двадцать лет.

Тейт тщательно перебирала гвозди, черепки, раковины, выискивая интересное. Секстант, маленькая медная шкатулка, серебряная монета, вросшая в коралл.

Деревянный крест, октант, прелестная фарфоровая чашка, словно разрезанная пополам... Все это она собирала в кучку, не обращая внимания на осколки, колотящие по спине и впивающиеся в руки.

Вдруг она заметила блеск золота и метнулась вперед сквозь клубы песка.

Золотые дублоны! Старинные драгоценности!.. Но, когда ее пальцы сомкнулись на золотой вещице, глаза налились слезами.

Бесценная находка — цепочка и золотой медальон с жемчужинкой.

Тейт обернулась и увидела, что Мэтью отвел трубу в сторону и наблюдает за ней. Тейт подплыла к нему, взяла за руку и прижала его ладонь к своей щеке.

Мэт застыл на мгновение, затем сделал красноречивый жест: мол, хватит бездельничать, и снова заработал насос, втягивая песок. Тейт тщательно обмотала цепочку вокруг запястья и вернулась к работе, только теперь ее душа пела от счастья.

Мэтью терпеливо обрабатывал сжатым воздухом морское дно вокруг кучи балласта, все расширяя обследуемую территорию. Тейт возилась в мусоре. Вокруг мелькали любопытные рыбы. Знакомая барракуда, как обычно, наблюдала за ними, ухмыляясь во всю зубастую пасть.

«То ли талисман, то ли буек», — подумал Мэт. Он не считал себя суеверным, но все-таки передвинулся на несколько футов к северу. Тейт с удивлением взглянула на него, затем увлеклась калейдоскопом рыб, охотящихся на морских червей, обнаженных насосом.

Что-то звякнуло о ее акваланг, напоминая о забытых обязанностях, и ее мозг не сразу отреагировал на блестящие кружки во взбаламученном песке. Ошеломленная, Тейт протянула руку и подобрала золотой дублон. Давно умерший испанский король уставился на нее в упор.

Монета выскользнула из ее онемевших пальцев. Затем, опомнившись, Тейт стала лихорадочно собирать дублоны, запихивая их в свой костюм, в поясную сумку.

Пять монет, десять. Двадцать. И еще. И еще. Рвущийся наружу смех мешал дышать. Когда она наконец подняла глаза, то увидела улыбающееся лицо Мэтью.

Мэт поманил ее. Как во сне Тейт подплыла к нему, вцепилась в него дрожащей рукой. Песчаные потоки струились в свежий шурф, засыпая прекрасно сохранившийся хрустальный кубок, монеты, медальоны и другие покрытые известковой коркой драгоценности. И вокруг почерневший песок — признак серебра, как знает каждый охотник за сокровищами.

Они нашли главный груз галеона «Санта-Маргарита»! Они нашли сокровища!

Тейт медленно подняла толстую золотую цепь с тяжелым крестом, усыпанным изумрудами, усеянным остатками морских существ, и благоговейно надела ее на шею Мэта. Великодушие и простота ее жеста потрясли его. Как бы он хотел обнять ее, высказать все, что чувствует! Но он лишь поднял большой палец, выключил насос и последовал за ней к поверхности.

Тейт не могла вымолвить ни слова. Было невероятно тяжело просто вдыхать и выдыхать воздух. Когда сильные руки подняли ее на палубу, она дрожала как осиновый лист.

— Милая, что с тобой? — Над ней замаячило озабоченное лицо Бака. — Рэй, Рэй, иди сюда. С Тейт что-то случилось.

— Со мной все в порядке, — с трудом выдавила она, шумно глотая воздух.

— Не шевелись, деточка. — Хлопоча как наседка, Бак снял с нее маску и с облегчением услышал, как хлопнулись о палубу ласты Мэтью. — Что там стряслось внизу? — не оборачиваясь, спросил он.

— Ничего особенного.

— Ничего особенного, черт побери? Девочка белее простыни. Рэй, принеси немного бренди.

Голоса жужжали в ушах Тейт. Руки родителей ощупывали ее тело в поисках повреждений. Она затаила дыхание, чтобы не расхохотаться.

— Я в полном порядке. — Она прижала обе руки ко рту, пытаясь сдержать взрыв истерического смеха. — Мы оба чувствуем себя прекрасно. Правда, Мэтью?

— Великолепно, — согласился он. — Мы просто немного повеселились.

— Успокойся, детка. Давай освободим тебя от этого костюма. — Мариан нетерпеливо оглянулась на Мэта. — Что за веселье? Тейт вся дрожит.

— Сейчас я объясню. Вот только встану. Дайте мне встать. — Тейт поднялась и, дрожа от смеха и заливаясь слезами, вывернула свою сумку, расстегнула «молнию» костюма.

На палубу хлынул золотой дождь.

— Будь я проклят! — прохрипел Бак.

Тейт закинула голову и крикнула солнцу:

— Мы нашли главный груз!

Обняв отца, она закружила его, отпустила и метнулась к матери, по дороге чмокнув оцепеневшего Бака в лысину, а покружив маму, бросилась в объятия Мэта. Не успел он опомниться, как ее губы уже впились в его рот. Он знал, что должен оттолкнуть ее, однако беспомощность захлестнула его, и его руки сомкнулись на ее талии.

В конце концов Тейт высвободилась сама. Ее глаза сияли, лицо, прежде мертвенно-бледное, раскраснелось.

— Я чуть не потеряла сознание, когда увидела монеты. Я чувствовала себя точно так же, только когда ты в первый раз поцеловал меня.

Мэтью провел рукой по ее волосам.

— Мы неплохая команда.

— Мы замечательная команда. — Тейт потащила его к Баку и Рэю, уже надевавшим гидрокостюмы. — Папа, как жаль, что ты это не видел. Мэтью махал насосом, как волшебной палочкой.

Пересказывая взахлеб все детали открытия, Тейт помогала Баку и отцу надевать акваланги, и только Мэтью заметил странное молчание Мариан и озабоченность в ее глазах.

— Я спущусь с вами сделать фотографии, — объявила Тейт, закрепляя полные баллоны. — Необходимо все задокументировать. Обещаю, что еще до конца операции мы украсим обложку «Национального географического журнала».

— Нельзя никому ничего сообщать. Мы должны держать все в секрете. — Бак огляделся по сторонам, словно ожидая увидеть армаду несущихся к ним катеров. — Эта находка — одна на миллион, и многим захочется урвать кусок.

Тейт только ухмыльнулась и прыгнула в воду.

— Поставь в холодильник бутылку шампанского! —

крикнул Рэй жене. — Вечером у нас будет двойной праздник. Тейт заслужила незабываемую вечеринку. Готов, напарник?

— Готов и полон энтузиазма, приятель.

Мэтью запустил компрессор и с благодарностью взял протянутый Мариан стакан ледяного лимонада.

— Потрясающий день, — заметила она.

— Да. Нечасто выпадают такие.

— Ровно двадцать лет назад я считала, что никогда не буду счастливее. — Мариан села в шезлонг, поправила широкополую шляпу. — Однако потом у меня было много счастливых дней. Тейт всегда была нашим с Рэем счастьем. Она умна, энергична, щедра.

— И вы хотите, чтобы я держался от нее подальше, — заключил Мэтью.

— Я не знаю. — Мариан вздохнула. — Я не слепая, Мэтью, и видела, как зарождаются ваши отношения. Это естественно, когда два привлекательных молодых человека живут и работают в непосредственной близости.

Мэтью снял с шеи золотую цепь, погладил сверкающие изумруды. «Как глаза Тейт», — подумал он.

— Ничего не случилось.

— Я высоко ценю твое признание, но, видишь ли, если бы я не научила Тейт принимать собственные решения, то, как мать, потерпела бы поражение. Я не верю, что проиграла, но это не мешает мне тревожиться. Ее ждет прекрасное будущее, и я хочу, чтобы у нее было все и в нужный момент. Я только прошу тебя быть бережным с ней. Если она любит тебя...

— Мы об этом не говорили, — поспешно сказал Мэтью.

В других обстоятельствах растерянность, прозвучавшая в его голосе, развеселила бы Мариан.

— Если она любит тебя, то ее ничто не остановит. Тейт считает себя практичной и здравомыслящей, и она действительно такая... пока не затронуты ее чувства. Так что будь с ней побережнее. — Мариан улыбнулась и встала. — А сейчас я приготовлю тебе ленч. — Положив ладонь на плечо Мэта, она поднялась на цыпочки и поцеловала его в щеку. — Наслаждайся своим триумфом, милый.

ГЛАВА 6

В считанные дни морское дно покрылось многочисленными лунками. «Санта-Маргарита» щедро делилась своими богатствами. С помощью пневмонасоса, угольного совка и голыми руками дружная команда добывала все новые находки. Деревянная изъеденная червями чаша, массивная золотая цепь, обломки курительных трубок и ложки, великолепный золотой крест, усыпанный жемчугом, — все это ведрами поднималось из песчаного хранилища, где пролежало сотни лет.

Иногда мимо проплывал прогулочный катер, и если Тейт оказывалась на палубе, она болтала с экскурсантами. Невозможно было скрыть мутное пятно на поверхности — результат работы пневмонасоса. Слухи о подводных раскопках распространялись быстро. Удавалось лишь скрывать результаты. Пока. Каждый день увеличивал вероятность появления конкурентов, и Лэситеры с Бомонтами работали все быстрее и усерднее.

— Официальная заявка ни черта не значит для пиратов, — в который раз говорил Бак, застегивая на толстом животе «молнию» гидрокостюма. — Надо быть бдительными и хитрыми, девочка. — Он подмигнул, отдавая Тейт свои очки. — Только тогда мы поднимем все ценности.

— Обязательно поднимем. — Тейт протянула ему маску. — Мы уже нашли больше, чем я могла бы себе представить.

— Не стесняйся мечтать, девочка. — Бак ухмыльнулся, поплевал в маску, протер ее. — Хорошо, когда рядом такая молодежь, как ты и Мэтью. Пожалуй, вы могли бы работать по двадцать часов в сутки. Ты хороший ныряльщик и хороший охотник.

— Спасибо, Бак.

— Я знаю немного женщин, которые могли бы сравниться с тобой.

— Правда?

— Чистая правда. Многие девушки любят нырять, но, когда доходит до тяжелой работы, они не выдерживают. Ты держишься молодцом.

Тейт улыбнулась:

— Я буду считать это комплиментом.

— Хорошо. — Бак хлопнул по плечу Рэя. — Лучшая команда после моего отца и брата. Конечно, когда мы все поднимем, придется убить этого парня. Пожалуй, забью Рэя до смерти его собственными ластами.

— Опоздал, Бак. Я уже решил придушить тебя диванной подушкой. Сокровища — мои. — Рэй угрожающе рассмеялся. — Мои. Слышишь? Все мои. — Закатив глаза, Рэй закусил загубник и нырнул.

— Я за тобой, приятель. — Бак повернулся к Тейт и Мэту. — Может, прибью его угольным совком. — И с этим обещанием он плюхнулся в воду.

— Они сошли с ума, — решила Тейт. — Никогда не видела, чтобы папа так веселился.

— Обычно Бак так расслабляется после кварты виски.

— И дело не только в сокровище.

— Да, наверное, не только. — Не сводя глаз с воды, Мэт взял Тейт за руку. — Но оно помогает.

Тейт положила голову на его плечо и тихо рассмеялась.

— Не мешает. Они понравились друг другу и без сокровища. Как и мы. — Она подняла голову, пощипала губами его подбородок. — Мы нашли друг друга, Мэтью. Это судьба.

Мэт обнял ее и поцеловал. Ее губы были теплыми и нежными. Неотразимыми. Ему казалось, что он медленно-медленно тонет, погружается в обольщение по имени Тейт. Она словно окружила его вкусами и ароматами, такими неповторимыми, что он узнал бы ее, даже если бы был глух и слеп. Ни одной другой женщине никогда не удавалось так абсолютно обезоружить его. Он хотел ее так отчаянно, что испытывал почти панический страх.

Когда Тейт отстранилась, ее глаза были затуманены, губы изгибались в мечтательной улыбке. Господи! Она и понятия не имеет ни о его отчаянном желании, ни о его страхах.

— Что случилось?

— Ничего. — Он сделал над собой усилие и улыбнулся. — Просто обдумываю ситуацию.

— Что именно?

— Как только Бак разделается с Рэем, мне придется избавиться от тебя.

— Да! И каким же образом?

— Думаю, просто удушу тебя, а потом швырну за борт. Правда, Мариан придется оставить. Прикуем ее к плите. Мужчины должны питаться.

— Ты очень практичен, но это сработает только в том случае, если раньше я не прикончу тебя.

Грозно нахмурившись, Тейт ткнула его кулаком в ребра. Мэтью рассмеялся и, еле удержавшись на ногах, попытался схватить ее, но не успел: она исчезла за рубкой.

Мэт бросился к левому борту и остановился как вкопанный, увидев Тейт с полным ведром. Уворачиваться было поздно, и через мгновение с него уже текли потоки холодной морской воды.

Пока Мэт отплевывался, Тейт стояла подбоченившись, но, увидев выражение его лица, взвизгнула и бросилась бежать. В панике она совершила ошибку: уронила ведро.

Привлеченная шумом, Мариан выбежала из рубки и столкнулась с дочерью.

— Господи! Началась война?

— Мама! — Нервно хихикая, Тейт нырнула за спину матери как раз в тот момент, когда появился Мэтью, успевший снова наполнить ведро.

— Мариан, лучше отойдите.

Тейт обхватила мать за талию, используя ее как щит.

— Она никуда не уйдет.

— Дети, пожалуйста, ведите себя прилично.

— Это она начала, — заявил Мэтью, не в силах стереть с лица глупую ухмылку. Уже много лет он не чувствовал себя таким беззаботным. — Не прячься, трусиха. Выходи.

— Ни за что! — Тейт самодовольно ухмыльнулась. — Ты проиграл, Лэситер. Ты же не обольешь мою маму.

Мэтью прищурился, покосился на ведро, затем перевел взгляд на Тейт.

— Простите, Мариан, — сказал он, окатил их обеих и бросился к борту за новыми боеприпасами.

Сражение шло без правил, с засадами и контрударами, и вскоре Мэту пришлось отступить перед превосходящими силами противника и нырнуть в воду.

— Мам, ты отличный стрелок, — выдавила Тейт, обессиленно повиснув на поручнях.

— Ну, я выполнила свой долг. — Мариан поправила взлохмаченные волосы. Где-то во время сражения она потеряла шляпу, а ее накрахмаленная блузка и шорты промокли, однако выглядела она элегантно, как всегда, а в голосе звучало неизменное добродушие. — Сдаешься, янки?

— Да, мадам! — крикнул Мэт из воды. — Я разбит наголову.

— Тогда поднимайся на борт, дорогой.

Мэт подплыл к трапу и опасливо покосился на Тейт.

— Мир?

— Мир, — согласилась она и, когда Мэтью схватился за ее протянутую руку, прищурилась. — Даже не думай об этом, Лэситер.

Но он подумал, и мысль стянуть ее в воду показалась очень привлекательной, хотя... мщение может подождать. Мэтью подтянулся и выбрался на палубу.

— Я и представить себе не могла, что ты окатишь маму.

Мэт ухмыльнулся:

— Иногда приходится страдать невиновным. А она бесподобна. Тебе повезло.

— Да.

Тейт устроилась рядом с ним на скамье у поручней, вытянула ноги.

— Ты никогда не рассказывал о своей матери.

— Я плохо ее помню. Она сбежала, когда я был совсем маленьким.

— Сбежала?

— Мы жили тогда во Флориде. Отец и Бак строили яхты, подрабатывали ремонтом, но денег не хватало. Родители часто ссорились. Как-то она отослала меня к соседям. Сказала, что у нее много дел, а я болтаюсь под ногами. Когда я вернулся, ее уже не было.

— Какой ужас! Мне очень жаль.

— Мы это пережили. — За долгие годы обида притупилась, но изредка еще напоминала о себе. — После смерти отца я нашел бумаги, касающиеся развода, и письмо адвоката, пришедшее года через два после ее побега. Она отказывалась от опеки и права посещения. Ей нужна была свобода, и она ее получила.

— И ты ее больше не видел? — Тейт не могла понять, как мать, любая мать, могла так хладнокровно отвернуться от своего ребенка. — Никогда-никогда?

— Ни разу. Она жила своей жизнью, мы — своей. Мы часто переезжали с места на место. Восточное побережье, Калифорния, острова. И иногда нам везло. А во время спасательных работ в заливе Мэн отец познакомился с Ван Дайком.

— Кто это?

— Сайлас Ван Дайк. Убийца моего отца.

— Но... — Тейт побледнела. — Если ты знаешь, кто...

— Я знаю, — тихо сказал Мэтью. — Они были партнерами около года. Ну, может, не партнерами, поскольку отец работал на него. Ван Дайк — один из тех воро-

тил, кто может купить все, что пожелает. Ван Дайк искал амулет, путь которого проследил до корабля, затонувшего у Большого Барьерного рифа.

— И нанял твоего отца?

— Отец был лучшим, а Ван Дайк хотел только лучшего. Отец научил его всему и сам попался на крючок: легенда захватила его. «Проклятие Анжелики».

— Что это значит? Бак о нем тоже говорил.

— Это колье. — Мэтью подошел к ящику-холодильнику, выудил две банки пепси. — По преданию, оно принадлежало колдунье, которую сожгли в тысяча пятьсот каком-то году где-то во Франции. Золото, рубины, бриллианты. Бесценное колье. Но Ван Дайка интересовала его власть. Он даже заявлял, что между ним и той колдуньей существует какое-то родство. — Мэтью снова сел, протянул Тейт холодную банку. — Чушь, конечно, но часто убивают и за меньшее.

— Какого рода власть?

— Колдовство, — фыркнул Мэтью. — Если хозяин может контролировать колье, то оно приносит несметные богатства и власть. Если же колье подчиняет себе хозяина, тот теряет самое дорогое. Полная чушь, но Ван Дайк в нее верит. Он помешан на власти.

— Потрясающе. Никогда раньше не слышала эту историю.

— Документов почти не сохранилось. Только обрывки информации. Колье часто меняло хозяев, сея панику и несчастья.

— Как «Алмаз надежды»?

— Да. Если увлекаешься подобными сказочками. — Мэт окинул Тейт долгим взглядом. — Как ты.

— Но ведь это очень интересно. И Ван Дайк нашел его?

— Нет. Он вбил себе в голову, что отец знает, где оно, и был недалек от истины. — Мэтью отхлебнул пепси. — Отец нашел бумаги, где говорилось, что колье было продано то ли богатому испанскому купцу, то ли аристократу, и исследования привели его к «Изабелле», но об этом знал только Бак.

— Твой отец не доверял Ван Дайку?

— И должен был доверять еще меньше. — Воспоминания молнией пронзили Мэтью. — Я слышал, как они спорили накануне последнего погружения. Ван Дайк обвинял отца в том, что он прячет колье, а отец просто смеялся над ним. И это свело Сайласа с ума. На следующий день отец был мертв.

— Ты никогда не рассказывал, как он умер.

— Он утонул. Говорили, что виновато снаряжение, но это ложь. Я отвечал за снаряжение и проверял его утром. Все было в порядке. Ван Дайк повредил акваланг, и на глубине восьмидесяти футов отец наглотался азота.

— Помрачение сознания. «Зов бездны», — прошептала Тейт.

— Да. Ван Дайк заявил, что пытался поднять отца, а тот отталкивал его. Когда я спустился, отец был уже мертв.

— Мэтью, это мог быть несчастный случай. Нелепая случайность.

— Нет, не несчастный случай. И не проклятье, как думает Бак. Это было убийство. — Алюминиевая банка смялась в его напрягшихся пальцах. — Когда я поднял мертвого отца, Ван Дайк улыбался.

— О, Мэтью! — Тейт снова прильнула к нему. — Как это ужасно!

— Когда-нибудь я найду «Изабеллу» и колье. Ван Дайк явится за ним, а я буду ждать.

Тейт задрожала.

— Нет, даже не думай.

— Я не очень часто об этом думаю. — Мэтью обнял Тейт за плечи. — Как я и говорил, прошлое — прошлому. Сегодня слишком хороший день для черных мыслей. Может, устроим выходной в конце недели? Покатаемся на водных лыжах или полетаем с парашютом за катером.

— Полетаем. А ты уже пробовал?

— Конечно. После подводного плавания самое лучшее — летать над водой.

— Я согласна. Только если мы хотим уговорить остальных отдохнуть, то сейчас пора работать. Где твой молоток, Лэситер?

Не успели они взяться за дело, как услышали крик. Тейт отряхнула руки, подошла к левому борту...

— Мэтью! — Ее голос прозвучал совсем тоненько. — Иди сюда скорее. Мама! — Она откашлялась. — Мама! Скорее! Возьми камеру. Скорее!

— Ради бога, успокойся, Тейт. Я жарю креветки. — Мариан неохотно вышла на палубу, правда, захватив видеокамеру. — У меня нет времени на съемки.

— Думаю, это тебе захочется снять.

Мариан подбежала к поручням. Бак и Рэй с сияющими лицами бултыхались в воде, поддерживая ведро, сверкающее золотыми дублонами.

— Боже милостивый! — выдохнул Мэтью. — Оно полное?

— До краев! — крикнул Рэй. — И еще два ждут внизу.

— Мальчик, ты никогда не видел ничего подобного. Мы богаты, как короли, — подхватил Бак. — Так и будешь стоять, разинув рот? Мне что, швырять их в тебя по одному?

Рэй расхохотался и толкнул своего напарника. Ведро качнулось, плеснув золотом.

— Подождите. Я должна сфокусировать камеру. — Пальцы не слушались, и Мариан выругалась, рассмеялась. — О черт, никак не могу найти кнопку!

— Я сама. — Тейт выхватила у матери видеокамеру. — Не шевелитесь, парни. Улыбочку.

— Они потопят друг друга. — Мэтью поймал веревку. — Какое тяжелое! Помогите!

Продолжая смеяться, Мариан перегнулась через поручни, чуть не свалилась в воду, но успела ухватить веревку и помогла Мэту вытянуть ведро. Засняв эту сцену, Тейт по локти погрузила руки в золото.

— Господи, кто бы мог подумать? Я купаюсь в золоте.

— Я же говорил: не стесняйся мечтать, девочка, — откликнулся Бак. — Мариан, надевайте лучшее платье, потому что сегодня мы будем танцевать.

— Это моя жена, приятель.

— Ты забыл, что я собираюсь убить тебя? А сейчас я отправляюсь за следующим ведром.

Тейт вскочила и бросилась за своим гидрокостюмом.

— Я сфотографирую их и помогу.

— Я с тобой... Мариан. — Мэтью щелкнул пальцами перед расширенными глазами Мариан. — Мариан, кажется, креветки горят.

— О... О господи! — Сжимая горсть дублонов, Мариан метнулась к камбузу.

— Ты понимаешь, что это значит? — спросила Тейт.

Мэтью подхватил ее и закружил по палубе.

— Мы чертовски богаты.

— Подумай, какое снаряжение мы сможем купить! Эхолокатор, магнетометры, большую яхту. — Поцеловав Мэта, Тейт вывернулась из его объятий. — Две большие яхты. И компьютер.

— Автономный аппарат с робототехникой?

— Хорошо, — кивнула Тейт. — Автономный аппарат для глубоководных исследований.

— А как насчет модной одежды, автомобилей, драгоценностей?

— Это не главное в жизни. Мама! Мы спускаемся помочь папе и Баку.

— Может, наловите еще креветок. — Мариан показала им блюдо с обугленными комочками. — Это придется выбросить.

— Мариан, я куплю вам целый траулер креветок и еще один — с пивом. — Поддавшись порыву, Мэтью обхватил ладонями лицо Мариан и поцеловал ее в губы. — Я люблю вас.

— Лучше бы мне это сказал, — пробурчала под нос Тейт и прыгнула в воду.

Плывя вдоль троса сквозь мутное песчаное облако, она нашла Рэя и Бака, копающихся в грунте, и успела запечатлеть момент, когда отец словно на дуэли ткнул старинным кинжалом в Бака, загородившегося серебряным блюдом.

Подплывший Мэтью покачал головой и покрутил пальцем у виска.

Тейт сделала несколько снимков, стараясь поймать в объектив и маленькую пирамиду из серебряных слитков, и причудливую скульптуру из сросшихся с кораллами золотых монет... Краеугольный камень музея Бомонтов! Пригласительный билет в «Национальное географическое общество»!

«Да, мы все немного сошли с ума, но разве это не прекрасно?»

Тейт взяла у отца старинный кинжал и осторожно поскребла его ножом. У нее захватило дух, когда кровавым светом вспыхнул огромный рубин. Она, как заправский пират, сунула кинжал за пояс.

Бак просигналил, что они с Мэтью поднимаются, Рэй жестами показал, как открывает бутылку и пьет шампанское. Бак одобрительно кивнул, и, поддерживая полное ведро, Лэситеры отправились наверх.

Тейт нацелила фотоаппарат на отца, гордо поставившего ногу, обутую в ласт, на кучку серебряных слитков... и тут заметила, что подводный мир словно замер.

«Странное спокойствие, — рассеянно подумала она. — Все рыбы исчезли. Даже Везунчик убрался прочь...» Тишина вдруг стала тягостной, давящей.

Тейт взглянула наверх сквозь неподвижную мутную воду, увидела тени Мэтью и Бака.

А потом начался кошмар.

Все случилось так быстро и безмолвно, что ее мозг просто отказался отреагировать. Только что две мужские фигуры спокойно плыли навстречу пробивающимся сквозь водную толщу солнечным лучам, и вдруг к ним пулей метнулась страшная тень.

Кто-то закричал. Позже отец скажет, что кричала она, и ее крик предупредил его.

Акула длиной примерно в полтора человеческих роста уже раскрыла зубастую пасть.

Тейт бросилась наверх. Она снова закричала, но уже знала, что слишком поздно.

Мужчины бросились врассыпную. Золото обрушилось на дно ослепительным дождем. Задыхаясь от ужаса, Тейт уставилась на акулу, схватившую Бака и трясшую его, как собака — крысу. С Бака слетела маска, изо рта выскочил загубник. В воде заклубилась кровь.

Мэтью бросился на акулу, целясь ножом в мозг, но промахнулся, и обезумевшее от крови чудовище не выпустило из зубов добычу.

Бак мертв. Мэтью был уверен, что Бак мертв, и продолжал наносить удары с одной целью — отомстить. Наконец черные, похожие на стеклянные глаза закатились, челюсти разжались, тело Бака тихо закружилось, погружаясь на дно, а акула, еще живая и полная сил, бросилась на назойливого врага. Мэтью приготовился убить или умереть, когда кровавый водоворот молнией пронзила Тейт с подводным ножом в одной руке и старинным кинжалом в другой.

Мэту казалось, что большего страха невозможно испытывать, но в это мгновение паника вспыхнула с новой силой и парализовала его. Очнувшись, он бросился в кровавую пелену, по рукоять вонзил нож в спину раненой акулы... и понял, что умеет молиться.

Он проводил мрачным взглядом кувыркающуюся в воде тушу и увидел, что не только его нож достиг цели. Тейт вспорола чудовищу брюхо.

Рэй подплыл к ним, поддерживая одной рукой обмякшее тело Бака, другой — сжимая нож. Зная, что кровь привлечет новых хищников, Мэтью потянул Тейт к поверхности.

— Залезай на яхту.

Однако она вряд ли могла выполнить его приказ. Ее лицо было белым как мел, глаза потускнели. Только после второй пощечины ее взгляд снова стал осмысленным.

— Быстро на яхту! Подними якорь. Живее! — крикнул Мэтью и нырнул.

Тейт кивнула, всхлипнула и стала неуклюже взбираться по скользкому трапу. Она забыла снять ласты, не смогла глотнуть достаточно воздуха, чтобы перекричать льющийся из радиоприемника голос Мадонны. Только удар баллонов о палубу привлек внимание Мариан. Через секунду она уже сидела на корточках перед дочерью.

— Мама... Акула... — Тейт перекатилась на четвереньки, и ее вырвало. — Господи, Бак! О господи!

— А ты... — Голос Мариан сорвался. — Малышка, боже мой, как ты?

— Баку нужна помощь. Скорее...

— Где Рэй?

— Он невредим. Скорее. Свяжись по радио с островом.

Мариан скрылась в рубке. Тейт с трудом встала, расстегнула тяжелый пояс, отводя взгляд от своих окровавленных рук. Затем, закусив губу, чтобы не упасть в обморок, бросилась к борту.

— Он жив, — сказал Рэй, хватаясь за поручни трапа. — Помоги поднять его на палубу. — Его полные ужаса и боли глаза встретились с глазами дочери. — Держись, малышка.

Когда бесчувственное тело втащили на яхту, Тейт увидела, почему отец предупредил ее. Акула отхватила правую ногу Бака ниже колена.

Сглотнув подступившую к горлу желчь, Тейт сжала зубы, и тошнота отступила. За спиной послышался сдавленный вздох Мариан, но, когда Тейт оглянулась, мама уже взяла себя в руки.

— Нам нужны одеяла, Тейт. И полотенца. Принеси их скорее. И аптечку. Рэй, я связалась с островом. Нас ждут во Фригат-Бэй. Становись за штурвал.

Мариан сорвала с себя блузку, оставшись в белом кружевном бюстгальтере, и прижала хлопчатобумажное полотно к окровавленной культе Бака.

— Молодец, девочка, — прошептала она вернувшейся с охапкой полотенец Тейт. — Мэтью, обложи рану полотенцами и прижми посильнее. Мэтью! — Ее голос, абсолютно спокойный и повелительный, заставил Мэта вскинуть голову. — Пойми, мы должны остановить кровотечение, иначе он умрет.

— Он не умер, — тупо сказал Мэтью, и Мариан самой пришлось прижать его ладони к уже пропитавшимся кровью полотенцам.

— Да, он не умер. И мы не позволим ему умереть. — Мариан чуть не расплакалась, увидев ласт на левой ноге Бака, но ее быстрые и ловкие руки не дрожали, когда она стягивала жгутом жуткий обрубок его правой ноги. — Надо держать его в тепле. Через несколько минут он будет в больнице. Всего через несколько минут.

Накрыв Бака одеялом, Тейт опустилась на колени на залитую кровью палубу, взяла Бака за руку, протянула вторую руку Мэту.

Так она и поддерживала их обоих, пока яхта неслась к берегу.

ГЛАВА 7

Мэтью сидел на полу больничного коридора, пытаясь хоть ненадолго избавиться от страшных воспоминаний. Он снова и снова оказывался в кровавом водовороте, видел круглые глаза акулы и ряды смертоносных зубов, впившихся в Бака, фонтаны воздушных пузырьков — спутники безмолвных подводных криков, мелькающее лезвие своего ножа.

Кошмар, занявший всего несколько минут, растягивался в мучительные часы. Каждое движение с жуткой четкостью замедленной съемки проплывало перед мысленным взором.

Мэтью медленно сжал кулак, вспомнив, как пальцы Бака стискивали его руку. Только поэтому он знал, что Бак еще жив...

«Проклятие Анжелики», думал Мэт, сломленный горем и угрызениями совести. Может, Бак был прав. Дьявольское колье затаилось на дне в ожидании очередной жертвы.

Мэт разжал кулак, с силой потер лицо. Море и колдовское колье уже отняли двух людей, которых он любил, но больше никого не отнимут.

«Наверное, я сошел с ума, — подумал он. — Человек убил отца, акула покалечила Бака, а я придумываю жалкие оправдания собственного бессилия. Я не смог уберечь их и обвиняю в этом побрякушку, которую никогда не видел».

Если бы он был более быстрым и более ловким, Бак не потерял бы ногу. Если бы он был умнее и хитрее, отец был бы еще жив.

Как он сам. Целый и невредимый. И груз своей вины ему придется нести до конца жизни.

Мэтью подтянул колени, прижался к ним лбом, пытаясь прояснить путающиеся мысли.

Бомонты ждут чуть дальше по коридору в приемном покое, но он сбежал от них, боясь совсем расклеиться. Если у Бака и есть шанс выжить, то только благодаря выдержке и умению Мариан. Именно Мариан взяла ситуацию под контроль, не забыла захватить с яхты все необходимое.

А он не смог даже заполнить больничные бланки, просто бессмысленно таращился на них, пока Мариан не забрала у него дощечку с зажимом и, терпеливо задавая вопросы, сама все не заполнила.

Как страшно обнаружить собственную бесполезность!

— Мэтью... — Тейт присела перед ним, вложила в ладони пластиковый стаканчик с кофе. — Пойдем в приемную.

Он отрицательно покачал головой, машинально поднес стаканчик к губам. Склоненное над ним лицо Тейт было бледным от пережитого потрясения, глаза воспалились от слез... но он мысленно видел, как она неслась мимо него к оскаленной пасти акулы.

— Уйди.

Тейт села рядом с ним, обняла за плечи.

— Мэтью, Бак выкарабкается. Я знаю.

— Ты что, еще и предсказательница?

Подавив обиду, Тейт положила голову на его плечо.

— Очень важно верить. Это помогает.

Она ошибается. Верить очень больно.

Мэтью отстранился, вскочил на ноги.

— Я должен пройтись.

— Я с тобой.

— Нет. Ты мне не нужна. — Боль, страх, чувство вины, горе взорвались в нем бешеной яростью. — Мне никто не нужен! Слышишь? Никто!

Тейт задрожала, на глаза навернулись слезы, однако она не отступила.

— Мэтью, я не оставлю тебя одного. Начинай привыкать к этому.

— Ты мне не нужна, — повторил он, оттолкнув ее к стене. — Ни ты, ни твоя милая семейка. Почему бы тебе не убраться отсюда вместе с ними?

— Потому что Бак нам небезразличен. — Слезы Тейт проглотила, но говорила с трудом. — Как и ты.

— Вы нас совсем не знаете. — Он смотрел на нее отчужденно, враждебно. — Вы явились сюда поразвлечься охотой за сокровищами да погреться на солнышке. И вам повезло. Вы и представить себе не можете, что значит работать до одури месяц за месяцем, год за годом и ничего не находить. Умереть, так ничего и не найдя.

— Бак не умрет, — прошептала Тейт.

— Он уже мертв. — Ярость утихла, и глаза Мэта погасли, словно выключился свет. — Он умер в ту секунду, когда оттолкнул меня. Проклятый идиот оттолкнул меня.

«Я должен был погибнуть, не Бак», — звенело в ушах Мэта, усугубляя чувство вины.

— Он оттолкнул меня и загородил собой. О чем он думал, черт побери? О чем ты думала? — Беспомощный гнев снова заклубился в нем, разрывая внутренности. — Ты что, ни черта не соображаешь? Когда акула чувствует кровь, она бросается на что угодно. И нам повезло, что еще дюжина не явилась подкормиться. О чем ты думала, идиотка?

— О тебе. И я, и Бак думали о тебе. Не знаю, смогла бы я жить, если бы с тобой что-то случилось. Я люблю тебя.

Мэтью ошеломленно уставился на нее. Никто еще за всю его жизнь не говорил ему этих слов.

— Ну и дура.

— Возможно. — Тейт закусила дрожащие губы. — Но и ты не лучше. Ты думал, что Бак умер, но не оставил его. Мог сбежать, но не сбежал. Почему ты не бросился к яхте, Мэтью?

Он только затряс головой, а когда Тейт шагнула к нему и обняла, беспомощно уткнулся лицом в ее волосы.

— Все будет хорошо, — прошептала она, гладя его вздрагивающие плечи. — Все будет хорошо. Только не отталкивай меня.

— Я приношу несчастье.

— Глупости. Ты просто встревожен и измучен. Пойдем. Будем ждать все вместе.

Они ждали, погрузившись в то странное оцепенение, какое часто охватывает здоровых людей в больницах. Вокруг двигались люди, бесшумно ступали по плиткам резиновые подошвы тапочек медсестер. Пахло кофе, антисептиком и безнадежностью. Иногда в приемную доносился легкий шелест открывающихся и закрывающихся дверей лифта. Потом добавилась дробь дождя по оконным стеклам.

Тейт задремала, положив голову на плечо Мэтью... и

проснулась, как только его тело напряглось, инстинктивно схватив его за руку.

Появился врач — совсем молодой чернокожий мужчина с усталыми морщинками вокруг глаз и рта.

— Мистер Лэситер... — Голос прозвучал мелодично, как вечерний дождь.

— Да. — Мэтью вскочил, приготовившись к худшему.

— Я доктор Фардж. Ваш дядя выдержал операцию. Пожалуйста, сядьте.

— Что значит — выдержал?

— Он пережил операцию. — Фардж присел на край журнального столика, подождал, пока Мэтью опустится на стул. — Он в критическом состоянии, так как потерял много крови. Если бы вы привезли его сюда на десять минут позже, у него бы не было шансов. Однако у вашего дяди крепкий организм, и мы настроены оптимистично.

— Вы хотите сказать, что он будет жить?

— С каждым часом его шансы увеличиваются.

— И каковы эти шансы?

Фардж внимательно взглянул на юношу и решил, что в данном случае необходима честность.

— Примерно сорок из ста пережить ночь. Если он доживет до утра, то прогноз будет более благоприятным. Конечно, когда он окрепнет, потребуется дальнейшее лечение. Я могу порекомендовать вам несколько специалистов, хорошо проявивших себя в лечении пациентов с ампутированными конечностями.

— Он в сознании? — тихо спросила Мариан.

— Нет. Еще некоторое время мы подержим его в послеоперационной палате, затем переведем в отделение интенсивной терапии. Не думаю, что он очнется раньше чем через несколько часов. Оставьте на сестринском посту свой телефон. В случае необходимости мы с вами свяжемся.

— Я останусь, — твердо сказал Мэтью. — Я хочу его увидеть.

— Вы сможете его увидеть только в палате интенсивной терапии и то ненадолго.

Рэй встал, положил руку на плечо Мэта.

— Мы снимем комнаты в отеле и будем дежурить здесь по очереди.

— Я не уйду.

Рэй легко сжал плечо Мэта и, взглянув на дочь, понял, что она тоже не уйдет.

— Хорошо. Мы с Мариан все устроим и через несколько часов сменим тебя и Тейт.

Многочисленные трубки змеями обвивали вытянувшееся на больничной кровати тело. Глухо урчали аппараты, за тонкой занавеской деловито двигались и шептались медсестры... но в этом узком и сумрачном пространстве Мэт был наедине с Баком.

Он заставил себя перевести взгляд на странно провисшую в ногах простыню. Подумал, что придется к этому привыкать. Им обоим придется к этому привыкать... Если Бак выживет.

Бак совсем не был похож на живого. Обычно он спал беспокойно и храпел так, что краска, казалось, вот-вот посыплется со стен. Сейчас он был тих и неподвижен, как покойник в гробу.

Мэтью обхватил обеими руками широкую ладонь

Бака и устремил взгляд на лицо, которое, как он считал, знал так же хорошо, как свое собственное.

Какие густые у Бака брови! Когда они успели поседеть? А когда вокруг глаз появилось столько морщин? И эта горькая складка у губ?

Мэтью крепко сжал веки. Господи, о чем он думает! Ведь у Бака нет ноги!

— Какой идиотский поступок! Ты не должен был загораживать меня. Может, ты думал, что справишься с акулой, но ты уже не так силен, как прежде. А теперь ты, наверное, думаешь, что я перед тобой в долгу. Выживи, и я верну тебе долг. — Мэтью крепче сжал вялые пальцы дяди. — Ты слышишь, Бак? Ты должен выжить. Бросишь меня и не получишь долг. Да еще мы с Бомонтами разделим твою долю «Маргариты», а ведь это твоя первая настоящая удача. Если умрешь, не потратишь ни одной монеты...

Медсестра отдернула занавеску — вежливое напоминание о том, что время посещения закончилось.

— Тебя ждут слава и богатство. Ты столько о них мечтал. Помни об этом. Меня прогоняют отсюда, но я вернусь.

Как только Мэт вышел в коридор, к нему бросилась Тейт.

— Он очнулся?

— Нет.

— Врач так и говорил. Пока он спит, ты должен отдохнуть. Конечно, мы все надеялись, что Бак очнется, но ничего страшного. Мама с папой подежурят. — Мэт упрямо замотал головой. — Мэтью, послушай меня. Это касается нас всех. Мы все нужны Баку. — Она ободряюще улыбнулась родителям и потянула Мэта к лифтам. —

Сейчас мы поедем в отель, поедим, поспим несколько часов.

— Я должен что-то делать.

— Ты делаешь. Мы скоро вернемся. Просто ты должен немного отдохнуть. И я тоже.

Мэт только сейчас взглянул на нее. Лицо Тейт казалось почти прозрачным, под глазами залегли тени.

— Тебе надо поспать.

— Не отказалась бы. — Они вошли в лифт, Тейт нажала кнопку. — Скоро мы вернемся, и ты посидишь с Баком, пока он не проснется.

— Хорошо. — Мэтью тупо уставился на мелькающие номера этажей. — Пока он не проснется.

Дождь лил как из ведра, сильный ветер щелкал мокрыми пальмовыми листьями. Такси с трудом продвигалось по узким пустынным улочкам, утопая в лужах.

Темнота, скопление причудливых зданий, дрожащих в свете фар, монотонный скрежет «дворников» по ветровому стеклу. Словно в чьем-то чужом сне, думал Мэт.

Такси остановилось. Пока Мэтью выуживал из бумажника местные банкноты, Тейт вышла из машины, и мгновенно намокшие волосы облепили ее голову.

— Папа дал мне ключи. Это не «Ритц», конечно. — Она улыбнулась, проходя через крохотный вестибюль, заставленный плетеными креслами и пальмами в кадках. — Зато близко к больнице. Наши номера на втором этаже. — Поднимаясь по лестнице, Тейт нервно теребила ключи. — Вот твоя комната. Наша рядом... Мэтью, можно я войду с тобой? Я не хочу оставаться одна. Я знаю, это глупо, но...

— Ладно. Пошли. — Мэт взял у нее ключ и отпер дверь.

В номере оказалась кровать, застеленная ярко-оранжевым в красных цветах покрывалом, и маленький комод с настольной лампой. Тейт поправила покосившийся абажур, придававший свету болезненную желтизну.

— Думаю, это не то, к чему ты привыкла. — Мэт прошел в ванную комнату и вернулся с полотенцем. — Высуши волосы.

— Спасибо. Тебе надо выспаться. Наверное, я должна уйти.

Он присел на край кровати, стал снимать ботинки.

— Оставайся, если хочешь. Тебе не о чем волноваться.

— Я не волнуюсь.

— А зря. — Мэтью со вздохом поднялся, забрал у нее полотенце и вытер волосы. — Разувайся и ложись.

— Ты ляжешь со мной?

Мэт оглянулся. Тейт устало расшнуровывала кроссовки. Он знал, что может овладеть ею... Одно прикосновение, одно слово. С ней он мог бы забыть о своем несчастье. Она была бы нежной, податливой, сладкой.

А потом он возненавидел бы себя.

Мэт молча откинул покрывало, растянулся на простыне, протянул ей руку, и Тейт без колебаний легла рядом с ним, свернулась калачиком, прижавшись щекой к его плечу, положив ладонь на его грудь.

Он спрятал лицо в ее пахнущих дождем волосах, и острое желание растаяло в странной смеси покоя и боли.

Тейт закрыла глаза.

— Все будет хорошо. Я знаю, что все будет хорошо. Я люблю тебя, Мэтью.

Она заснула мгновенно, как ребенок, а Мэтью лежал, вслушиваясь в сердитую дробь дождя, и ждал рассвета.

Акула серебряной пулей пронзила толщу воды. Море забурлило. Кровавый водоворот отрезал все пути к спасению. Отвратительная пасть распахнулась, и острые зубы вонзились в тело, захлестнув невыносимой болью... Тейт очнулась, пытаясь выбраться из кошмара, хотела закричать, но крик застрял в горле.

Нечего бояться. Она в номере Мэта. В окно струится водянистый солнечный свет. Она в безопасности. Он в безопасности... Но где же он?

Неужели Мэту сообщили о смерти Бака и он вернулся в больницу без нее? Нет-нет. Это не дождь шелестит за окном, а льется вода в душе.

Тейт вздохнула с облегчением: как хорошо, что Мэтью не был свидетелем ее паники. Ему и без этого тяжело. Она будет смелой и сильной, она будет ему опорой...

Когда Мэт вышел из ванной комнаты, с влажными волосами, с голой грудью и в незастегнутых джинсах, улыбка замерла на губах Тейт, сердце дрогнуло.

— Ты проснулась. — Мэт попытался не думать о том, как соблазнительно она выглядит. — Я думал, ты еще поспишь.

— Нет, все нормально. — Ей вдруг стало неловко, и она облизнула губы. — Дождь кончился.

— Я заметил. — А еще он заметил, какими огромными и настороженными стали ее глаза. — Я возвращаюсь в больницу.

— Мы возвращаемся в больницу, — поправила

Тейт. — Я только приму душ и переоденусь. — Она соскочила с постели, схватила с комода свой ключ. — Мама сказала, что рядом с отелем есть кафе. Встретимся там через десять минут.

— Тейт.

Она остановилась у двери, обернулась. Но что он мог сказать ей?

— Нет, ничего. Встречаемся через десять минут.

Спустя полчаса они уже были в больнице. Увидев их, Рэй и Мариан поднялись с банкетки, стоявшей у двери в палату интенсивной терапии.

Мэта всегда удивляло, что в любых обстоятельствах Бомонты были аккуратно одеты и тщательно причесаны. Теперь их одежда была измятой, а щеки и подбородок Рэя покрывала щетина. За все недели, что они работали вместе, Мэт никогда не видел Рэя небритым и сейчас, сам не зная почему, сосредоточился на этом крохотном факте — Рэй не побрился... а Мариан не причесалась.

— Персонал не очень разговорчив, — начал Рэй. — Нам только сказали, что Бак провел беспокойную ночь.

— Каждый час нас на несколько минут впускали в палату. — Мариан сжала руку Мэта. — Ты отдохнул, милый?

— Да. — Мэт откашлялся. — Я хочу сказать, как благодарен вам за...

— Не смей оскорблять нас, Мэтью Лэситер, — возмутилась Мариан. — Можешь говорить таким тоном с чужими людьми, но не с друзьями, которые тебя любят.

Никому никогда не удавалось так пристыдить и так тронуть его одновременно.

— Я имел в виду, что рад видеть вас здесь.

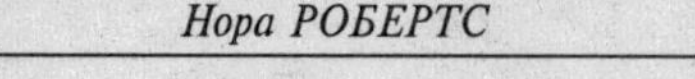

— Мне кажется, Бак выглядит получше. Порозовел немного. — Рэй обнял жену. — Правда, Мариан?

— Да. И медсестра сказала, что скоро его посмотрит доктор Фардж.

— Мама, мы с Мэтью вас сменим. Я хочу, чтобы вы позавтракали и поспали.

Рэй вгляделся в лицо дочери и кивнул.

— Хорошо. Позвоните в отель, если будут какие-то новости. Если нет, мы вернемся к полудню.

Когда родители ушли, Тейт взяла Мэта за руку.

— Пойдем к Баку.

Может, он действительно немного порозовел, думал Мэтью, стоя у дядиной кровати. Лицо осунувшееся, но ужасающая серость с него исчезла.

— Его шансы увеличиваются с каждым часом, — напомнила Тейт. — Он выдержал операцию и пережил ночь.

— Он крепкий. Видишь этот шрам? — Мэтью провел кончиком пальца по неровному шраму на правом предплечье Бака. — Барракуда. Юкатан. Бак поднялся в лодку и сам заштопал рану. А через час вернулся. У него еще есть отметина на бедре...

— Мэтью... Мэтью, он сжал мою руку.

— Что?!

— Он сжал мою руку. Смотри, кажется, он приходит в себя. Поговори с ним.

Мэтью замер, увидев дрогнувшие пальцы Бака, и перевел взгляд на его лицо. Веки слегка трепетали.

— Черт побери, Бак, я же знаю, что ты меня слышишь. Я не собираюсь болтать сам с собой.

Веки Бака снова затрепетали.

— Дерьмо...

— Дерьмо, — повторила Тейт и тихо заплакала. — Мэтью, ты слышал? Он сказал «дерьмо».

— Конечно. — Мэтью сжал руку Бака. — Ну же, старый трус, просыпайся.

— Я не сплю. Господи... — Бак открыл глаза и увидел расплывчатые дрожащие силуэты. Затем его зрение прояснилось, он различил лицо племянника. — Какого черта! Я уж подумал, что помер.

— Значит, нас таких двое.

— Она не схватила тебя, правда? — Бак с трудом выговаривал слова. — Эта гадина не достала тебя?

— Нет. — Чувство вины снова пронзило Мэта. — Нет, она меня не достала. Это была тигровая акула, футов в десять длиной. Мы ее убили. Тейт и я. Теперь ее доедают рыбы.

— Хорошо. — Глаза Бака снова закрылись. — Ненавижу акул.

— Я позову медсестру, — прошептала Тейт.

— Ненавижу, — повторил Бак. — Безобразные гадины. В следующий раз обязательно возьмем петарды. — Он снова открыл глаза и только сейчас заметил аппараты и трубки. И нахмурился. — Это не «Дьявол».

— Да. Ты в больнице.

— Ненавижу больницы. Чертовы доктора. Мальчик, ты же знаешь, что я ненавижу больницы.

— Знаю. — Мэтью попытался преодолеть собственный страх, заметив панику, промелькнувшую в глазах Бака. — Пришлось привезти тебя сюда, Бак. Акула ранила тебя.

— Пара швов...

— Не волнуйся, Бак. Ты не должен волноваться.

Но Бак уже начал вспоминать. В его глазах застыли страх и боль.

— Она меня схватила.

Он вспомнил, как болтался в отвратительной пасти. Вспомнил беспомощность и ужас, вспомнил, как захлебывался собственной кровью. И последнее ясное воспоминание — черные безжалостные глаза акулы.

— Эта сука меня схватила. Что? Что она сделала со мной, мальчик?

— Успокойся. Ты должен успокоиться. — Как можно осторожнее Мэтью удержал Бака. — Если будешь брыкаться, врачи опять тебя вырубят.

— Скажи мне... — Бак вцепился в рубашку племянника, но его хватка была такой слабой, что Мэтью мог бы легко высвободиться, только у него не хватило духу. — Скажи, что эта гадина со мной сделала?

Между ними случалось всякое, но они никогда не лгали друг другу. Мэтью накрыл ладони Бака своими и посмотрел ему прямо в глаза.

— Она отхватила тебе ногу, Бак. Эта гадина отхватила твою ногу.

ГЛАВА 8

— Ты не должен винить себя.

Тейт перестала метаться по коридору и села на банкетку рядом с Мэтью. Прошли сутки с тех пор, как Бак пришел в себя, и чем лучше становился прогноз врачей, тем глубже Мэтью погружался в депрессию.

— Я не вижу никого вокруг, на кого можно было бы переложить вину.

— Иногда некого винить в случившемся. Мэтью... То, что произошло, ужасно, но ты не мог это остановить. Ты не можешь ничего изменить сейчас. Все, что ты можешь, что мы можем сделать, это помочь ему справиться с несчастьем.

— Тейт, он потерял ногу. И каждый раз, когда Бак смотрит на меня, мы оба понимаем, что это должен был быть я.

Эта страшная мысль мучила и ее.

— Глупости. — Устав от уговоров, измученная непрерывной борьбой с собственными страхами, Тейт прислонилась к стене. — Бак измучен, сердит, подавлен. Но он не винит тебя.

— Неужели? — Мэтью поднял на нее полные горечи и скорби глаза.

— Бак тебя не винит, потому что он не такой ограниченный и самодовольный, как ты. Все! Я иду к нему. А ты можешь сидеть здесь и жалеть себя.

Высоко подняв голову, Тейт гордо прошествовала к дверям палаты, но, как только оказалась вне поля зрения Мэта, остановилась, чтобы взять себя в руки и нацепить на лицо веселую улыбку... затем отдернула занавеску.

Раньше Бак всегда встречал ее шутками, подмигивал. Сейчас его глаза за толстыми линзами очков были тусклыми.

— Эй! — Тейт чмокнула его в щеку. — Я слышала, что через день-два вас переведут в обычную палату. С телевизором и хорошенькими медсестрами.

— Может быть. — Бак поморщился от фантомной боли в ампутированной ноге. — Думал, что вы с мальчиком вернулись на яхту.

— Нет. Мэтью сидит в коридоре. Хотите его видеть?

Бак отрицательно замотал головой.

— Рэй заходил, сказал, что в Чикаго есть хороший специалист. Только никто не вернет мне ногу.

— Но, может, он сделает ногу лучше старой. — Тейт понимала, что ее бодрость слишком фальшива, но ничего не могла с собой поделать. — Бак, помните телешоу с роботом? Мне очень нравилось, когда я была маленькой. Вы станете Роботом Баком.

Уголки его рта слегка дернулись.

— Ну да. Робот Бак, король калек.

— Если вы будете так говорить, я уйду.

Бак дернул плечом. Он слишком устал, чтобы спорить. Слишком устал, чтобы жалеть себя.

— Лучше вернись на яхту, девочка. Надо спрятать сокровища, пока кто-то другой это не сделал.

— Не тревожьтесь. Мы же подали заявку.

— Ничего ты не понимаешь! — рявкнул Бак. — Вот в чем беда любителей. Все уже пронюхали о сокровищах. Особенно после этого. Нападение акулы всегда привлекает внимание, тем более в туристской зоне. — Он забарабанил пальцами по матрацу. — Ты заперла то, что мы уже подняли? Куда-нибудь в надежное место?

— Я... — Тейт уже двое суток не вспоминала о сокровищах, но пришлось солгать. — Да-да. Конечно, Бак, не беспокойтесь.

— Надо побыстрее поднять остальное. Я говорил это Рэю? — Веки опустились, и Бак с трудом снова открыл глаза. — Я ему говорил? Каша в голове от этих лекарств. Надо все поднять. Все золото. Оно для пиратов, как кровь для акул. — Бак горько рассмеялся и повторил: — Как кровь для акул. Ну, разве не смешно? Я нашел сокровище и расплатился собственной ногой. Поднимите все, девочка, и заприте получше. Обязательно.

— Хорошо, Бак. — Тейт ласково погладила его лоб. — Я позабочусь об этом. Отдыхайте.

— Не погружайся одна.

— Нет, конечно, нет, — прошептала она, снимая с него очки.

— «Проклятие Анжелики». Это оно виновато. Будь осторожна.

— Буду. Отдыхайте.

Когда Бак заснул, Тейт тихонько вышла из палаты. Мэтью в коридоре не было, а до прихода родителей оставалось около часа.

После секундного колебания Тейт решительно направилась к лифтам. Она обо все позаботится сама.

Кто-то, наверное, мама, вымыл палубу «Приключения». Никаких следов крови. Все снаряжение аккуратно сложено. Кругом ни пылинки. Камбуз безупречно чист... Нет, что-то не так. На столе нет ни оставленного ею блокнота, ни последних находок... ничего.

Когда первый приступ паники прошел, Тейт попыталась убедить себя, что все прибрали родители. Они собрали находки и отвезли их в отель. Или на «Морского дьявола». Пожалуй, на «Морского дьявола». Это логичнее.

Тейт оглянулась на берег. Может, следует вернуться и найти родителей? Тревога, рожденная опасениями Бака, вспыхнула с новой силой. Нет, не стоит терять время. До «Морского дьявола» недалеко. Она сама все проверит.

Когда Тейт вывела яхту в открытое море, ее напряжение растаяло. Жизнь кажется такой простой и безоблачной, когда под ногами покачивается палуба, руки сжимают штурвал, а над головой переругиваются чайки. Интересно, если бы она родилась в другой семье, если бы ее воспитывали традиционно и не рассказывали бы на ночь о морских тайнах и подводных сокровищах, завораживал бы ее этот бескрайний мерцающий мир?

«Пожалуй, да. Конечно же, да, — ответила себе Тейт. — От судьбы не уйдешь. И я нашла свою судьбу. Даже раньше, чем многие другие».

Тейт уже мысленно видела, как вместе с Мэтью будет бороздить моря и океаны, раскрывая тайны подводных хранилищ. И со временем Мэтью научится ценить прикосновение к истории больше блеска золота. Они вместе построят музей... поделятся своими открытиями с сотнями других людей... Она напишет книгу об их приключениях... У них будут дети, семья... Мэтью, конечно же, поймет, что для них нет и не может быть ничего невозможного. Надо только проявить терпение...

Тейт все еще улыбалась своим грезам, когда увидела «Морского дьявола». Мечтательная улыбка моментально растаяла, глаза распахнулись от изумления. Слева от «Дьявола» покачивалась на воде незнакомая белая яхта. Настоящая красотка. Сотня футов роскоши, сверкающая огромными окнами рубки и застекленным мостиком. На палубе были люди: официант с уставленным бокалами подносом, загорающая в мягком шезлонге женщина... похоже, обнаженная, матрос, полирующий медные детали.

В других обстоятельствах Тейт восхитилась бы прекрасными линиями яхты, яркими полосатыми тентами и зонтиками, но ее внимание уже привлекло красноречивое пятно на поверхности воды.

Кто-то внизу работал с пневмонасосом!

Дрожа от ярости, Тейт сбросила скорость, обогнула «Морского дьявола» с правого борта и бросила якорь. Здесь уже чувствовался запах тухлых яиц, тот запах, что для охотников за сокровищами приятнее самых дорогих духов. Запах газов, высвобождающихся при разработке затонувшего судна.

Тейт без колебаний сбежала с мостика, сбросила на ходу кроссовки, нырнула в воду и поплыла к «Морскому дьяволу». Подтянувшись на палубу, она откинула с глаз мокрые волосы. Парусина, которой они с Мэтью накрывали сокровища «Санта-Маргариты», была на месте, но хватило одного быстрого взгляда, чтобы понять: сами сокровища исчезли.

Охваченная праведным гневом, Тейт снова бросилась в воду и, ругаясь про себя, вскарабкалась по трапу на натертую воском палубу красного дерева.

Девица, всю одежду которой составляли узенькие ленточки плавок, огромные солнечные очки и наушники плейера, не шевельнулась. Тейт подошла к ней, схватила за плечо и встряхнула.

— Кто здесь главный?

— *Qu'est-que c'est?* — Широко зевнув, блондинка сдернула очки и устремила на Тейт скучающий взгляд синих глаз. — *Qui le diable es-tu?*

— Это ты кто такая, черт побери? — огрызнулась Тейт на безупречном французском. — И какого дьявола вы разрабатываете мой галеон?

Блондинка дернула загорелым плечиком, стянула с головы наушники и раздраженно произнесла на плохом английском:

— Американка. Все вы, американцы, так надоедливы. *Allez.* Убирайся. Ты меня всю промочила.

— Это только цветочки, Фифи.

— Иветт. — Самодовольно улыбаясь, девица вытащила из пачки длинную коричневую сигарету, щелкнула изящной золотой зажигалкой. — Ах, этот шум! — Она потянулась с кошачьей грацией. — И днем и ночью.

Тейт стиснула зубы. Шум, на который пожаловалась Иветт, создавал компрессор, деловито нагнетающий воздух в пневмонасос.

— Мы оформили заявку на «Санта-Маргариту». Вы не имеете права разрабатывать ее.

— Маргарита? Кто такая Маргарита? — Иветт выдохнула ароматную струйку дыма. — Я здесь единственная женщина. — Приподняв брови, она оглядела Тейт с головы до ног и повторила: — Единственная. — Ее взгляд скользнул мимо Тейт и просиял. — *Mon cher,* у нас гости.

— Я вижу.

Тейт обернулась и увидела худощавого мужчину в бежевых слаксах и такой же рубашке с безупречно повязанным галстуком пастельных тонов. Лихо сдвинутая на ухо шегольская панама. Густые седые волосы, но лицо гладкое, как у юноши, сияет здоровьем и благодушием. Длинный аристократический нос, серебристые брови, тонкие, красиво вылепленные губы. Глаза ослепительно голубые, проницательные. На загорелой шее толстая золотая цепь, на запястье шикарный золотой «Ролекс». В общем, воплощение богатства и хороших манер.

Мужчина протянул руку с такой обезоруживающей улыбкой, что Тейт чуть не пожала ее, затем вспомнила, почему она здесь.

— Это ваша яхта?

— Да, конечно. Добро пожаловать на борт «Триумфатора». Не часто нас навещают русалки. Андре! — В его голосе, голосе образованного человека, прозвучал легкий европейский акцент. — Принеси даме полотенце. Она насквозь промокла.

— Не нужно мне ваше чертово полотенце. Немедленно уберите отсюда своих аквалангистов! Это мой галеон.

— Неужели? Как странно! Не хотите ли присесть, мисс...

— Не хочу, проклятый пират.

Мужчина моргнул, но его улыбка не дрогнула.

— Кажется, вы принимаете меня за кого-то другого. Я уверен, что мы цивилизованно устраним это небольшое недоразумение. — Он взял принесенное стюардом полотенце. — Шампанское, Андре. И три бокала.

— Если не выключите компрессор, не ждите ничего цивилизованного, — предупредила Тейт.

— Шум действительно мешает беседе, — охотно согласился мужчина, кивнул стюарду и сел. — Теперь, надеюсь, вы присядете.

Его тон оставался спокойным, улыбка — обаятельной, и Тейт все сильнее чувствовала себя невоспитанной идиоткой. Черт побери, она тоже может быть невозмутимой и вежливой!

Наступив на горло собственной гордости, она опустилась на краешек кресла.

— Вы забрали мою собственность с моих яхт.

Приподняв одну бровь, мужчина повернул голову и взглянул на «Морского дьявола».

— Это жалкое корыто — ваше?

— Моих партнеров, — пробормотала Тейт. Рядом с «Триумфатором» «Морской дьявол» действительно казался старым ржавым корытом. — С «Морского дьявола» и «Приключения» исчезли артефакты[1] и...

— Милое дитя... — Мужчина кротко улыбнулся и скрестил на груди руки. Сверкнувший на его мизинце огромный квадратный бриллиант на мгновение ослепил Тейт. — Я похож на вора?

Тейт подождала, пока стюард откупорит бутылку шампанского, затем ответила, вложив в голос побольше меда:

— Не все крадут ради куска хлеба. Некоторым это просто нравится.

В его глазах вспыхнуло восхищение.

— Не только прекрасна, но и умна. Потрясающее качество в такой юной женщине.

Иветт по-французски пробурчала что-то не столь лестное, и мужчина, хихикнув, похлопал ее по руке.

— *Ma belle,* прикройся. Ты смущаешь нашу гостью.

Пока надувшаяся Иветт прикрывала роскошные груди лоскутком ярко-синего шелка, мужчина протянул бокал шампанского, и, только взявшись за его ножку, Тейт поняла, что ее обвели вокруг пальца.

— Послушайте...

— С удовольствием, — согласился мужчина и довольно вздохнул, поскольку в этот момент как раз выключился компрессор. — Так гораздо лучше. Кажется, вы что-то говорили о пропавшей собственности?

— Вы прекрасно знаете, о чем я говорила. Об артефактах с «Санта-Маргариты». Мы разрабатывали ее несколько недель. У нас официальная заявка.

Мужчина с явным интересом наблюдал за ней. Какое

---

[1] Артефакты — памятники материальной культуры.

удовольствие смотреть на оживленное и дерзкое личико, особенно когда уже победил! Он всегда жалел тех, кто не умеет рисковать, а потому не знает сладости абсолютного триумфа.

— Заявка? — Он задумчиво поджал губы, затем попробовал шампанское. — Мы в нейтральных водах. Правительство часто оспаривает границы, поэтому я связался с ним несколько месяцев назад и сообщил о своих планах вести здесь подводные разработки. — Он сделал еще один глоток. — Сожалею, что вас не проинформировали. Конечно, по прибытии я заметил, что кто-то уже ковырялся здесь, но никого не было.

«Несколько месяцев, черт побери!» — подумала Тейт, но заговорила спокойным тоном:

— У нас случилось несчастье. Один из нашей команды в больнице.

— Сочувствую. Охота за сокровищами — опасный бизнес. Для меня это хобби, но пока мне везет.

— Мы оставили здесь «Морского дьявола». Вы видели наши буйки. Закон о собственности находок...

— Я готов простить нарушение моих прав.

Тейт раскрыла рот от изумления.

— *Вы?!* — К дьяволу вежливость. — Вы незаконно захватили нашу территорию, украли наши находки и каталоги...

— Понятия не имею о вашей пропавшей собственности, — прервал он более жестким голосом, словно обращался к бестолковому подчиненному. — Полагаю, вам необходимо связаться с властями Сент-Китса или Невиса.

— И свяжусь, не сомневайтесь.

— Разумно. — Мужчина достал из серебряного ведерка бутылку и подлил шампанского себе и Иветт. — Неужели вам не нравится «Дом Периньон»?

Тейт резко отставила свое нетронутое шампанское.

— Вам это с рук не сойдет. Мы нашли «Маргариту», мы ее разработали. Мой партнер чуть не погиб. Мы не позволим вам присвоить наши находки.

— Право собственности в подобных случаях — очень расплывчатое понятие. Можете, конечно, оспорить мои права, но боюсь, что результат вас разочарует. Я обычно побеждаю. — Он ослепительно улыбнулся, погладил кончиком пальца плечо Иветт и поднялся. — Не хотите ли осмотреть мою яхту? Я очень горжусь «Триумфатором».

— Мне плевать на вашу яхту, даже если у нее нос из чистого золота. — Тейт сказала это так спокойно, что даже сама удивилась, и, вскочив с кресла, смерила хозяина яхты презрительным взглядом. — Шикарное судно и европейский лоск не исключают воровства.

Послышалось робкое покашливание стюарда.

— Сэр, вас ждут на носовой палубе.

— Передай, что я сейчас приду, Андре.

— Есть, мистер Ван Дайк.

— Ван Дайк... — ошеломленно повторила Тейт. — Сайлас Ван Дайк!

— Как вижу, моя слава летит впереди меня. Я не представился. Какая непростительная оплошность с моей стороны, мисс...

— Бомонт. Тейт Бомонт. Я знаю, кто вы такой, мистер Ван Дайк, и я знаю, что вы сделали.

— Я польщен. — Он приподнял бокал с пенящимся шампанским. — Что именно вы слышали?

— Мэтью рассказывал мне о вас. Мэтью Лэситер.

— Ах да, Мэтью. Уверен, он не очень лестно обо мне отзывался, зато вы наверняка знаете, что именно меня интересует.

— «Проклятие Анжелики». — Несмотря на повлажневшие от страха ладони, Тейт гордо вскинула голову. — Поскольку ради него вы уже совершили убийство, то воровство, естественно, не преграда.

— Юный Мэтью забил вашу головку чепухой, — мило улыбнулся Ван Дайк. — Вполне понятно, что мальчик не хочет винить себя, но именно его халатность привела к трагедии. Как я уже сказал, мисс Бомонт, охота за сокровищами — опасный бизнес. Иногда случаются несчастья. Однако я хотел бы кое-что прояснить. Если амулет на «Маргарите», он — мой. Как и все остальное. — Глаза Ван Дайка угрожающе вспыхнули. — Я не выпускаю из рук свои сокровища. Не правда ли, *ma belle?*

Иветт провела рукой по гладкому бедру.

— Правда, как всегда.

— Значит, пока вы его не нашли? — Тейт подошла к поручням. — Еще посмотрим, кто хозяин «Санта-Маргариты».

— Конечно, посмотрим. — Ван Дайк повертел в руках пустой бокал. — Да, мисс Бомонт, не забудьте передать Лэситерам мои наилучшие пожелания... и сожаления.

Прыгая в воду, Тейт слышала его довольный смешок.

— Сайлас, — Иветт закурила новую сигарету и изящно свернулась в шезлонге, — о чем болтала эта отвратительная американка?

— Отвратительная? — С довольной улыбкой Сайлас смотрел за плывущей к «Приключению» Тейт. — Я так не думаю. По-моему, она очаровательна... по-юношески дерзка, наивна.

Иветт выдохнула дым.

— Тебя привлекают костлявое тело и мальчишеская стрижка?

Ван Дайк присел на край шезлонга и легко поцеловал Иветт в надутые губы, дернул завязки ее бюстгальтера.

— Она почти ребенок. Меня же интересуют женщины, такие, как ты. Вот почему ты здесь, *ma chere amie.*

«И останешься здесь, — мысленно добавил он, обхватывая ладонью безупречную грудь, — пока не наскучишь мне».

Успокоив Иветт, Ван Дайк поднялся и проводил взглядом несущееся к Сент-Китсу «Приключение».

«Все-таки в юности кое-что есть, — подумал он. — Что-то, чего даже мои деньги не могут купить». Пожалуй, прошло бы очень много времени, прежде чем такая девушка, как Тейт Бомонт, сумела ему надоесть.

Ван Дайк прошел на носовую палубу, довольно мурлыча какой-то мотивчик. Его подчиненные уже разложили на парусине последние находки и почтительно молчали, пока Ван Дайк, стоя на коленях, перебирал добычу наманикюренными пальцами.

Потрясающе! И все это принадлежит ему. Успех! Прекрасная прибыль от вложенного капитала! А самое главное — все это принадлежало Лэситерам, и, пока он наслаждается сокровищами, брат Джеймса Лэситера борется за свою никчемную жизнь.

Это обстоятельство лишь подтверждало силу легендарного амулета. «Проклятие Анжелики» губит всех, кто осмеливается искать его. Всех, кроме него самого.

А все потому, что он готов ждать, приближаться к цели постепенно, не спеша.

Временами деловое чутье приказывало Ван Дайку забыть о колье, чтобы не искушать судьбу, но никогда амулет не покидал его подсознание. Значит, для этого есть причина: колье принадлежит ему. Если он не завладеет «Проклятием Анжелики», то проиграет, а проигрыш — не для него. Даже в развлечении. Он оправдает потраченные деньги и время. И того, и другого у него более чем достаточно. И он никогда не забудет, как смеялся над ним Джеймс Лэситер, как пытался его обхитрить.

Ван Дайк поднял глаза на команду, молчаливую, готовую повиноваться любому его приказу.

— Продолжайте разработки. — Он встал, отряхнул брюки. — Мне потребуется вооруженная охрана. Пять человек на палубе, пять — у затонувшего судна. При любом вмешательстве действуйте осмотрительно, но твердо. Не трогайте девушку, если она вернется. Она меня интересует. Пайпер!

Ван Дайк поманил согнутым пальцем своего археолога и быстро прошел в кабинет. Пайпер засеменил следом, как преданный пес.

Как и все остальное на яхте, плавучий кабинет Ван Дайка был роскошен и удобен, и ничто в нем не напоминало о море. Стены, обшитые панелями из красного дерева, и паркетный пол сверкали. Надежно привинченный к полу антикварный письменный стол когда-то украшал дом английского лорда. Об английском поместье напоминали и тяжелые парчовые шторы, и портрет работы Гейнсборо, а единственной уступкой тропическому климату были пышные цветы в маленьком мраморном камине вместо потрескивающих поленьев.

Кресла были обтянуты лоснящейся кожей, бордовой и темно-зеленой. Бесценный антиквариат подобран со вкусом и в таком количестве, что гостям и в голову не пришло бы, будто хозяин выставляет напоказ свое богатство.

Конец двадцатого века представлен новейшими достижениями электронной и компьютерной техники. Письменный стол завален морскими картами и лоциями, копиями документов и судовых деклараций. И в развлечениях, и в бизнесе путеводной звездой Ван Дайка была информация.

Усевшись, Ван Дайк выждал немного, наблюдая за почтительно склонившимся Пайпером, и, насладившись еще одним подтверждением своей власти, смилостивился и указал на стул.

— Вы закончили переносить информацию из блокнотов в компьютер?

— Да, сэр.

Толстые линзы очков Пайпера увеличивали не только его карие глаза, но и светившуюся в них собачью преданность. Ван Дайк уважал блестящий ум своего морского археолога, а его пристрастие к кокаину и азартным играм презирал и использовал.

— Вы нашли какие-либо упоминания об амулете?

— Нет, сэр. — Пайпер сцепил вечно дрожащие руки. — Хотя каталог составлен превосходно. Отмечено и датировано все, до последнего гвоздя. Фотографии великолепны, а записи и рисунки очень детальны.

Они не нашли амулет, думал Ван Дайк. Конечно, он это чувствовал, но предпочитал реальные факты.

— Хорошо. Сохраните все, что может оказаться полезным, остальное уничтожьте. — Ван Дайк задумчиво потеребил мочку уха. — Завтра к десяти утра представьте полный отчет о сегодняшних находках. Полагаю, это займет у вас всю ночь. — Он отпер ящик, вытащил маленький флакон с белым порошком и поморщился, увидев благодарное выражение лица Пайпера. — Используйте это разумно и без свидетелей.

— Да, мистер Ван Дайк. — Флакончик исчез в глубоком кармане мешковатых брюк Пайпера. — К утру все будет готово.

— Я знаю, что могу положиться на вас, Пайпер. Пока все.

Оставшись один, Ван Дайк откинулся на спинку кресла, обвел взглядом ворох бумаг на столе и вздохнул. За долгие годы подводной охоты он привык верить в судьбу. Возможно, Лэситерам просто повезло и их открытие не имеет никакого отношения к амулету. Если так, то он просто заберет то, что они нашли, и увеличит собственное богатство, но в любом случае заставит разнести «Санта-Маргариту» в щепки и по песчинке перебрать морское дно вокруг... пока не удостоверится.

Джеймс что-то обнаружил, что-то, чем отказался поделиться с ним, раздраженно думал Ван Дайк, но успел ли Джеймс выложить решающие сведения своему недоумку брату или сыну?

Может, и нет. Может, его секрет умер вместе с ним. Ненавистные сомнения! Ненавистно предположение о собственной ошибке! Ухоженные пальцы Ван Дайка сжались в кулаки, глаза потемнели, красивые губы вытянулись в ниточку и задрожали. Сердце заколотилось, кровь запульсировала в висках, в ушах зазвенело.

Сайлас узнал симптомы и огромным усилием воли подавил приступ бешенства, охватывавшего его теперь все чаще... почти так же часто, как в детстве. Тогда, если не выполнялись его желания, он в слепой ярости визжал, топал ногами и крушил все, что попадалось под руку... Но это было до того, как он научился использовать силу воли, до того, как научился управлять и побеждать.

Он не уступит слабости, не поддастся бесполезным эмоциям. В любых обстоятельствах он сохранит спокойствие и ясность мыслей. Он не наделает глупых ошибок. Жизненно важно помнить об этом.

И помнить о том, как его мать проиграла подобное сражение и прожила последние годы под замком, пуская слюни на шелковые блузки.

Ван Дайк глубоко вдохнул и медленно выдохнул, поправил галстук, помассировал виски.

Пожалуй, он поспешил расправиться с Джеймсом Лэситером. Больше он подобной ошибки не допустит. Годы поисков лишь укрепили его силу воли, прибавили знаний и мудрости. Амулет ждет его точно так же, как ждет он сам, и никто не посмеет встать между ними.

Ван Дайк прикрыл глаза. Он будет преследовать Лэситеров в любом океане, любом море, любом болоте, и когда-нибудь они приведут его к «Проклятию Анжелики», единственному сокровищу, пока ускользающему от него.

ГЛАВА 9

Задыхающаяся, бледная от ярости, Тейт вбежала в больничный коридор и, увидев в дальнем конце Мэтью и родителей, бросилась к ним.

— Господи, Тейт, что случилось?

— У нас неприятности. Там яхта. Они ведут раскопки. Я не смогла их остановить.

— Расскажи по порядку, — приказал Рэй, взяв ее за плечи. — Где ты была?

— На нашей площадке роскошная яхта. С первоклассным оборудованием. Они разрабатывают «Санта-Маргариту». Я видела пятно от пневмонасоса. — Тейт перевела дух и снова затараторила: — Мы должны немедленно вернуться туда. Они были на «Приключении» и «Морском дьяволе». Пропали каталоги и наши находки. Я знаю, что он их взял. Он отрицает, но я знаю.

— Кто?

Тейт перевела взгляд с отца на Мэтью.

— Ван Дайк. Сайлас Ван Дайк.

Мэтью схватил ее за руку и рывком повернул лицом к себе.

— Откуда ты знаешь?

— Стюард назвал его по имени. — Страх, охвативший ее на «Триумфаторе», не шел ни в какое сравнение с паникой, вспыхнувшей сейчас при виде ярости, разгоревшейся в глазах Мэта. — Он знает о том, что случилось с Баком. Он сказал... Мэтью, подожди. Куда ты? Что ты собираешься делать?

— То, что должен был сделать давным-давно. Убить его.

— Возьми себя в руки. — Рэй сказал это спокойно, но крепко сжал запястье Мэта, и Тейт вздохнула с облегчением. — Мы должны вести себя осмотрительно. Очень многое поставлено на карту.

— На этот раз ублюдок за все расплатится.

— Мы вместе все уладим. Мариан, вы с Тейт остаетесь здесь.

— Ничего подобного, Рэй. Мы одна команда, — возразила Мариан.

— У меня нет времени на семейные дебаты. — Мэтью рывком высвободился из хватки Рэя. — Оставайтесь, Рэй, и посмотрим, можете ли вы контролировать своих женщин.

— Ты, невежественный...

— Тейт! — Мариан глубоко вздохнула, чтобы подавить собственный гнев, и устремила на Мэтью взгляд, способный расплавить сталь, а когда она заговорила, ее голос мог бы заморозить воду. — Ты прав в одном, Мэтью, мы попусту теряем время. — С этими словами она подошла к лифту и нажала кнопку вызова.

— Идиот, — подвела итог Тейт.

«Приключение» неслось по спокойному морю. Тейт и Мариан стояли у поручней, Рэй и Мэтью — на мостике. Они вели яхту и обсуждали предстоящую операцию.

Стараясь скрыть охвативший ее страх, Мариан повернулась к дочери.

— Какое впечатление произвел на тебя этот человек? Этот Ван Дайк?

— Он скользкий. — Именно это слово первым пришло Тейт в голову. — Неприятный, несмотря на внешний лоск. И умный. Очень умный. Он понимал, что я беспомощна, и наслаждался этим.

— Он напугал тебя?

— Он вел себя, как радушный хозяин с дорогой гостьей. Предложил шампанское и экскурсию по яхте. — Тейт вцепилась в поручни. — Да, он меня напугал. Он казался мне римским императором, который пощипывает виноград и с наслаждением смотрит, как львы раздирают христиан на кусочки.

С трудом подавив дрожь, Мариан напомнила себе, что дочь цела и невредима, но для успокоения накрыла ладонью ее руку.

— Ты веришь, что он убил отца Мэтью?

— В это верит Мэтью. Смотри, мама, яхта.

Мэтью с мостика изучал «Триумфатор». Новая яхта была роскошнее той, на которой они работали в Австралии, и — насколько он мог судить с такого расстояния — на палубах никого не было.

— Я поплыву туда, Рэй.

— Не будем торопиться.

— Ван Дайк не оставил нам выбора.

— Сначала окликнем их.

Когда Рэй остановил «Приключение» между «Триумфатором» и «Морским дьяволом», Мэтью вооружился подводным ножом.

— Пусть женщины уйдут в каюту и не высовываются оттуда.

— А ты зажмешь нож зубами и вскарабкаешься по веревке? Пошевели мозгами, парень. — Надеясь на то, что его язвительный тон подействует, Рэй покинул мостик. — Эй, на «Триумфаторе!»

Никто не откликнулся. Лишь хлопали на ветру разноцветные тенты да плескалась о корпус вода. Яхта казалась кораблем-призраком.

— Там была женщина, — прошептала Тейт. — И команда. Матросы, стюарды, аквалангисты.

— Все, хватит ждать, — сказал Мэтью и уже приготовился прыгнуть в воду, когда на палубе появился Ван Дайк.

— Добрый день, — разнесся над водной гладью его звучный голос. — Чудесный день для морской прогулки, не правда ли?

— Сайлас Ван Дайк?

Ван Дайк театрально замер у поручней, скрестив на груди руки.

— Да, это я. Чем могу быть вам полезен?

— Я — Рэй Бомонт.

— Ах да, конечно. — Ван Дайк коснулся кончиками пальцев полей панамы. — Я уже знаком с вашей очаровательной дочерью. Счастлив снова видеть вас, Тейт. А вы, должно быть, миссис Бомонт. — Он чуть поклонился Мариан. — Теперь я понимаю, кому Тейт обязана своей красотой. А вот и юный Мэтью Лэситер! Какая интригующая встреча!

— Я знал, что ты убийца, Ван Дайк, — крикнул Мэтью, — но не думал, что ты опустишься до воровства!

— Ты не изменился, — ослепительно улыбнулся Ван Дайк. — Я рад. Было бы жаль, если бы обломались все твои колючки. Я бы пригласил вас всех на борт, но у нас довольно много дел. Может, устроим вечеринку в конце недели?

Рэй словно тисками сжал плечо Мэтью, не дав ему ответить.

— Мы первыми оформили заявку на «Санта-Маргариту». Мы нашли ее и разрабатывали несколько недель. Совместно с правительством Сент-Китса подписаны все необходимые документы.

— Боюсь, мы расходимся во мнениях, мистер Бомонт. — Сайлас вынул из кармана серебряный портсигар, неторопливо выбрал сигарету. — Если сочтете необходимым, можете проверить в администрации. Мы

находимся в нейтральных водах. К тому же когда я сюда прибыл, то не нашел ничего, кроме этой жалкой пустой лодчонки.

— Несколько дней назад мой партнер был серьезно ранен. Нам пришлось прервать разработки.

— Ах да! — Ван Дайк щелкнул зажигалкой, неторопливо затянулся. — Я слышал о бедняге Баке. Какая неприятность для него, для всех вас! Сочувствую, но факт остается фактом: я здесь, а вы — нет.

— Вы украли нашу собственность! — выкрикнула Тейт.

— Смехотворное обвинение, которое к тому же очень трудно доказать. Естественно, вы имеете право попытаться. — Ван Дайк полюбовался парой пеликанов и перевел скучающий взгляд на Мэта. — Охота за сокровищами чревата разочарованиями, Мэтью. Передай мои наилучшие пожелания своему дяде. Надеюсь, злой рок, преследующий вашу семью, успокоится на тебе.

— Да пошел ты! — Мэтью перегнулся через поручни, отпихнул подскочившую Тейт, но Рэя стряхнуть ему не удалось.

— Взгляни на верхнюю палубу, — прошептал Рэй.

Мэт поднял голову, увидел двух здоровенных парней и две нацеленные на себя винтовки.

— Собственность нуждается в охране, — миролюбиво пояснил Ван Дайк. — В моем положении меры предосторожности не роскошь, а жизненная необходимость. Рэймонд, вы наверняка благоразумный человек и удержите юного Мэтью. Право, не стоит рисковать из-за пары безделушек. — Пеликаны плюхнулись в воду между враждующими сторонами. — Я буду искренне огорчен, если шальная пуля заденет вас или один из бесценных бриллиантов рядом с вами. — Ван Дайк расплылся в улыбке. — Мэтью подтвердит, что трагические случайности в нашем деле не редкость.

Мэтью напрягся.

— Уведите женщин в каюту.

— Если тебя застрелят, что будет с Баком?

— Мне нужно всего десять секунд. Десять чертовых секунд.

«И я перережу ему глотку», — мысленно добавил он.

— Что будет с Баком? — настойчиво повторил Рэймонд. — Это не стоит твоей жизни. И уж тем более жизней моей жены и дочери. Берись за штурвал, Мэтью. Мы возвращаемся на Сент-Китс.

О боже, отступление! Если бы он был один... но он не один. Мэтью молча развернулся и направился к мостику.

— Очень мудро, Рэймонд, — одобрительно прокомментировал Ван Дайк. — Мальчик несколько опрометчив, не то что мы, зрелые мужчины. Счастлив был познакомиться со всеми вами. До свидания, миссис Бомонт. До свидания, Тейт. — Он снова коснулся полей панамы. — Счастливого плавания.

Как только яхта легла на обратный курс, Мариан подошла к мужу, с трудом передвигая онемевшие ноги.

— Рэй... они могли убить нас.

Чувствуя себя непривычно беспомощным, Рэй погладил ее по руке и тихо сказал:

— Мы обратимся к властям.

Тейт взбежала на мостик.

— Мэтью, ты ничего не смог бы сделать... — Она интуитивно почувствовала, что его лучше не трогать, но, не дождавшись ответа, все же подошла поближе. — Они

застрелили бы тебя. Он хотел этого. Мы немедленно сообщим в полицию.

— Какой смысл? — Тейт услышала горечь в его голосе. — С деньгами всего можно добиться.

— Мы же все оформили официально. Архив...

Мэт оборвал поток ее слов одним испепеляющим взглядом.

— Не будь дурочкой. В архиве есть только то, что нужно Ван Дайку. Он обчистит галеон. Он заберет все, и я ему это позволил. Я стоял перед ним точно так же, как девять лет назад, и ничего не сделал.

— Ты ничего не мог сделать. — Она положила ладонь на его плечо. — Мэтью...

— Оставь меня в покое.

— Но, Мэтью...

— Отвяжись, черт побери!

Оскорбленная, беспомощная, Тэйт отступила от него.

Тейт сидела в сумрачном номере отеля, совершенно подавленная. Прошедший день оказался непрерывной цепью звонких пощечин. Последняя из них — известие потрясенного отца о том, что в архиве нет даже упоминания об их заявке. Пропали все документы, которые они так педантично заполняли, а клерк, с которым общался Рэй, заявил, что никогда его прежде не видел.

Не осталось никаких сомнений в том, что Сайлас Ван Дайк снова победил.

Все их труды, все страдания Бака оказались напрасными. Впервые в жизни Тейт столкнулась с тем, что правота и законопослушание вовсе не гарантируют успеха.

Она вспоминала обо всех тех прекрасных вещах, которые держала в руках. Усыпанный изумрудами крест, фарфоровая ваза... крупицы истории, извлеченные ею из песка на белый свет. Ей не суждено больше коснуться их, изучить, увидеть их в музейных витринах. Не будет коллекции Бомонтов—Лэситеров, не будет ни их имен на табличках, ни фотографий в «Национальном географическом журнале».

Они проиграли.

Ужасно стыдно признаваться даже себе самой, что она мечтала о мишуре славы, представляла, как вернется в колледж и на волне триумфа и всеобщего восхищения добьется ученой степени... думала, что общая победа еще сильнее свяжет ее с Мэтью. Не осталось ничего, кроме горечи разочарования.

Не в силах больше оставаться в душном помещении, Тейт решила прогуляться и на свежем воздухе все обдумать.

Она нашла Мэтью на пляже, в том месте, где они целовались, где она поняла, что любит его. Ее сердце сжалось, затем встрепенулось: она ясно увидела свое будущее.

— Мэтью, мне так жаль.

— Ничего нового. Мое обычное невезение.

— Нас обманули, обокрали. При чем тут невезение?

— При всем. Я должен был отправиться к Ван Дайку без вас.

— И что бы ты сделал? В одиночку справился бы с вооруженной командой?

— Что-нибудь придумал бы.

— Тебя просто пристрелили бы. Мэтью, ты нужен Баку. Ты нужен мне.

Он устало ссутулился. Нужен? Он надеялся на большее.

— Я позабочусь о Баке.

— *Мы* позаботимся о Баке. Мэтью, есть и другие затонувшие корабли. — Тейт взяла его руки в свои. — Доктор Фардж сказал, что Бак даже сможет нырять, если захочет. Протезисты сейчас творят чудеса. Мы отвезем Бака в Чикаго на следующей неделе.

— Возможно. — Если он придумает, как оплатить авиаперелет до Чикаго.

— А потом мы выберем какое-нибудь теплое местечко и, пока Бак будет выздоравливать, проведем исследования. Ведь он хочет найти «Изабеллу». Ты хочешь найти «Изабеллу».

— Ты не можешь одновременно учиться в колледже и искать «Изабеллу».

— Я не вернусь в колледж.

— О чем ты говоришь, черт побери?

— Я не вернусь в колледж. — Тэйт только что приняла это решение и испытала большое облегчение. Она обвила руками шею Мэтью. — Даже не понимаю, почему я считала это важным. Я могу всему научиться на практике. Какое значение имеет научная степень!

— Глупости.

Мэтью попытался расцепить ее руки, но она лишь крепче прижалась к нему и легко поцеловала в губы.

— Совсем не глупости, а вполне логичное решение. Я буду жить с тобой и Баком в Чикаго, а потом мы отправимся в море. Куда угодно, лишь бы вместе. Мэтью, только представь, как мы поплывем на «Морском дьяволе». — Он прекрасно мог себе это представить и так же прекрасно понимал, что это невозможно. — А когда мы найдем другое судно, мама и папа присоединятся к нам. Ван Дайк не победит нас, если мы будем вместе.

— Уже победил.

— Нет. — Закрыв глаза, Тейт прижалась щекой к его щеке. — Мы здесь, мы вместе. Весь мир у наших ног. А Ван Дайк? Он жаждет заполучить амулет, но у него ничего не получается. И я знаю, я точно знаю, что никогда не получится. Мэтью, мы гораздо богаче его.

— Мечтательница.

— Ну и что? Какая охота за сокровищами без мечты! Теперь мы будем мечтать вместе. И пусть мы не найдем другой затонувший корабль, пусть Ван Дайк заберет все до последнего дублона. Мне нужен только ты.

Мэт видел, что Тейт говорит абсолютно серьезно. Стоит ему щелкнуть пальцами, и она все бросит и пойдет за ним хоть на край света... и очень скоро возненавидит его так же сильно, как он сам ненавидит себя.

— А о моих желаниях ты не подумала? — Он ущипнул ее за подбородок и небрежно поцеловал.

— Я тебя не понимаю.

— Послушай, Рыжик, все пошло прахом. Все, что я заработал тяжелым трудом, проскользнуло мимо пальцев. Неприятно, но это еще не самое худшее. У меня на шее калека. Почему ты решила, что я хочу заботиться и о тебе?

Удар был таким внезапным, что Тейт его даже не почувствовала.

— Ты расстроен и не понимаешь, что говоришь.

— «Расстроен» — слишком слабо сказано. Если бы не ты со своей законопослушной семейкой, я бы не стоял здесь сейчас с пустыми руками. Рэю, видите ли,

необходимо было оформить все официально. Поэтому Ван Дайк и добрался до нас.

Тейт вспыхнула.

— Ты не смеешь обвинять папу!

— Еще как смею. — Мэтью сунул руки в карманы. — Вся моя награда за месяцы работы — искалеченный Бак.

— Ты говоришь ужасные вещи.

— Я говорю чистую правду, — поправил Мэтью, презирая сам себя. — Конечно, я его где-нибудь пристрою, я его должник, но мы с тобой, Рыжик, — совсем другая песня. Я не прочь был повеселиться пару недель — и было очень мило, но дело кончено, а ты продолжаешь цепляться за меня.

Тейт показалось, что из нее выдернули сердце и душу.

— Ты меня любишь.

— Опять мечты. Послушай, ты хотела романтических фантазий со мной в главной роли? Прекрасно. Но я не собираюсь плыть с тобой в закат.

Мэт решил, что наглой ухмылки недостаточно. Должно быть хуже. Гораздо хуже. Одними словами он от нее не избавится, не спасет ее от себя. Он обхватил ее за бедра, грубо прижал к себе.

— Хотя я играл с удовольствием, малышка. Черт, я наслаждался каждой минутой. А теперь, когда все так паршиво обернулось, почему бы нам не утешить друг друга? Давай напоследок потрахаемся как следует.

И он впился в ее рот. Жадно, требовательно и злобно. Тейт стала сопротивляться, но Мэт сунул руку под ее блузку и сжал грудь.

— Нет! — Так не должно быть, в отчаянии думала она. Так не может быть. — Ты делаешь мне больно.

— Да ладно тебе, малышка. — Он хотел нежно гладить ее, ласкать, соблазнять... но нарочно сжимал все крепче. Синяки на гладкой как атлас коже исчезнут раньше, чем затянутся его душевные раны. — Мы же оба этого хотим.

— Нет. — Всхлипывая, Тейт оттолкнула его и крепко обхватила себя руками. — Не трогай меня...

— Значит, ты просто дразнила меня. Так я и думал. — Мэтью заставил себя прямо посмотреть в ее полные боли, сверкающие слезами глаза.

— Я тебе совсем безразлична.

— Ничего подобного, детка. Что я должен сделать, чтобы затащить тебя в койку? Хочешь поэзии? Я что-нибудь припомню. Стесняешься трахаться на пляже? У меня есть гостиничный номер, за который платит твой старик.

— Тебе на всех нас наплевать.

— Эй! Я честно выполнял свою долю работы.

— Я любила тебя. Мы все тебя любили.

«Уже прошедшее время, — горько подумал он. — Не так уж трудно убить любовь».

— Подумаешь! Партнерство распалось. Вы возвращаетесь к своей обычной жизни, я — к своей. А сейчас решай побыстрее: хочешь покувыркаться на матрасе или я должен найти кого-то еще?

Он разрывал на куски ее сердце. Сколько еще она сможет выдержать? Сколько еще будет стоять перед ним?

— Я не желаю тебя видеть! Никогда. Держись подальше от меня и моих родителей. Я не хочу, чтобы они узнали, какой ты ублюдок.

— Никаких проблем. Беги домой, детка.

Тейт надеялась уйти, высоко подняв голову, и ей

удалось пройти несколько шагов, но потом она бросилась бежать.

Когда она исчезла из виду, Мэтью опустился на песок и уткнулся лицом в колени. Кажется, он только что совершил свой первый героический поступок — он спас ее.

И, содрогаясь от душевной боли, он понял, что не создан быть героем.

ГЛАВА 10

— Не представляю, куда запропастился Мэтью? — тихо сказала Мариан, меряя шагами больничный коридор. — Он не навестил Бака.

Тейт пожала плечами... и обнаружила, что даже такое незначительное движение болезненно. Она провела бессонную ночь, оплакивая свою осмеянную любовь, но к утру собрала остатки гордости.

— Вероятно, он нашел более интересный способ провести день.

— Ну, это на него не похоже, — не согласилась Мариан, оглянувшись на вышедшего из палаты мужа.

— Баку получше. — Бодрая улыбка не замаскировала озабоченности в глазах Рэя. — Он немного устал и не хочет никого видеть. Мэтью еще не пришел?

— Нет. — Мариан взглянула на двери лифта, словно заставляя их открыться и выпустить Мэта. — Рэй, ты сказал Баку о Ван Дайке?

— Духу не хватило. — Рэй устало опустился на диванчик. Последние десять минут пребывания с Баком совсем его извели. — Я думаю, Бак только-только начинает осознавать свое увечье. Он разгневан, ожесточен. Как я мог сказать ему, что все пропало?

— Это можно сделать и позже. — Мариан присела рядом с мужем. — Только не вини себя, Рэй.

— Я все время мысленно прокручиваю случившееся, — прошептал он. — В одну секунду мы — короли, мидасы, превращающие все в золото, а в следующую — ничего, кроме страха и ужаса. Мог ли я что-то изменить? Не знаю. Все случилось так стремительно. — Рэй беспомощно взмахнул руками. — Бак все время твердит о проклятии Анжелики.

— Это был несчастный случай. Рэй, ты же понимаешь, что это не имеет никакого отношения ни к проклятиям, ни к легендам.

— Я знаю, что Бак потерял ногу, мечта превратилась в кошмар, а мы беспомощны, совершенно беспомощны.

— Тебе необходим отдых. — Мариан решительно поднялась. — Мы вернемся в отель, а все проблемы решим утром.

— Может быть, ты права.

— Вы идите, а я прогуляюсь, посижу на пляже.

— Неплохая мысль, дочка. — Мариан взяла мужа за руку, другой обняла дочь за плечи и повела их к лифту. — Посиди на солнышке, передохни.

Тейт знала, что ей ничто не поможет еще очень-очень долго, но выдавила улыбку.

В это время Мэтью, уже успевший претворить в жизнь пару из принятых ночью решений, сидел в кабинете доктора Фарджа.

— Я хотел бы связаться со специалистом, о котором вы мне говорили. Надо узнать, возьмется ли он за Бака.

— Я могу сделать это сам, мистер Лэситер.

— Был бы вам очень признателен. Кроме того, я

хотел бы знать, сколько стоит перевозка в Чикаго и сколько я должен вам.

— У вашего дяди нет медицинской страховки?

— Нет. — Новое унижение. Он наверняка должен больше, чем может заплатить, а ни один банк не даст ему кредита. — Я заплачу, сколько смогу. Завтра у меня будут деньги. — От продажи «Морского дьявола» и большей части оборудования и экипировки. — И я хотел бы получить рассрочку. Я уже сделал несколько звонков, разузнал о возможной работе.

Фардж откинулся на спинку стула, потер пальцами переносицу.

— Я уверен, что мы найдем компромиссный вариант. В вашей стране существуют программы...

— Я сам позабочусь о Баке, — оборвал его Мэтью. — Пока я могу работать, Бак не будет жить на милостыню от государства. Я справлюсь.

— Как пожелаете, мистер Лэситер. К счастью, ваш дядя — сильный человек. Не сомневаюсь, что он скоро оправится физически и даже сможет снова нырять, если захочет, но для эмоционального и душевного выздоровления ему потребуется гораздо больше времени. Ему понадобится ваша поддержка...

— Я справлюсь, — повторил Мэтью, вставая. Сейчас он не только говорить, но и думать не мог о психиатрах и социальных работниках. — Я понимаю, что вы спасли ему жизнь, и я в долгу перед вами, но с этого момента я все беру на себя.

— Это тяжелая ноша, мистер Лэситер.

— Такова жизнь, — холодно сказал Мэтью. — В счастье и в несчастье, в основном в несчастье, не так ли? Кроме меня, у него никого нет.

* * *

Да, думал Мэтью, направляясь к палате Бака, кроме меня, у него никого нет, а Лэситеры — при всех своих недостатках — всегда платили по счетам.

Ну, может, в тяжелые времена они иногда ускользали из бара, не заплатив по счету... и надували туристов, красочными рассказами взвинчивая цену курительной трубки или битого кувшина. В конце концов, грех не надуть какого-то идиота, если он готов выложить деньги за щербатый кувшин только потому, что кто-то заявляет, будто из него пил сам великий флибустьер Жан Лафит.

Но есть законы чести, которые нельзя нарушать. Какую бы цену ни пришлось заплатить, он не бросит Бака.

Сокровища потеряны, думал Мэт, собираясь с духом перед палатой Бака. «Морской дьявол» тоже принадлежит прошлому. Все, что у него осталось, — одежда, гидрокостюм, ласты, маска и акваланг.

Мэт неплохо продал «Дьявола». Уж что-что, а взвинчивать цены Лэситеры умеют. Вырученных денег хватит, чтобы добраться до Чикаго.

А потом... Ну, поживем — увидим.

Мэтью распахнул дверь палаты и вздохнул с облегчением. Бак был один.

— Удивляюсь, что ты вообще явился, — проворчал Бак, борясь с обжигающими глаза слезами. — Мог хотя бы поболтаться рядом, пока они меня щупали, кололи и таскали по всей этой чертовой больнице.

Мэтью перевел взгляд на занавеску, отделяющую Бака от второго пациента.

— Не понимаю, что тебе здесь не нравится.

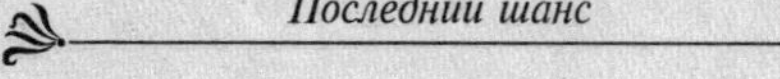

— Все. Я здесь не останусь.

— Потерпи немного. Мы скоро летим в Чикаго.

— Какого черта я забыл в Чикаго?

— Там тебе сделают новую ногу.

— Новая нога, черт побери! — От собственной ноги остались лишь ноющая боль и воспоминания. — Кусок пластмассы на петлях?

— Если не нравится, можем пристегнуть тебе деревяшку. — Мэтью подтянул к кровати стул и сел. Он даже не мог припомнить, когда по-настоящему спал в последний раз. Ну, ничего, если он продержится еще пару часов, то обязательно вырубится на все восемь. — Я думал, с тобой Бомонты.

Бак нахмурился, затеребил простыню.

— Рэй заходил, но я его отослал. Не хочу смотреть на его вытянутую физиономию. Где эта чертова медсестра? — Бак нащупал кнопку вызова персонала. — Когда они не нужны, так всегда тут как тут. Тыкают своими чертовыми иголками. Где мои таблетки? — рявкнул он, как только медсестра отдернула занавеску. — Я подыхаю от боли.

— После еды, мистер Лэситер, — терпеливо ответила медсестра. — Обед принесут через несколько минут.

— Не хочу я глотать эту проклятую размазню!

Чем больше его уговаривали, тем больше он распалялся и орал, пока раздраженная медсестра не удалилась.

— Ты отлично умеешь заводить друзей, Бак, — устало прокомментировал Мэтью. — Знаешь, на твоем месте я был бы поосторожнее с женщиной, которая может вернуться с шестидюймовой иглой.

— Но ты — не я. У тебя две ноги, не так ли?

— Да. — Чувство вины вновь пронзило Мэта. — У меня две ноги.

— Много добра принесло мне богатство, — пробормотал Бак. — Наконец-то я получил все эти деньги, но они не сделают меня полноценным мужчиной. На что я их потрачу? Куплю большую яхту и буду кататься по ней в инвалидном кресле? «Проклятие Анжелики» — вот это что. Чертова колдунья одной рукой дает, а другой отнимает.

— Мы не нашли амулет.

— Он там, внизу. Он точно там. — Глаза Бака засверкали горечью и ненавистью. — Он даже не снизошел до того, чтобы убить меня. Лучше бы убил. А кто я теперь? Калека. Богатый калека.

— Если хочешь, можешь быть калекой, — устало сказал Мэтью. — Но богатым ты не будешь. Об этом позаботился Ван Дайк.

— О чем ты говоришь, дьявол тебя побери? При чем тут Ван Дайк?

«Выкладывай сейчас, — приказал себе Мэтью. — Сразу. Не тяни».

— Он перебил нашу заявку и все забрал.

— Это наш галеон. Мой и Рэя. Мы его даже зарегистрировали.

— Это самое забавное. Единственный документ, который нашли в архиве, — заявка Ван Дайка. Ему всего-то пришлось подкупить пару клерков.

Бак был потрясен до глубины души. Без своей доли сокровищ он остался не просто калекой, а абсолютно беспомощным калекой.

— Ты должен его остановить.

— Как? — Мэтью резко встал, прижал плечи Бака к

кровати. — У него вооруженная команда. Они работают круглыми сутками. Держу пари, он уже надежно спрятал все, что украл с «Морского дьявола» и «Приключения».

— И ты отпустишь его с миром? Отдашь то, что принадлежит нам? Это стоило мне ноги.

— Я знаю, чего тебе это стоило. И да, я позволю ему уйти. Я не собираюсь умирать за останки затонувшего судна.

— Никогда не думал, что ты струсишь... Если бы я не лежал здесь...

«Если бы ты не лежал здесь, я бы не отпустил Ван Дайка», — подумал Мэтью, а вслух сказал:

— Когда выздоровеешь, будешь делать все, что захочешь, а пока я главный, мы едем в Чикаго.

— Как я туда доберусь, черт побери? У нас ничего нет. — Бак бессознательно потянулся к своей культе. — Меньше чем ничего.

— За «Морского дьявола», оборудование и некоторые мелочи я выручил несколько тысяч.

Бак побледнел.

— Ты продал яхту?! Какое право ты имел ее продать? «Морской дьявол» был моим, мальчишка!

Мэтью пожал плечами.

— Наполовину моим. Когда я продал свою долю, твоя просто отправилась следом. Я делаю то, что должен делать.

— Бежишь, — сказал Бак и отвернулся. — Все продал и бежишь.

— Верно. А теперь я иду заказывать нам билеты в Чикаго.

— Я не полечу в Чикаго.

— Ты полетишь туда, куда я скажу. Вот так.

— Тогда катись к черту!

Мэтью вышел из палаты, бросив на ходу:

— Как только мы окажемся в Чикаго.

Подавив гордость, Мэтью договорился с Рэем о встрече в вестибюле отеля и теперь ждал его у стойки бара, потягивая холодное пиво.

Забавно, что всего несколько месяцев назад у него практически ничего не было. Ну, старая посудина, видавшая лучшие дни, немного денег в жестяной коробке, никаких планов на будущее, никаких проблем. И, похоже, он был вполне счастлив. Потом в одно мгновение он стал богачом: его полюбила женщина, ему улыбнулась удача, на горизонте замаячила слава... Отмщение, о котором он мечтал девять лет, стало таким близким.

Теперь он потерял и женщину, и мечты, и «ничто», которое когда-то считал более чем достаточным. Гораздо тяжелее терять после того, как почувствовал вкус победы.

— Мэтью!

Он поднял глаза. Рэй похлопал его по плечу и занял соседний табурет.

— Спасибо, что пришли.

— А как же иначе? Бармен, пива. Тебе повторить, Мэтью?

— Почему бы и нет? — Это только начало. Он собирался как следует напиться сегодня ночью.

— Мы не виделись в последние дни, — начал Рэй, чокнувшись с новой бутылкой Мэта. — Думал, застанем тебя в больнице. Правда, мы не часто туда заглядывали. Баку не нравится компания.

— Да. — Мэтью сделал большой глоток. — Он даже со мной не разговаривает.

— Мне очень жаль, Мэтью. Он не прав. Ты не заслужил такого обращения. Ты ничего не мог изменить.

— Не знаю, с какой потерей ему труднее смириться: ноги или «Маргариты». — Мэт дернул плечом. — Наверное, это не имеет значения.

— Он снова сможет нырять, — твердо сказал Рэй, поглаживая пальцем запотевшую бутылку. — Доктор Фардж сказал, что он очень быстро поправляется.

— Об этом я и хотел поговорить с вами. Я лечу с ним в Чикаго. Завтра.

— Завтра? — Испытывая одновременно тревогу и облегчение, Рэй отставил бутылку. — Так быстро! Я понятия не имел, что ты уже все устроил.

— Фардж не видит причин откладывать. Бак вполне способен перенести полет, а чем скорее он попадет в руки специалиста, тем лучше.

— Мэтью, это великолепно. Держи нас в курсе, хорошо? Сообщай обо всех улучшениях. Мы с Мариан обязательно прилетим, как только ты решишь, что он хочет нас видеть.

— Вы... вы — лучший друг, какой у него был за всю жизнь, — осторожно сказал Мэтью. — Ваш приезд много бы для него значил. Я понимаю, с ним сейчас тяжело...

— Об этом не волнуйся. Если повезло встретить такого друга, то от него не отказываются только потому, что он попал в беду. Мы обязательно прилетим, Мэтью. Тейт в сентябре возвращается в колледж, но я уверен, что она с удовольствием присоединится к нам в каникулы.

— Она возвращается в колледж в сентябре, — прошептал Мэтью.

— Да. Мы с Мариан рады этому. Тейт еще очень молода для таких испытаний. Она подавлена, плохо спит. Самое лучшее для нее сейчас — это сосредоточиться на занятиях.

— Вы правы.

— Мэтью, я не люблю совать нос в чужие дела, но мне кажется, вы с Тейт поссорились.

— Подумаешь. — Мэтью подал знак бармену принести еще одну бутылку пива. — Она от этого только выиграет.

— Не сомневаюсь. Тейт волевая и разумная девочка. — Рэй хмуро уставился на круглый мокрый след от бутылки. — Мэтью, я не слепой. Я вижу, что происходит между вами.

— Мы просто повеселились. Ничего серьезного. — Мэт посмотрел на Рэя и ответил на его невысказанный вопрос: — Ничего серьезного.

Рэй кивнул с облегчением.

— Я знал, что могу доверять вам обоим. Конечно, Тейт уже не ребенок, но отцы всегда беспокоятся о дочерях.

— И вы не хотели бы, чтобы она связалась с таким, как я.

Рэй не отвел взгляда от насмешливых глаз Мэта.

— Нет, Мэтью. На этом этапе ее жизни я не хотел бы, чтобы она связалась с кем угодно. В определенных обстоятельствах Тейт могла бы отказаться от всего, чего надеялась достичь. Я счастлив, что она этого не сделала.

— Прекрасно. Великолепно.

Рэй вздохнул. То, о чем он даже не думал, вдруг стало для него совершенно очевидным.

— Если бы Тейт знала, что ты ее любишь, она не вернулась бы в Северную Каролину.

— Не понимаю, о чем вы говорите? Я же сказал: мы просто повеселились. — Не в силах выдержать сочувствия, согревшего глаза Рэя, Мэтью отвернулся и закрыл лицо руками. — Дерьмо! А что мне делать? Сказать ей, чтобы она собрала вещи и поехала со мной?

— Ты мог бы, — тихо сказал Рэй.

— Я не могу предложить ей ничего, кроме тяжелой жизни и постоянного невезения. Я устрою Бака в Чикаго и сразу же уеду в Канаду, в Новую Шотландию на спасательные работы. Отвратительные условия, но зарплата приличная.

— Мэтью...

Мэт затряс головой.

— С деньгами все равно будет туго. Долг за лечение здесь, потом баснословный гонорар светилу в Штатах. Фардж договорился о скидках и рассрочке. Бак пойдет в виде эксперимента. Возможно еще социальное обеспечение по разным федеральным программам... но даже со всем этим... — Мэтью глотнул пива, наступил на горло своей гордости. — Мне нужны деньги, Рэй. Мне больше не у кого просить, и должен сказать, что я в, общем-то, не имею права просить у вас.

— Мэтью, Бак — мой партнер. И мой друг.

— Он был вашим партнером, — поправил Мэтью. — В любом случае мне нужно десять тысяч.

— Хорошо.

— Не соглашайтесь так быстро, черт побери.

— Тебе было бы легче, если бы я заставил тебя просить? Если бы обговорил сроки и условия?

— Я не знаю. — Мэтью схватил бутылку и чуть не швырнул ее об стену, чтобы она разлетелась вдребезги, как и его гордость. — Я не сразу смогу вернуть. Но я обязательно верну. Я должен заплатить за операцию, лечение и протез. И Баку нужно где-то жить потом. Но я буду работать и постепенно верну долг.

— Я знаю, что ты потратишь эти деньги на дело, Мэтью, и мне все равно, вернешь ты их или нет.

— Мне не все равно.

— Да, я понимаю. Я выпишу тебе чек при условии, что ты будешь держать меня в курсе здоровья Бака.

— Я возьму чек. При условии, что все останется между нами. Только вы и я, Рэй.

— Другими словами, ты не хочешь, чтобы знал Бак. И Тейт.

— Правильно.

— Ты взваливаешь на себя тяжелую ношу, Мэтью.

— Может быть, но я так хочу.

— Хорошо. — Если больше помочь нечем, решил Рэй, то он сделает так, как его просят. — Я оставлю чек у портье.

— Спасибо, Рэй. — Мэтью протянул руку. — За все. По большей части это были потрясающие месяцы.

— По большей части. Будут и другие потрясающие месяцы, Мэтью. И другие затонувшие корабли. Может, когда-нибудь мы снова будем нырять вместе. «Изабелла» еще ждет.

— Вместе с «Проклятием Анжелики». Нет, спасибо. Это слишком дорого стоит, Рэй. В данный момент я с удовольствием уступаю его рыбам.

— Время покажет. Береги себя, Мэтью.

— Да. Скажите... скажите Мариан, что я буду скучать по ее стряпне.

— Она будет скучать по тебе. Мы все будем скучать. А Тейт... Что-нибудь передать Тейт?

Он столько хотел бы сказать ей... Он ничего не мог ей сказать.

Мэтью отрицательно покачал головой, а оставшись один, отодвинул пиво.

— Бармен, виски. И принесите всю бутылку.

Это была его последняя ночь на острове, и он не мог найти ни одной причины для того, чтобы провести ее трезвым.

ЧАСТЬ II

Настоящее

ГЛАВА 11

После пяти лет самозабвенной учебы Тейт получила степень магистра по специальности «Морская археология». Все эти годы родители и друзья переживали за нее и часто просили притормозить, но диплом был единственной целью ее жизни.

Затем еще три года усердной работы, и вот она на борту «Кочевника», одна из двадцати семи членов команды, состоящей из известных ученых. Назначение, полученное через «Посейдон», филиал компании «Морские исследования», — важный шаг к степени доктора наук и завоеванию признания среди коллег... а самое лучшее во всем этом: она делает то, что любит.

«Кочевник», старое грузовое судно, переоснащенное для глубоководных морских исследований, может, и был не очень быстрым и не очень красивым, но за пару далеких летних месяцев, проведенных в наивных мечтах, Тейт поняла, что привлекательная внешность ничего не значит, главное — то, что скрывается под ней.

День был прекрасным. Лучше и не придумаешь. Воды Тихого океана сверкали, как драгоценные сапфиры, а где-то на головокружительной глубине, куда не проникает солнечный свет и никогда не отважится спуститься человек, лежал колесный пароход «Джастина» со своими сокровищами.

Тейт устроилась в шезлонге на палубе с портативным компьютером на коленях, чтобы закончить письмо родителям:

«Мы обязательно найдем «Джастину». Я нигде не видела такого современного оборудования, как здесь. Дарт и Бауэрс ждут не дождутся, когда смогут использовать свой робот. Мы окрестили его Чаунси, сама не знаю почему, и очень верим в этого маленького работягу. Пока мы не нашли «Джастину», у меня очень мало обязанностей. Все что-то делают, но свободного времени полно, а еда просто потрясающая, я даже выманила у повара несколько рецептов.

Сегодня нам сбросят с самолета продукты. Мы в море уже месяц, и, конечно, случаются ссоры из-за пустяков, но очень безобидные, почти семейные. Мы переругиваемся, подкалываем друг друга, а потом миримся.

Я, кажется, рассказывала вам о химике Лорейн Росс, с которой живу в одной каюте. Помощник кока, Джордж, влюбился в нее по уши. Остальные флиртуют больше от скуки, и, думаю, когда начнется настоящая работа, эти «романы» угаснут сами собой.

Погода нас балует, но я часто думаю о доме, представляю, как через несколько недель расцветут азалии и магнолии. Я скучаю по ним и по вас, конечно. Вы скоро отправитесь на Ямайку, но, надеюсь, успеете получить это письмо. Может, осенью мы сможем провести вместе какое-то время. Если все пойдет, как я надеюсь, моя диссертация будет закончена. Было бы чудесно снова понырять с папой.

А сейчас мне пора идти. Хейден наверняка корпит над картами, и ему не помешает помощь.

Это письмо я смогу отправить только в конце недели. Пожалуйста, ответьте. Письма здесь на вес золота. Я люблю вас.

Тейт».

«Только я ничего не написала ни о скуке, — подумала Тейт, спускаясь в каюту, — ни о мучительном одиночестве, подкрадывающемся без предупреждения среди бескрайнего океана».

Многие члены команды уже начинали терять надежду. Сколько денег, сил и времени вложено в эту экспедицию! Сколько с ней связано надежд! Если их постигнет неудача, они потеряют и спонсоров, и свою долю сокровищ, и — может, самое важное — потеряют шанс сделать историческое открытие.

Войдя в каюту, благоухающую мускусными духами Лорейн, Тейт автоматически подобрала с пола блузки, шорты, носки, бросила их на незастеленную койку соседки. Может, Лорейн и блестящий ученый, но вне лаборатории она неорганизованна, как подросток... и точно решила свести беднягу Джорджа с ума.

Тейт и Лорейн умудрились подружиться, хотя невозможно было бы найти двух более разных женщин, даже если очень постараться. Тейт аккуратна, Лорейн — неряха. Тейт одержима работой, Лорейн невероятно ленива. За последние три года у Тейт был единственный любовник, и расстались они очень мирно, Лорейн же пережила два скандальных развода и множество бурных «романов». Изящная, с пышными белокурыми волосами, похожая на эльфа, Лорейн не подходила к бунзеновской горелке без полной боевой раскраски и подходящих к костюму аксессуаров. Тейт, высокая и гибкая, с недавно отпущенными до плеч рыжими волосами, редко пользовалась косметикой и, по утверждению Лорейн, так и осталась совершенно невосприимчивой к моде.

Над головой послышались лязг, грохот, крики. Тейт улыбнулась и, даже не взглянув в большое зеркало — вклад Лорейн в обстановку каюты, побежала к металлической лестнице, ведущей на верхнюю палубу, где чуть не столкнулась с кругленьким, похожим на растолстевшего сенбернара мужчиной.

— Привет, Дарт.

— Привет. — Запыхавшийся, раскрасневшийся Дарт резко затормозил и улыбнулся. К двум дрожащим подбородкам немедленно прибавился третий, редкие рыжеватые волосы, как обычно, упали на глаза. — Как дела?

— Какие дела? Я просто хотела посмотреть, не нужна ли Хейдену помощь.

— Думаю, он опять возится со своими книгами. — Дарт привычно откинул волосы с глаз. — Бауэрс выпустил меня из «Эпицентра» всего на пару минут.

— Что-то интересное на экране?

— Не «Джастина». Но у Литца оргазм за оргазмом. На глубине в две тысячи футов полно необычных тварей.

— Это его работа. — Тейт попыталась оправдать морского биолога, однако в ее голосе прозвучало сочувст-

вие. Вся команда недолюбливала неприветливого и требовательного Фрэнка Литца.

— И все равно он зануда, — пробурчал Дарт. — Пока.

— Пока.

В кабинете Хейдена Дила тихо жужжали два компьютера. Длинный стол, привинченный к полу, был завален раскрытыми книгами, копиями лоций и судовых деклараций, морскими картами, придавленными по краям толстыми томами. Склонившись над столом, Хейден проверял свои последние расчеты. Тейт села напротив, сложила на столе руки и стала терпеливо ждать, когда Хейден обратит на нее внимание. Она давно знала Хейдена, читала его труды, слушала его лекции... Ему уже лет сорок. Высокий, широкоплечий, но немного неуклюжий, как и многие талантливые ученые. Слегка вьющиеся каштановые волосы тронуты сединой. Светло-карие глаза за толстыми линзами очков кажутся рассеянными.

— Хейден!

Он что-то пробормотал, не отрываясь от своего занятия.

— Хейден!

— А! Что? — Мигая по-совиному, он поднял на нее глаза и улыбнулся. От улыбки его лицо преобразилось и стало очень привлекательным. — Привет. Не слышал, как ты вошла. Я пересчитываю скорость и направление дрейфа. Думаю, нас снесло.

— И сильно?

— Не очень. Но я решил пересчитать все с самого начала. — Словно готовясь к одной из своих знаменитых лекций, Хейден аккуратно сложил документы. —

Колесный пароход «Джастина» покинул Сан-Франциско ранним утром восьмого июня 1857 года и направился в Эквадор. На борту было сто девяносто восемь пассажиров, шестьдесят один член команды и, кроме личных вещей пассажиров, двадцать миллионов долларов золотом в монетах и слитках.

— Самое богатое время в Калифорнии, — прошептала Тейт.

Хейден пробежал пальцами по клавиатуре компьютера, и на мониторе появилась карта с пунктирной линией и крохотным корабликом.

— Вот путь «Джастины». Она вошла в порт Гвадалахары, высадила несколько человек, взяла на борт других и отправилась дальше девятнадцатого июня с двумястами двумя пассажирами. — Он перелистал копии старых газетных вырезок и прочитал: — «Погода, необыкновенно ясная и тихая, благоприятствовала путешествию, и все пассажиры были в чудесном настроении».

— Слишком тихая, — произнесла Тейт, ясно представляя великолепный пароход, оживленных, элегантно одетых мужчин и женщин, прогуливающихся по палубам, смеющихся детей, пытающихся разглядеть на морских просторах дельфинов.

— Один из спасшихся отметил, что двадцать первого июня был невероятно красивый закат, — продолжал Хейден. — Ни дуновения ветерка. Жара. Духота. Большинство решило, что это из-за близости к экватору.

— Но капитан мог понять, что это сулит.

— Мог. Или должен был. — Хейден пожал плечами. — Ни капитан, ни бортовой журнал не пережили шторм. К полуночи налетел ветер, поднялись волны. Буря и течение отнесли их вот сюда. — Хейден передвинул компьютерную «Джастину» на юго-запад. — Очевидно, капитан пытался добраться до земли, скорее всего до Коста-Рики, но с пятнадцатиметровыми волнами, швыряющими его корабль как детскую игрушку, у него не было ни шанса.

Всю ту ночь и весь следующий день они боролись со штормом. К ночи двадцать второго июня «Джастина» стала разваливаться. Не осталось надежды ни спасти ее, ни добраться на ней до берега. В спасательные шлюпки усадили женщин, детей, раненых.

— Мужья в последний раз целовали жен, отцы обнимали детей. И все понимали, что только чудо спасет любого из них, — вставила Тейт.

— Спаслось всего пятнадцать человек. Только одна шлюпка перехитрила шторм. — Хейден увидел слезы в глазах Тейт. — Тейт, это было очень давно.

— Я знаю. — Она смущенно моргнула. — Но так легко представить, какой кошмар они пережили!

Хейден хотел бы предложить ей носовой платок... или смахнуть единственную слезу, скатившуюся по ее щеке, но он не осмелился.

— Я хочу предложить капитану сменить курс. Градусов на десять на зюйд-зюйд-вест.

— Почему?

Тейт встала, подошла к нему и, бессознательно положив руку на его плечо, стала следить за изменениями на экране компьютера.

Как всегда бывало в подобных случаях, сердце Хейдена на мгновение перестало биться, и, как всегда, он обозвал себя дураком, старым дураком, но это не помогло. От ее аромата, от ее тихого сексуального голоса мысли путались в его голове. Он любил в ней все: ее душу, ее чувствительное сердце и — когда позволял себе пофантазировать — ее изумительно гибкое тело.

— Ты слышишь?

— Что?

— Вот это. — Тейт ткнула пальцем вверх. — Должно быть, сбрасывают продукты. Идем, Хейден. Погреемся на солнце и посмотрим.

— Ну, я еще не закончил...

— Пойдем. Ты сидишь здесь как крот. — Засмеявшись, она схватила его за руку и потянула к двери.

Конечно же, он пошел за ней. И, конечно же, чувствовал себя кротом, который размечтался о Дюймовочке. Какие у нее потрясающие ноги! Самые красивые ноги на свете. Он понимал, что не должен таращиться на них, но не мог отвести взгляда. Боже, как восхитительно мерцают на алебастровой коже веснушки под правым коленом! Он хотел бы прижаться к ним губами. От этой мысли у него закружилась голова.

Хейден снова обозвал себя идиотом, напомнил себе, что он на тринадцать лет старше, что он отвечает и за нее, и за всю экспедицию. Он включил Тейт в команду по рекомендации руководства «Трайдента», филиала «Посейдона», включил без возражений, ведь она была его самой талантливой студенткой... Солнце высекло золотые искры в ее волосах, и у Хейдена снова перехватило дыхание.

— А вот еще один! — крикнула Тейт и присоединилась к улюлюканью собравшейся команды, когда очередной тюк, сброшенный с вертолета, соскользнул с кормы в воду.

— Сегодня у нас будет королевский ужин. — Лорейн перегнулась через поручни, наблюдая за маленькой шлюпкой. — Эй, парни, не оставляйте ничего рыбам. Тейт, я заказала «Фюме Блан». — Она повернулась к Хейдену и захлопала длинными ресницами. — Док, где это вы с Тейт прятались?

— Хейден занимался расчетами. Надеюсь, не забыли прислать шоколад.

— Ты ешь сладости, только когда нервничаешь.

— А ты завидуешь, потому что все конфеты откладываются в твоих бедрах.

Лорейн надула губы и провела кончиком пальца по обнаженному коротенькими шортами бедру, лукаво покосившись на Хейдена.

— У меня потрясающие бедра. Не правда ли, док?

— Оставь Хейдена в покое, — укоризненно сказала Тейт и взвизгнула от неожиданности.

Огромный мускулистый Бауэрс обхватил Тейт сзади и под взрыв аплодисментов метнулся к болтающемуся над палубой канату.

— Я убью тебя, Бауэрс, — хихикнула Тейт, слабо обороняясь. — И на этот раз я не шучу.

— Она по уши в меня втрескалась, — заявил эксперт по компьютерам и робототехнике, хватаясь одной рукой за канат. — Держись за меня крепче, красотка.

Тейт взглянула на блестящее черное лицо, смеющиеся глаза, сверкающие в ослепительной улыбке белые зубы.

— Почему ты всегда выбираешь меня?

— Потому что мы прекрасно смотримся вместе. Я — Тарзан, ты — Джейн.

Тейт вцепилась в канат и затаила дыхание. Они летели над водой, крик Тарзана звенел в ее ушах, свистел ветер, и это было бесподобно. Канат выгнулся дугой,

бескрайнее море качнулось, Тейт разжала пальцы и за секунду до столкновения с устремившейся на нее водой услышала гогот Бауэрса.

Тейт с удовольствием погрузилась в бодрящую прохладу, затем заработала ногами и вынырнула.

— Всего восемь баллов от японского судьи, Бомонт, но не огорчайся, они слишком придирчивы. — Бауэрс подмигнул ей, прищурился. — О боже милостивый, сюда тащится Дарт! Освободить бассейн!

Хейден с палубы следил за Тейт и коллегами, резвящимися словно дети, отпущенные с уроков, и чувствовал себя старым замшелым пнем.

— Эй, док! — Лорейн кокетливо улыбнулась. — Почему бы нам не поплавать?

— Я плохо плаваю.

— Так надень спасательный жилет или используй Дарта вместо плотика.

Хейден взглянул на Дарта, покачивающегося на воде, будто разбухшая пробка.

— Лучше я просто посмотрю.

Лорейн пожала обнаженными плечами.

— Как хочешь.

Более чем в трех тысячах миль от резвящейся в теплом Тихом океане Тейт Мэтью дрожал в холодных водах Северной Атлантики.

Можно сказать, он сделал карьеру в компании «Фрик. Подводные работы», добился должности старшего спасательной команды, однако не испытывал по этому поводу особой гордости. Правда, кроме ответственности, работа приносила ему десять процентов от чистой прибыли, но он ненавидел каждую минуту своего нынешнего существования.

Что может быть более унизительным для искателя сокровищ, чем подъем из морских глубин железа! На «Надежном» не было ни золота, ни драгоценностей. Ценным в потопленном во Вторую мировую войну судне был лишь его корпус.

Часто, когда ледяные иголки впивались в пальцы, а губы синели от холода, Мэтью грезил о тех днях, когда нырял ради удовольствия в теплых прозрачных водах в компании сверкающих рыб. Он вспоминал восторг, охватывавший его при блеске золота... да и просто при виде почерневшей серебряной монеты.

Только поиск сокровищ — рискованное занятие, а у него полно долгов. Врачи, адвокаты, реабилитационные центры. Господи, чем больше он работает, тем больше должен! Десять лет назад он рассмеялся бы в лицо любому, кто предположил бы, что его жизнь превратится в бесконечный цикл изнурительной работы и неоплаченных счетов.

Однако посмеялись над ним. И посмеялась над ним жизнь.

Пора начинать подъем. Мэтью посигналил фонариком, медленно поплыл вверх, остановился на первой отметке... и, словно чтобы еще больше разбередить свои раны, взглянул вниз.

Уродливая посудина лежала на боку, уже наполовину разделанная. Подумать только, что когда-то он мечтал о галеонах и каперах, бороздивших моря с бесценными грузами. Хуже того. Он нашел затонувший корабль и потерял... и корабль, и все остальное.

Теперь он, словно бродячий пес на свалке, подбирает объедки. Море здесь темное, враждебное и холодное, как рыбья кровь. Здесь он никогда не чувствует себя свободным и невесомым, почти не чувствует себя живым. Здесь нет ничего, кроме хищных рыб и их беспомощной добычи.

От неосторожного движения ледяная вода проникла за шиворот, напомнив, что он все-таки живой. Мэтью поднялся на следующую отметку. Какой холодной ни была бы вода, каким скучным ни был бы подъем, нельзя забывать о царивших здесь законах физики и биологии. Пять лет назад на его глазах умер в страшных мучениях легкомысленный водолаз, пренебрегший паузами для компенсации давления. Мэтью не собирался повторять эту ошибку.

Поднявшись на палубу, Мэтью жадно отхлебнул горячий кофе из кружки, протянутой помощником кока, и, когда зубы перестали стучать, отдал приказ на погружение следующей команде. Черт побери, он выбьет из Фрика премию парням за эту экспедицию. Точно выбьет, ведь скупердяй Фрик его побаивается.

— Почта пришла. Твоя — у тебя в каюте. — Помощник кока, маленький тощий канадец французского происхождения, которого все называли исключительно по фамилии — Ларю, стянул с Мэта баллоны и ухмыльнулся, сверкнув золотым передним зубом. — Одно письмо, куча счетов. А я, я получил шесть писем от шести женщин. Мне так стыдно, что, пожалуй, я поделюсь с тобой. Марселла не красавица, но затрахает тебя до смерти. Согласен?

Мэтью стянул капюшон гидрокостюма и вздрогнул от холодного ветра.

— Я обычно сам выбираю своих женщин.

— Что-то не замечал. Тебе, Мэтью, просто необходимо как следует разрядиться. Ларю в этом разбирается.

Мэтью обвел грустным взглядом серое море.

— Женщины здесь редко встречаются.

— Поедем со мной в Квебек. Я покажу тебе, где найти хорошую выпивку и хорошую бабу.

— Как можно думать только о сексе, Ларю! Нам тут ошиваться еще не меньше месяца.

— Буду думать, раз нет других возможностей! — крикнул Ларю в спину удаляющегося Мэтью и, хихикнув, достал кисет с дорогим табаком, чтобы скрутить толстую ароматную сигарету... Парню необходимы разумные советы старшего товарища, ну и горячая баба, конечно.

Сам же Мэтью мечтал о сухой теплой одежде и второй кружке горячего кофе. Натянув свитер и джинсы, он перебрал конверты, придавленные к столику небольшим камнем.

Счета, естественно. За лечение Бака, за его жилье во Флориде, за услуги адвоката, улаживающего дела с хозяином бара, который Бак разгромил в Форт-Лодердейле. Последний отчет из реабилитационного центра, куда он приволок Бака в надежде протрезвить его хоть на какое-то время.

Эти счета не разорят его, думал Мэтью, но и не оставят возможности как следует поразвлечься. Он взглянул на единственное письмо и улыбнулся.

Рэй и Мариан. Все восемь лет, где бы он ни был, что бы ни случилось, раз в месяц он получал от них весточку.

Как обычно, письмо было пространным, на нескольких страницах, витиеватый почерк Мариан обрамлен нетерпеливыми каракулями Рэя. Пять лет назад Бомонты построили коттедж на южном берегу острова Хаттерас. Мариан описывала работы Рэя по дому, свои успехи и неудачи в саду, их морские приключения, путешествия в Грецию, Мексику, на Красное море, погружения у побережья Южной и Северной Каролины.

И, конечно же, они рассказывали о Тейт.

К двадцати восьми годам Тейт успела получить диплом магистра и работала над докторской диссертацией, участвуя в различных экспедициях, только Мэтью представлял ее такой, какой она была в то далекое лето: юной и восторженной. С годами воспоминания приобрели легкий ностальгический оттенок. Дни, которые они провели вместе, казались слишком совершенными, чтобы быть реальностью... Он давно перестал мечтать о Тейт.

Мэтью читал письмо, смакуя каждое слово. Неожиданное приглашение в гости одновременно и тронуло его, и больно резануло. Три года назад он угрозами заставил Бака навестить Бомонтов, и четырехдневный визит окончился полным провалом.

Однако Мэтью до сих пор помнил, какой необыкновенный душевный покой испытывал в их доме, как смотрел на безмятежные воды пролива сквозь кружево сосен и лавров, вдыхал аромат стряпни Мариан, слушал болтовню Рэя о новых поисках затонувшего судна и новой удаче.... пока Бак не смотался на пароме в город и не напился до чертиков.

Какой смысл возвращаться? Зачем снова унижать себя, ставить в неловкое положение Бомонтов? Писем вполне достаточно... Он открыл последнюю страницу, исписанную корявым почерком Рэя.

«Мэтью, я очень встревожен, но не могу поделиться своей тревогой с Мариан. Я хотел бы сначала посоветоваться с тобой. Ты знаешь, что Тейт в Тихом океане, работает на компанию «Морские исследования». Она пришла в восторг, получив это приглашение. Мы тоже. Однако несколько дней назад по просьбе одного старого клиента я проводил расследование по поводу кое-каких акций и решил сам вложить деньги в «Морские исследования» — как личный вклад в успех Тейт. Я обнаружил, что эта компания связана с «Трайдентом» — частью корпорации Ван Дайка. Естественно, я встревожился. Вряд ли Тейт подозревает об этом. Может, и не о чем волноваться. Не могу представить себе, чтобы Ван Дайк лично заинтересовался одним из своих сотрудников. Наверняка он даже не помнит ее. И все же мне не по себе от того, что она так далеко и пусть косвенно, но связана с ним. Я еще не решил, сообщить ли Тейт об этом или промолчать.

Я бы очень хотел узнать твое мнение, Мэтью, и лучше сделать это при личной встрече. Есть еще один вопрос, который мне необходимо обсудить с тобой. Всего несколько недель назад я наткнулся на невероятный документ, который искал почти восемь лет. Хочу показать его тебе и уверен, что ты не останешься равнодушным.

Мэтью, я собираюсь отправиться за «Изабеллой». Я нуждаюсь в тебе и Баке. Пожалуйста, не отвергай это приглашение с ходу. Приезжай на Хаттерас и посмотри, что я нашел.

«Изабелла» наша, Мэтью. Она всегда была нашей. Пора взять ее.

С любовью,

Рэй».

Господи! Сколько сногсшибательных новостей сразу! Мэтью быстро перечитал страницу. Рэй Бомонт явно предпочитает массированные атаки. Пара абзацев, и Мэт словно наяву увидел и Тейт, и Ван Дайка, и покоящийся на дне моря прекрасный корабль.

Вернуться? С неожиданной яростью Мэтью отбросил письмо. Будь он проклят, если решится вытащить на свет божий свое самое страшное поражение! Зачем ворошить старое? Зачем соблазнять себя блеском золота?

Мэтью вскочил и заметался по маленькой каюте. Он больше не охотник за сокровищами! И не желает им быть. Некоторые живут мечтами. Он тоже когда-то пробовал... и не собирается повторять тот горький опыт.

Ему нужны деньги. Деньги и время. И когда их будет достаточно, он сделает то, в чем поклялся когда-то над телом отца. Он найдет Ван Дайка. И убьет его.

А что касается Тейт... Когда-то он оказал ей услугу. Он сделал ей подарок, лучший в ее жизни подарок. А если она все испортила, ввязавшись в одну из махинаций Ван Дайка, это ее дело. Она теперь взрослая женщина. С кучей дипломов и труднопроизносимых научных степеней. Черт ее побери! Всем этим она обязана ему, и никто не имеет права перекладывать ответственность за нее на его плечи.

Но он видел ее такой, как в то лето... зачарованной серебряной монетой... пылающей в его объятиях... отважно бросающейся на акулу с ножом в руке...

Мэтью громко выругался. Потом выругался снова. Потише. И, оставив на столике письмо и пустую кружку, отправился в радиорубку. Необходимо кое с кем связаться.

Тейт вошла в помещение, напичканное компьютерами, которое команда окрестила «эпицентром взрыва». Подводные телекамеры с дистанционным управлением передавали панораму морского дна, светилась зеленая шкала сонара — самого современного эхолота. В углу Дарт и Бауэрс развлекались компьютерным сражением, и «эпицентр» больше походил на сборище разбушевавшихся подростков, чем на научную лабораторию.

Время близилось к полуночи, и Тейт с удовольствием легла бы спать или поработала бы над диссертацией, но и она, и Лорейн нервничали, и каюта казалась тесной для них обеих.

Проходя мимо Дарта, Тейт прихватила горсть конфет и уселась перед монитором.

Какой мрак! И холод. Крошечные светящиеся рыбки плывут очень медленно, окруженные люминесцентными точками, словно звездами. Монотонная подводная равнина кажется безжизненной... и все же там есть жизнь. Морской червь проскользнул перед камерой, ленивый краб выпучил огромные глаза.

Тейт улыбнулась. В своем роде волшебная страна, а вовсе не пустыня, как когда-то думали многие океанографы. И уж точно не место свалки, чего хотели бы некоторые промышленники. Да, бесцветный мир. Да, невыразительный. Но эти таинственно мерцающие рыбы и животные превращают его в чудо.

Панорама подводного мира убаюкивала Тейт, как старые фильмы, которые по ночам показывают по телевидению. Она почти задремала в удобном вращающемся кресле... затем насторожилась, придвинулась к экрану. Корпус корабля!

— Бауэрс!

— Погоди, Тейт. Дай разгромить этого недотепу.

— Бауэрс, немедленно иди сюда!

— Что за спешка? — Нахмурившись, он развернулся к ней. — Там ничего не происходит. Господи! — Уставившись на экран, Бауэрс подкатился на кресле к Тейт, нажал на нужные кнопки, чтобы остановить камеры.

Воцарившуюся тишину нарушало лишь попискивание приборов.

— Это может быть она. — От волнения голос Тейт прозвучал совсем тоненько.

— Может быть, — откликнулся Бауэрс и принялся за работу. — Дарт, отметь координаты. Тейт, просигналь «Стоп» на мостик.

Они умолкли еще на пару минут. Бауэрс увеличил изображение и стал медленно разворачивать камеры.

Затонувшее судно кишело живыми существами. Тейт представила восторг Литца и других морских биологов... затаила дыхание...

— О боже, посмотрите! Вы видите?

Дарт нервно хихикнул.

— Штурвал. Это колесный пароход, Бауэрс. Это наша красавица «Джастина».

Бауэрс остановил камеру и медленно поднялся.

— Дети мои, в такой момент я, очевидно, должен сказать что-то глубокомысленное. — Он приложил руку к сердцу. — Мы это сделали, черт побери!

Издав дикий крик, Бауэрс обхватил Тейт и закружил ее по комнате. Она рассмеялась, к глазам подступили слезы радости.

— Давайте всех разбудим.

Тейт вывернулась из объятий Бауэрса и бросилась в свою каюту.

— Лорейн, быстрее вставай и беги в «эпицентр».

— Что? Мы тонем? Убирайся, Тейт. Не мешай мне соблазнять Харрисона Форда.

— Подождет твой Форд. Беги в «эпицентр». — Тейт сорвала простыню с голой, свернувшейся калачиком Лорейн. — Но, ради бога, надень сначала халат.

Предоставив Лорейн ругаться в одиночестве, Тейт побежала к каюте Хейдена и, борясь с нервным смехом, заколотила по двери.

— Хейден! Вставай, Хейден. Воздушная тревога! Все наверх! Шевелись!

— Что? — Встрепанный, завернутый в одеяло Хейден распахнул дверь и близоруко уставился на Тейт. — Кто-то ранен?

— Нет, все здоровы. — Тейт порывисто обняла его, чуть не сбив с ног, и поцеловала. — О, Хейден, я не могу дождаться...

Оправившись от шока, Хейден жадно впился губами в ее рот. Тейт оцепенела, затем расслабилась и, когда поцелуй иссяк, ласково погладила щеку Хейдена.

— Хейден...

— Прости, Тейт. — Он в раскаянии отступил. — Ты захватила меня врасплох. Я не должен был этого делать.

— Ничего страшного. — Она улыбнулась, положила руки на его плечи. — Правда, все нормально. Я бы сказала, что мы оба захватили друг друга врасплох, и это было чудесно.

— К-как к-коллега... — от охватившей его паники Хейден начал заикаться. — К-как твой начальник, я не имел на это права.

Тейт подавила вздох.

— Хейден, это был всего лишь поцелуй. И я первая

тебя поцеловала. У нас есть более веская причина для безумия. Тебя не удивляет, что я вытащила тебя из постели и бросилась на тебя?

— Ну, я... — Он пошарил по носу, но очки не нашел. — Да, удивляет.

— Хейден, мы нашли «Джастину». Предупреждаю: держись, потому что я сейчас опять тебя поцелую.

ГЛАВА 12

«Джастина» превзошла все самые смелые ожидания археологов. Уже неделю землечерпалка выплевывала кучи золотых монет и золотых слитков, некоторые — более шестидесяти фунтов весом.

Тейт почти не вылезала из носовой каюты, где фотографировала, исследовала, систематизировала... брошь с камеей, осколки фарфора, ложки, оловянная чернильница, изъеденная червями деревянная детская игрушка... и, конечно, монеты. Стопки серебряных и золотых монет громоздились на ее рабочем столе. Очищенные в лаборатории Лорейн, они сияли, словно только что отчеканенные.

Иногда Тейт отвлекалась от работы, чтобы понаблюдать за экраном монитора. Там, на дне, робот Чаунси цеплял металлическими клешнями тяжести или нежно обнимал пинцетами морскую губку, а Тейт тщетно боролась со смутным чувством неудовлетворенности и жестоко завидовала этой железяке.

Она взяла в руки золотую пятидолларовую монету — красивый маленький диск, датированный 1857 годом, годом гибели «Джастины». Сколько рук держали эту монету? Вероятно, совсем немного. Может, она лежала в дамском кошельке, или в кармане джентльмена. Может, ею расплатились за бутылку вина, или кубинскую сигару, или новую шляпку. Или ее хранили, чтобы отпраздновать конец путешествия.

— Прелесть, правда? — Лорейн вплыла в каюту с очередным подносом блестящих находок.

— Да. — Тейт отложила монету, внесла ее в компьютерный каталог. — Здесь хватит работы на год.

— Что-то не слышу радости в голосе. — Лорейн с любопытством посмотрела на Тейт.

— Я радуюсь, конечно же, радуюсь. — Тейт зарегистрировала брошь. — Я участвую в одном из самых важных и успешных проектов моей карьеры, я — часть команды лучших ученых. У меня самое современное оборудование, более чем приличные условия жизни и работы. — Тейт повертела в руках детскую игрушку. — Было бы безумием не радоваться.

— Так, может, объяснишь причину своего безумия?

Тейт поджала губы.

— Ты не поймешь. Это трудно объяснить человеку, который никогда не нырял с аквалангом.

Лорейн села, закинула ноги на край стола, обнажив татуировку на лодыжке — разноцветного единорога.

— Попробуй. У меня есть время.

— То, что мы делаем, не охота за сокровищами, — раздраженно начала Тейт. — Все выполняют компьютеры и роботы, и это по-своему потрясающе. Без этого оборудования мы никогда не нашли бы «Джастину».

Тейт нетерпеливо вскочила и подбежала к иллюминатору.

— Без машин мы бы ничего не достали и нечего было бы изучать. Аквалангисты не могут работать на такой глубине. Огромное давление, низкие температуры. Я все это понимаю, но, черт побери, Лорейн, я хочу спуститься вниз. Я хочу все потрогать. Я хочу расчистить песок и найти что-нибудь своими руками. А все удовольствие достается драге Бауэрса.

— Да, он с утра до ночи хвастается своим чудовищем.

— Я понимаю, что это звучит глупо. — Тейт улыбнулась. — Но самое волнующее — работа на дне. Я снова и снова вспоминаю свое первое погружение, первое найденное судно, песчаный холмик, под которым что-то скрыто... Тогда я чувствовала себя частью прошлого. — Тейт беспомощно всплеснула руками.

— Так научно?

— Наука мертва без чувства сопричастности. Во всяком случае, для меня. Я помню свою первую монету — серебряное песо. Мы нашли нетронутый испанский галеон в Вест-Индии. — Тейт вздохнула. — Мне было двадцать лет. В то лето столько всего случилось. Мы нашли галеон и потеряли его. Я влюбилась, а потом мое сердце разбилось.

— Из-за корабля или мужчины?

— Из-за обоих. За несколько дней я узнала безграничное счастье и безграничное горе. Тяжелое испытание в двадцать лет. Но в то лето я поставила перед собой цель и вернулась в колледж, чтобы получить диплом. Я мечтала делать именно то, что делаю сейчас. И вот восемь лет спустя я задаю себе вопрос, не совершила ли я самую страшную ошибку в своей жизни?

— Тебе не нравится твоя работа?

— Я люблю свою работу, просто не могу смириться с тем, что машины делают самое интересное и держат меня на дистанции.

— Думаю, тебе нужно нацепить акваланг и поразвлечься немного. Если ты называешь это развлечением. Когда последний раз ты брала отпуск?

— О, дай подумать... — Тейт села, откинулась на спинку кресла, закрыла глаза. — Лет восемь назад, если считать пару уикендов и коротких рождественских каникул дома.

— Все ясно, — решительно сказала Лорейн. — Ты хандришь. Доктор Лорейн выписывает очень простое лекарство. Как только экспедиция закончится, возьмешь месяц отпуска, поедешь куда-нибудь в теплые края и проведешь кучу времени с рыбами.

Лорейн вдруг проявила живейший интерес к своим ярко-розовым ногтям.

— Если тебе нужна компания, Хейден с радостью поедет с тобой.

— Хейден?

— Он с ума по тебе сходит.

— Хейден?!

— Да, Хейден. — Лорейн сдернула со стола ноги. — Господи, Тейт, раскрой глаза! Он уже месяц страдает по тебе.

— Ничего подобного, Лорейн, мы просто друзья, коллеги. — Тут Тейт вспомнила, как Хейден целовал ее. — О, черт!

— Он потрясающий мужчина.

— Да, потрясающий, — как эхо повторила Тейт. — Я никогда не думала о нем в этом смысле.

— Но он думает.

— Это плохая идея, — пробормотала Тейт. — Нельзя заводить роман с коллегой. Я точно знаю.

— Как хочешь, — беспечно сказала Лорейн. —

Я просто подумала, что пора просветить тебя и дать парню шанс. Еще я хотела сообщить, что какие-то шишки из «Морских исследований» и «Посейдона» прилетают проинспектировать нас и забрать часть добычи. И они привезут кинооператоров.

— Кинооператоров. — Тейт была рада перевести разговор с Хейдена на другое. — Я думала, что достаточно наших видеокассет.

— Они воспользуются нашими съемками, а мы попадем в документальный фильм для кабельного телевидения, так что не забывай подкрашивать глаза и губы.

— И когда они прилетят?

— Они уже в пути.

Тейт бессознательно сжала в руках деревянную игрушку.

— Я не отдам ничего, что сще не исследовала.

— Не забудь сказать это им, подружка. — Лорейн направилась к двери. — Но помни, что мы всего лишь наемные работники.

«Наемные работники, — подумала Тейт. — Может, именно в этом суть проблемы». Как-то незаметно из независимой, обожающей приключения женщины она превратилась в безликого служащего корпорации.

«Зато я работаю, — напомнила она себе. — Ученые — вечные нищие. Однако...»

Сколько этих «однако» в ее жизни! Надо обязательно найти время и решить, какие же из них самые важные.

...Мэтью и не сомневался в том, что сошел с ума. Он бросил работу! Работу, которую ненавидел, но благодаря которой оплачивал счета и не давал умереть парочке смутных грез. Без этой работы яхта, которую он потихоньку строил уже несколько лет, никогда не закончит-

ся, Бак будет прозябать на пособие, а ему самому сильно повезет, если через полгода он сможет наскрести денег на приличную еду.

И он не просто бросил работу, а еще и потащил за собой Ларю. Без особых уговоров маленький канадец собрал свои вещи и отправился с ним. Как понимал сложившуюся ситуацию Мэтью, на нем теперь висят два нахлебника, увлеченных выискиванием недостатков друг в друге.

Мэтью сидел под ржавым навесом старого трейлера, затерявшегося на юге Флориды, и пытался вспомнить момент, когда потерял разум.

Все началось с письма Бомонтов, с упоминания о Тейт, о Ван Дайке и, естественно, о «Изабелле». Слишком много вспыхнуло воспоминаний, прекрасных и горьких, слишком много проснулось надежд. Не успел он продумать последствия своего шага, как уже паковал свое снаряжение.

Теперь, когда мосты были сожжены, появилось время подумать. Куда девать Бака, черт побери? Старик пьет, не просыхая, и совсем отбился от рук.

«Тоже мне, сюрприз», — подумал Мэтью. Каждый год он на месяц приезжал во Флориду и тщетно пытался протрезвить дядю. И каждый год он возвращался в море, мучаясь угрызениями совести.

Вот и сейчас далеко разносится полный пьяной горечи голос Бака...

— Что это за помои? — Стуча протезом, Бак ворвался в крохотную кухню.

Ларю даже не поднял глаз от своей книги.

— Рыбная похлебка с чесноком и пряностями. Старинный семейный рецепт.

— Помои, — повторил Бак. — Французские помои. — Небритый, в мятой одежде, в которой и спал, Бак распахнул дверцу кухонного шкафчика, надеясь найти бутылку. — Чтобы в моем доме больше не было такой вони.

Ларю невозмутимо перелистнул страницу.

— Где виски, черт побери? — Бак пошуровал в шкафчике, разбрасывая скудные припасы. — Где моя бутылка, будь ты проклят!

— Лично я предпочитаю хороший «Божоле», — заметил Ларю. — Комнатной температуры. — Он услышал скрип затянутой москитной сеткой двери и сунул закладку в роман Фолкнера. Похоже, вечер только начинался.

— Ты украл мое виски, проклятый кэнак[1].

Ларю только ухмыльнулся, сверкнув золотым зубом. Ответил Мэтью:

— Виски нет. Я от него избавился.

Бак неуклюже повернулся и качнулся, не столько из-за протеза, сколько из-за поглощенного с утра алкоголя.

— Ты не имел права трогать мою бутылку.

«Кто этот человек? — думал Мэтью. — Кто этот незнакомец? Что осталось от Бака в распухшем небритом лице, в воспаленных мутных глазах?»

— Насчет прав не знаю, но бутылку я выбросил. Выпей кофе.

Бак схватил с плиты кофейник и швырнул его в стену, следом полетела кружка.

— Ну, не пей кофе. — Поскольку руки сами собой

---

[1] Кэнак — канадец, особенно французского происхождения.

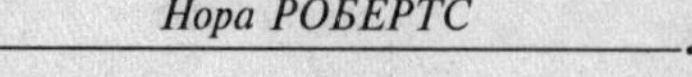

сжались в кулаки, Мэтью сунул их в карманы. — Если хочешь напиться, напивайся где-нибудь в другом месте. Я не собираюсь смотреть, как ты себя убиваешь.

— Это мое дело, — пробормотал Бак, топая по хрустящему стеклу и луже кофе.

— Нет, пока я здесь.

— А тебя никогда здесь нет! — Бак поскользнулся на мокром полу, выпрямился, раскрасневшись от унижения. Каждый шаг служил горьким напоминанием об увечье. — Являешься сюда, когда пожелаешь, и так же исчезаешь. Ты не имеешь права командовать мной в моем собственном доме, мальчишка.

— Это мой дом, — невозмутимо возразил Мэтью. — Ты просто умираешь в нем.

Он мог уклониться, но все-таки встретил кулак Бака, неожиданно для себя с удовлетворением отметив, что дядюшка еще в состоянии нанести хороший удар в челюсть.

— Я ухожу. — Под хмурым взглядом Бака Мэтью стер кровь со рта тыльной стороной ладони и вышел.

— Иди, иди. — Бак проковылял к двери и крикнул в барабанящий дождь: — Уходить ты прекрасно умеешь. И можешь вообще не возвращаться. Ты здесь никому не нужен. Никто в тебе не нуждается.

Когда Бак исчез в своей спальне, Ларю выключил огонь под кастрюлькой с тушеным мясом, взял две куртки — свою и Мэта — и выскользнул из трейлера.

Они жили во Флориде всего три дня, но Ларю уже знал, где искать приятеля, и, низко надвинув на глаза кепку, чтобы вода не текла по лицу, направился к арендованному Мэтом бетонному гаражу у пристани.

Мэтью сидел на носу почти законченной яхты-катамарана. Когда Ларю в первый раз увидел это сооружение, оно произвело на него неизгладимое впечатление. Интересная посудина, в ширину почти такая же, как в длину, не изящная, но крепкая и устойчивая. Ларю ценил эти качества как в яхтах, так и в женщинах.

Палубные сооружения покоились на двух корпусах, недоступные любым волнам. Изогнутые внутрь носы служили амортизаторами и увеличивали плавность и скорость хода. Внутри достаточно места для экипажа и припасов, но самым гениальным в проекте Мэтью, по мнению Ларю, была выступающая вперед открытая палуба площадью в шестьдесят квадратных футов. Недоставало лишь окончательной отделки: краски, медных деталей и навигационного оборудования... и подходящего имени.

Ларю вскарабкался на палубу, снова восхитившись полетом конструкторской мысли Мэта.

— Так когда ты закончишь эту штуковину?

— У меня теперь полно времени, не так ли? Все, что мне нужно, это деньги.

— У меня куча денег. — Ларю достал кожаный кисет и начал не спеша скручивать сигарету. — На что мне их тратить? Разве что на женщин. А женщины стоят совсем не так дорого, как думает большинство мужчин. Так что, может, я дам тебе денег в обмен на часть яхты.

Мэтью кисло рассмеялся.

— И какую же часть ты хочешь?

Ларю присел на скамью.

— Яхта — хорошее место для размышлений. Скажика, Мэтью, почему ты позволил ему ударить тебя?

— А почему бы и нет?

— Мне кажется, полезнее было бы ударить его.

— Правильно. Великолепно! Очень благородно ударить...

— Калеку? — кротко закончил за него Ларю. — Да, ты не даешь ему забыть об этом.

Мэтью в бешенстве вскочил на ноги.

— Откуда ты явился такой умный? Что ты понимаешь, черт побери? Я сделал для него все, что мог.

— Ну да. — Ларю чиркнул спичкой, прикурил аккуратно свернутую сигарету. — Ты платишь за крышу над его головой, за еду в его желудке, за виски, которым он убивает себя. И он чувствует себя униженным.

— А что я должен был сделать? Вышвырнуть его на улицу?

Ларю пожал плечами.

— Ты не требуешь, чтобы он был мужчиной, он и не мужчина.

— Катись отсюда!

— Мне кажется, Мэтью, что ты упиваешься своим чувством вины. Оно удерживает тебя от того, что ты хочешь сделать, но в чем можешь потерпеть неудачу. — Ларю только ухмыльнулся, когда Мэтью схватил его за грудки. — Видишь, со мной ты обращаешься, как с мужчиной. — Маленький канадец гордо вскинул подбородок, хотя совершенно не был уверен в его сохранности. — Можешь меня ударить. Я дам тебе сдачи. А когда закончим, заключим сделку.

— Какого дьявола тебе здесь надо? — Мэтью с отвращением отшвырнул Ларю. — Мне не нужна компания, и мне не нужен партнер.

— Еще как нужен. И ты мне нравишься, Мэтью. — Ларю снова сел, аккуратно стряхнул пепел в ладонь. — Как я понимаю, ты собираешься вернуться за тем кораблем, о котором когда-то мне рассказывал. Может, ты отправишься за Ван Дайком, которого так ненавидишь. Может, даже вернешься к той женщине, которую не можешь забыть. Я пойду с тобой, потому что не прочь разбогатеть. Еще я люблю посмотреть на хорошую драку, и у меня чувствительное сердце.

— Ты просто гвоздь в заднице, Ларю. Один бог знает, почему я вообще тебе все это рассказал. — Мэтью потер лицо руками. — Должно быть, я был пьян.

— Нет, ты никогда не позволяешь себе напиться. Ты разговаривал сам с собой, *mon ami*. Я просто оказался рядом.

— Может, я и отправлюсь за тем кораблем. И, может, если повезет, наши с Ван Дайком пути пересекутся. Но никакой женщины больше нет.

— Всегда есть женщина. Не одна, так другая. — Ларю пожал костлявыми плечами. — Я, например, не понимаю, почему мужчины теряют голову из-за женщин? Одна уходит, другая приходит. А вот ради врага стоит попотеть. И ради денег. Ну, гораздо легче быть богатым, чем бедным. Итак, мы заканчиваем твою яхту и отправляемся за сокровищами и местью.

Мэтью настороженно покосился на Ларю.

— Оборудование недешево.

— Ничто хорошее не стоит дешево.

— Может, мы и не найдем корабль. Даже если найдем, раскопки — тяжелая и опасная работа.

— Опасность делает жизнь интересной. Ты это забыл, Мэтью.

— Может быть, — прошептал Мэт, чувствуя, как закипает кровь, которую он так старательно охлаждал долгих восемь лет, и протянул руку. — Мы закончим яхту, партнер.

Три дня спустя в гараж заявился Бак, судя по кислому запаху виски, раздобывший где-то бутылку.

— Ты что, сдурел? Куда ты собрался на этом корыте?

Мэтью продолжал любовно шлифовать тиковые доски для поручней.

— Сначала на Хаттерас. К Бомонтам.

— Дерьмо! Любители! — Слегка покачиваясь, Бак подковылял к корме. — Какого черта ты слепил катамаран?

— Мне так захотелось.

— А мне всегда хватало одного корпуса. И твоему отцу тоже.

— Это не твоя яхта и не его. Это моя яхта.

Бак проглотил обиду.

— Что за дурацкий цвет! Девчачий, голубой.

— Лазурный. Мне нравится.

— Наверняка потонет в первый же шторм. — Бак фыркнул и едва удержался, чтобы не погладить один из корпусов. — Думаю, вы с Рэем теперь годитесь только для увеселительной прогулки.

Мэтью провел подушечкой большого пальца по доске, гладкой как атлас.

— Мы отправляемся за «Изабеллой».

В воцарившейся тишине, словно пронзаемой электрическими разрядами, Мэтью взвалил на плечо доску и отвернулся. Бак положил руку на корпус и закачался, будто уже вышел в море.

— Черта с два!

— Рэй так решил. Он что-то нашел и хочет мне показать. И что бы Рэй ни нашел, я все равно отправлюсь за «Изабеллой». Давно пора.

— Ты что, парень, совсем свихнулся? Ты знаешь, чего она нам стоила? Чего она стоила мне?

Мэтью отложил перекладину.

— Примерно представляю.

— У тебя были сокровища, и ты выпустил их из рук. Ты отпустил с ними Ван Дайка. Ты отпустил его из-за меня, когда я подыхал. Теперь ты хочешь сбежать и оставить меня гнить здесь?

— Я скоро отплываю. Что будешь делать ты, твое дело.

Запаниковав, Бак ударил Мэтью ладонью в грудь.

— А кто будет присматривать за мной? Ты мне должен, парень. Я спас твою никчемную жизнь. Из-за тебя я потерял ногу. Из-за тебя я потерял все.

Чувство вины еще было таким безмерным, что в нем можно было утонуть, но на этот раз Мэтью лишь покачал головой. Больше он не согнется.

— Я больше ничего тебе не должен, Бак. Ты заставил меня заплатить за каждый глоток воздуха, который я сделал за последние восемь лет. Восемь лет я надрывался, чтобы ты допился до чертиков. Все. Хватит. Я отправляюсь за «Изабеллой», и я ее найду.

— Они убьют тебя. «Изабелла» и «Проклятие Анжелики». А если не они, так Ван Дайк. А где буду я?

— Там же, где и сейчас. На двух ногах. За одну из них я заплатил.

На этот раз Мэтью не принял удар, а перехватил занесенную руку в дюйме от своего лица и отшвырнул Бака.

— Попробуй еще раз, и я изобью тебя. Не посмотрю, что ты старик. — Мэтью расставил ноги на случай, если Бак все же набросится на него. — Через десять дней мы с Ларю отплываем на Хаттерас. Можешь плыть с нами, можешь катиться ко всем чертям. Выбор за тобой. А теперь убирайся. Мне надо работать.

Культя запульсировала, отозвавшись фантомной болью в ампутированной ноге — отвратительным призраком, восемь лет преследовавшим его. Бак вытер рот трясущейся рукой и поспешил на поиски бутылки.

Оставшись один, Мэтью поднял новую секцию поручней и принялся за работу как одержимый.

ГЛАВА 13

По мнению Ван Дайка, Мансанильо на западном побережье Мексики был идеальным местом для встречи весны. Из огромных окон роскошной виллы открывался захватывающий вид на неугомонный Тихий океан. Бьющиеся о скалы волны завораживали не меньше, чем ощущение собственной власти.

Родившись под знаком Водолея, Сайлас считал воду своей стихией. Он любил ее вид, ее запах, ее звук. Он много путешествовал ради бизнеса и удовольствия, но никогда надолго не удалялся от родной стихии.

Все свои дома он покупал или строил около воды. Вилла на Капри, плантация на Фиджи, бунгало на Мартинике... Даже из его шикарного особняка в Нью-Йорке виднелся Гудзон. Однако самым любимым убежищем Ван Дайка был дом на скалах, правда, на этот раз он вернулся сюда не только для того, чтобы отдохнуть.

Сайлас искренне верил в труд, укрепляющий тело и дух, приносящий прибыль. Конечно, он унаследовал огромное состояние, но не промотал наследство, а — где упорством, где хитростью — утроил его.

Он считал себя благоразумным, ведь не в пример Доналду Трампу, обожающему появляться на страницах бульварных газет и экранах телевизоров, вел свои дела осмотрительно, и в прессу просачивались лишь те сведения, которые он считал необходимыми. Умело созданное общественное мнение прекрасно помогало ему узаконивать сомнительные сделки и склонять чашу весов в свою пользу.

Хотя Сайлас обожал женщин, он никогда не был женат. Брак — контракт, расторжение которого влечет за собой слишком много грязи... и нежелательных наследников, которых могут настроить против него.

Не связывая себя обязательствами, он тщательно выбирал партнерш, обращаясь с ними с той же учтивостью, с какой обращался с подчиненными, а когда терял интерес к очередной любовнице, то расставался с ней, щедро одарив на прощание.

Мало кто из них жаловался.

Правда, одна маленькая итальянка оказалась неуступчивой. Роскошные бриллианты не охладили ее горячего нрава, и она даже осмелилась угрожать ему. С некоторым сожалением Ван Дайк приказал преподать ей урок, но так, чтобы не осталось никаких видимых следов... В конце концов, ее прелестное личико и тело доставили ему немало удовольствий.

Ван Дайк свято верил в то, что для успеха необходимо насилие, хорошо организованное насилие, и в последние годы прибегал к насилию часто и с прекрасными результатами.

Самое странное заключалось в том, что он получал от этого все больше удовольствия. Эмоциональная разрядка обходилась ему совсем не дорого и помогала умерять все более частые вспышки бешеной ярости.

Многие из известных ему бизнесменов мирились с неизбежными неудачами и теряли кураж или просто сгорали как свечки в борьбе за место на вершине успеха. Мудрый же человек, по мнению Сайласа, должен уметь расслабляться и даже из неудачи извлекать выгоду, что он и делал.

Сейчас ни о каком разочаровании и речи нет, думал Ван Дайк, изучая лежавшие на письменном столе доклады с «Кочевника». Для этой экспедиции Сайлас сам тщательно отобрал ученых, техников и даже обслуживающий персонал. Как приятно сознавать, что интуиция, как всегда, его не подвела. Надо будет проследить, чтобы каждый член команды получил щедрую премию.

Сайлас восхищался учеными вообще — их логикой, самодисциплиной, воображением — и Фрэнком Литцем, в частности, как талантливым биологом и... своим шпионом. Парень держал его в курсе всего, что происходило на борту «Кочевника», включая и личные взаимоотношения коллег.

Да, думал Сайлас, Литц — удачная находка, особенно после разочарования в Пайпере. У Пайпера был большой потенциал, но один маленький недостаток все перечеркнул.

Дурные привычки ведут к неуравновешенности, неряшливости. Вот он сам бросил курить хотя бы для того, чтобы проявить силу характера, ну и сохранить здоровье, естественно. Пайперу же явно недоставало силы воли, а потому он расстался с ним без сожалений, снабдив грязным кокаином... Нет, не совсем так. Убийство отлично пощекотало ему нервы. Есть что-то захватывающее в окончательном устранении человека, не оправдавшего возложенных на него надежд.

Откинувшись на спинку кресла, Ван Дайк изучал отчет Литца о растениях и живых существах, обживших

останки «Джастины». Морские губки, кораллы, черви... Сайлас интересовался всем, что только можно использовать.

С неменьшим интересом он изучил отчеты геологов, химика и тех, кого специально послал следить за проведением операции и ее результатами, как истинный гурман, отложив отчет археолога на десерт.

Прекрасный научный доклад! Глубокий и ясный. Не упущено ничего, вплоть до самого последнего черепка. Каждый артефакт исследован, датирован, сфотографирован и внесен в каталог с отметкой о точном времени обнаружения и с перекрестными ссылками на отчет химика.

Читая четко отпечатанные страницы, Ван Дайк испытывал почти отцовскую гордость за свою протеже. Он не ошибся в Тейт Бомонт. Тейт станет прекрасной заменой неудачнику Пайперу.

Через своих шпионов он следил за ней все эти годы. Вероятно, вначале это был всего лишь порыв: Сайлас не мог забыть, как она стояла перед ним на палубе «Триумфатора», как сверкали яростью ее глаза. О, он восхищался ею. Храбрость — ценная черта характера, особенно в сочетании с интеллектом. Тейт Бомонт обладала и тем, и другим.

В профессиональном плане она превзошла все самые смелые его ожидания. Первую научную работу она опубликовала еще на втором курсе, университет закончила третьей в своем выпуске, а ее научная работа в аспирантуре была просто блестящей. Доктором наук Тейт Бомонт станет гораздо раньше большинства своих сверстников.

Сайлас так восхищался ее успехами, что приоткрыл

для нее несколько дверей, которые сама она — даже со всем своим талантом и целеустремленностью — не смогла бы отпереть. Например, своим участием в исследованиях турецких вод на глубине шестисот футов в двухместном подводном аппарате Тейт обязана ему. Правда, он пока не признавался ей в этом и не претендовал на благодарность. Пока.

Личная жизнь Тейт также вызывала его восхищение. Хотя вначале он был несколько разочарован ее разрывом с Мэтью Лэситером — их связь позволила бы ему одновременно следить и за парнем, — но он оценил ее безупречный вкус, когда она избавилась от мужчины, явно недостойного ее.

Тейт сосредоточилась на учебе, на достижении поставленных целей, чего он ожидал бы от собственной дочери, если бы она у него была. Дважды Тейт заводила романы. Первый, по мнению Ван Дайка, не более чем юношеский бунт, и Тейт подтвердила это мнение, быстро освободившись от пустоголового спортсмена, с которым связалась по возвращении в колледж.

Вскоре после получения диплома Тейт увлеклась одним аспирантом, разделявшим многие ее интересы. Эта связь длилась почти десять месяцев и вызвала у Сайласа некоторое беспокойство, но он разрешил проблему, устроив парню перевод в свой океанографический институт в Гренландии.

Тейт не должна разбрасываться, не должна отвлекаться на мужа и детей, думал Ван Дайк. И как приятно сознавать, что сейчас она работает на него. Пока он держит ее на расстоянии, но придет время, и, если она окажется достойной, он посвятит ее в свои планы.

Женщина с ее интеллектом и честолюбием не может

не понять, чем обязана ему и какие перспективы открываются перед ней.

Они будут работать бок о бок. Он терпелив. Он подождет ее, как ждал «Проклятие Анжелики». Инстинкт Сайласа подсказывал, что в нужный момент одно приведет его к другому.

И тогда он будет владеть всем.

Ван Дайк оглянулся на оживший факс, поднялся, налил себе большой стакан свежевыжатого апельсинового сока. Если бы не куча дел, он добавил бы в сок солидную порцию шампанского... но и это маленькое удовольствие подождет.

Оторвав бумажную ленту факса, Ван Дайк приподнял брови. Последний отчет по Лэситерам. Мэтью бросил работу и вернулся к дяде. Наверное, решил запихнуть вечно пьяного дурака в очередной реабилитационный центр. Почему бы просто не предоставить старику захлебнуться виски и собственной блевотиной?

Ван Дайк покачал головой. Родственные чувства. Он знал, что они существуют, но никогда их не испытывал. Если бы его собственный отец так вовремя не умер в пятьдесят лет, он непременно ускорил бы переход семейного состояния в свои руки. Как удачно, что у него не было ни братьев, ни сестер, а мать тихо угасла в привилегированной психиатрической лечебнице, когда ему было всего тринадцать лет.

Прихлебывая охлажденный сок, Ван Дайк с удовольствием думал о том, что ему не надо заботиться ни о ком, кроме себя и своего состояния, которое и не заметит, если потратить немного на слежку за Мэтью Лэситером.

Он криво улыбнулся. Родственные чувства. Если

они существуют, то Джеймс Лэситер нашел способ передать свой секрет сыну. Рано или поздно Мэтью отправится на поиски «Проклятия Анжелики»... а всемогущий Сайлас Ван Дайк, терпеливый, как паук, будет ждать.

Шторм швырял «Кочевник», как щепку, и пришлось на сорок восемь часов прекратить раскопки. Сильная качка, несмотря на таблетки и пластыри от морской болезни, уложила половину команды.

Тейт, к морской болезни абсолютно невосприимчивая, оставила каюту позеленевшей, непрерывно стонущей Лорейн, а сама с термосом крепкого кофе устроилась в носовом кубрике за своим рабочим столом.

— Так и знал, что найду тебя здесь.

Тейт подняла глаза. Ее пальцы замерли над клавиатурой компьютера.

— Хейден, ты еще бледен, но интригующего зеленоватого оттенка уже нет. Хочешь печенья?

— Издеваешься? — Он с отвращением передернул плечами. — А Бауэрс развлекается тем, что описывает Дарту разные способы приготовления свинины.

— Хм-м. Мы с Бауэрсом очень плотно позавтракали сегодня. — Тейт рассмеялась. — Не бойся, Хейден, я не стану уточнять, что мы ели. Присаживайся.

— Чертова морская болезнь. Как руководителю экспедиции, мне довольно неловко. Слишком много времени проведено в аудиториях и слишком мало опыта работы в полевых условиях.

— Ты молодец. — Радуясь приятной компании, Тейт отвернулась от монитора. — А кинооператоры слегли.

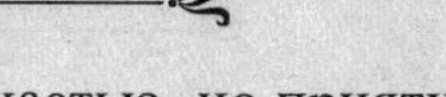

Не люблю радоваться чужому несчастью, но приятно, когда никто хоть пару дней не дышит в шею.

— Документальный фильм подстегнет интерес к подобного рода проектам, — заметил Хейден. — Нам не помешают ни реклама, ни субсидии.

— Да, конечно. Нечасто находится щедрый спонсор, и еще реже экспедиция оказывается такой успешной. Хейден, взгляни на это. — Тейт взяла со стола золотые часы с массивной цепью и брелоком. — Изумительно, не правда ли? Какая чудесная гравировка! Мне кажется, что я чувствую аромат роз.

Тейт с благоговением погладила стебель с розовыми бутонами, открыла крышку и вздохнула.

— *«Дэвиду, моему любимому мужу, остановившему для меня время. Элизабет. 2/4/49»*. В списке пассажиров есть Дэвид и Элизабет Макгоуэн и их трое несовершеннолетних детей. Спаслась только Элизабет со старшей дочерью. Она потеряла младшую дочь, сына и своего любимого Дэвида. Время остановилось для них навсегда. Больше ста лет символ ее любви ждал, чтобы кто-то нашел его и вспомнил его владельца.

— Я посрамлен, — не сразу вымолвил Хейден. — У тебя есть то, чего никогда не было у меня, — пояснил он, перехватив удивленный взгляд Тейт. — Я увидел бы просто часы, отметил бы стиль и производителя. Я испытал бы удовлетворение от того, что надпись подтвердила мои расчеты. Может, мельком я и подумал бы о Дэвиде и Элизабет, безусловно, я поискал бы их в списке пассажиров, но я не увидел бы за вещью живых людей.

— Это ненаучно.

— Археология изучает культуру, а мы слишком часто забываем, что культуру создают люди. Лучшие из нас

забывают. А для самых лучших люди важнее всего. — Он накрыл ладонью ее руку. — Как для тебя.

— Мне грустно. — Тейт перевернула ладонь и сжала его пальцы. — Если бы я могла взять эти часы, я бы нашла праправнуков Макгоуэнов и сказала бы: посмотрите, это память о ваших предках. — Смутившись, Тейт отложила часы. — Но они не принадлежат мне. Они даже не принадлежат потомкам Макгоуэнов. Они принадлежат «Морским исследованиям».

— Без «Морских исследований» мы бы никогда не нашли их.

— Я понимаю это. Правда, понимаю. — Тейт придвинулась ближе к Хейдену, словно это помогло бы ей объяснить свои чувства. — Хейден, мы делаем здесь очень важное дело. Мы делаем его очень современными и эффективными методами. Кроме поиска сокровищ, мы делаем научные открытия, подтверждаем теории. Благодаря нам словно оживают «Джастина» и люди, которые погибли с ней.

— Но?..

— Но я задаю себе вопрос, что станется с часами Дэвида? И с сотнями других личных вещей пассажиров? Их дальнейшая судьба не зависит от нас. Мы всего лишь наемные работники. Мы — винтики, Хейден. Винтики какой-то огромной машины. «Морские исследования», «Посейдон», «Трайдент» и так далее.

— Большинство из нас всю жизнь остаются винтиками, Тейт.

— И тебя это устраивает?

— Полагаю, да. Я имею возможность заниматься исследованиями и публиковать научные труды, читать лекции. Без огромных корпораций я никогда не смог бы заниматься наукой и при этом регулярно питаться.

Безусловно, Хейден прав. И все же...

— Но разве этого достаточно? Сколько мы теряем, находясь здесь? Мы не испытываем азарта, не имеем права на свои открытия. Разве мы не рискуем потерять энтузиазм, который и привел нас в морскую археологию?

— Только не ты. — Его сердце начало смиряться с тем, что давно говорил разум. Она не для него. Она — экзотический цветок на его засохшем древе. — Ты никогда не потеряешь свежести чувств, потому что тогда ты перестала бы быть собой.

В символическом прощании со своей глупой мечтой он поднял руку Тейт и прижался губами к ее пальцам.

— Хейден...

Он увидел в ее глазах и участие, и сожаление, и, как ни больно признавать, сочувствие.

— Не тревожься. Это просто знак восхищения. Подозреваю, что мы недолго будем работать вместе.

— Я еще не решила, — быстро сказала Тейт.

— Думаю, что решила.

— Я не могу просто так отказаться от своих обязательств перед экспедицией, и я в долгу перед тобой, Хейден, ведь это ты рекомендовал меня.

— Твое имя уже было в списке, — уточнил он. — Я просто согласился с их выбором.

— Но я думала... — Тейт нахмурилась.

— Ты заработала отличную репутацию, Тейт.

— Спасибо, Хейден, но... уже была в списке, ты сказал? В чьем списке?

— «Трайдента». Твои достижения произвели впечатление на заправил «Трайдента». Вообще-то мне показалось, что кто-то из денежных мешков оказал на них определенное давление, но я был счастлив согласиться с их рекомендациями.

— Понимаю. — По каким-то причинам, которые Тейт не смогла бы назвать, ее охватила смутная тревога. — И кто же этот денежный мешок?

— Как ты и сказала, я всего лишь винтик. — Хейден пожал плечами и поднялся. — Если ты решишь покинуть экспедицию, мне будет очень жаль терять тебя, однако выбор за тобой.

Тейт через силу улыбнулась Хейдену.

— Ты опережаешь события. Но спасибо за понимание.

Когда он вышел, Тейт прижала руки к пересохшим губам. Почему она ничего не знала о списке? О том, что ее кто-то отобрал для экспедиции?

— Привет, коллега! — воскликнул Бауэрс и снова впился зубами в куриную ножку. — Ленч подан, хотя не многих это волнует.

Он уставился на Тейт, ожидая ее реакции на свою шутку.

— Бауэрс, помоги мне.

— Конечно, милашка. Всегда готов.

— Поколдуй над компьютером, волшебник. Я хочу найти тех, кто финансирует «Трайдент».

— Собираешься послать благодарственные письма?

Отложив свой ленч, Бауэрс вытер руки о рубашку и застучал по клавиатуре.

— Хм-м-м... Много уровней защиты, — пробормотал он через минуту. — Твое счастье, что я ас. Компьютер подключен к основной сети — значит, необходимые данные где-то здесь. Надо только добраться до них. Тебе нужен совет директоров?

— Нет, — задумчиво сказала Тейт. — Забудь об этом. Кто хозяин «Кочевника»?

— Владельца найти нетрудно. Если, конечно, дружишь с техникой. Вот он, малышка. Ты смотри... подарен — господи, обожаю филантропов — каким-то толстосумом по имени Ван Дайк.

Тейт ошеломленно уставилась на экран.

— Сайлас Ван Дайк...

— Ну да. Большая шишка. Ты наверняка о нем слышала. Он финансирует множество экспедиций. При случае расцелуем парня. — Когда Бауэрс поднял глаза на Тейт, ухмылка сползла с его лица. — В чем дело?

— Во мне. — Тейт в ярости заскрежетала зубами. — Этот сукин сын засунул меня сюда. Этот... Он думает, что может использовать меня. — Тейт слепо уставилась на артефакты, аккуратно разложенные на ее столе, на часы Дэвида... — Да пошел он к черту!

Мэтью повесил телефонную трубку. Еще один мост сожжен. Или, может быть, только может быть, вбиты первые планки в новый. Может, он сделает наконец что-то прочное и долговечное.

Яхта закончена, выкрашена, отполирована. Они с Ларю выводили ее в море, и она летела по воде как мечта. Утром он отправится на Хаттерас... А если из затеи Рэя ничего не выйдет, ну что же, он просто испытает «Русалку» в дальнем плавании.

«Русалка». Мэтью вспомнил свой сон. Он снова видел Тейт, скользящую в темной воде, и не нужен был Фрейд, чтобы объяснить ему значение этого сна. В последние недели он часто общался с Рэем по телефону, и, естественно, в разговорах всплывали имя Тейт и эпизоды того далекого лета.

За восемь долгих лет Тейт превратилась в смутное воспоминание, но сон был таким ясным, таким реальным, что Мэтью просто не смог дать своей яхте другое имя. В каком-то смысле он назвал яхту в честь Тейт.

Дверь трейлера открылась и тут же захлопнулась. Ларю втащил огромные пакеты с гамбургерами и жареной картошкой.

— Ты дозвонился?

— Да. Я сказал Рэю, что мы отплываем утром. — Подняв руки, Мэтью сцепил за головой пальцы и с наслаждением потянулся. — Погода хорошая. Доберемся дня за три-четыре.

— С нетерпением жду встречи с Рэем и его женой. — Ларю достал из пакета картонные тарелки. — Он не сказал тебе, что именно нашел?

— Хочет, чтобы я увидел своими глазами. — Вдруг почувствовав, что голоден как волк, Мэтью схватил гамбургер. — Он собирается отплыть в Вест-Индию в середине апреля. Я сказал ему, что нас это устраивает.

Ларю серьезно посмотрел Мэту в глаза.

— Чем скорее, тем лучше.

Из спальни показался осунувшийся Бак.

— Вы совсем чокнулись. То место проклято. «Изабелла» проклята. Она забрала твоего отца. Чуть не забрала меня. Лучше бы забрала.

Мэтью так щедро посолил свою картошку, что Ларю скривился.

— Ван Дайк убил отца. Акула откусила твою ногу.

— Нет. «Проклятие Анжелики».

— Может, и так. — Мэтью не спеша прожевал картошку, проглотил. — А если так, то я имею на него законное право.

— Это злой рок Лэситеров.

— Пришло время взять судьбу в свои руки.

Бак покачнулся и уперся рукой в маленький столик.

— Ты думаешь, что я волнуюсь только о себе? Вовсе нет. Твой отец хотел, чтобы я присматривал за тобой. Я присматривал, пока мог.

— За мной давно не надо присматривать.

— Может, и нет. А может, мне не все равно, что случится с тобой. Мэтью, у меня никого нет, кроме тебя. На самом деле ты все, что у меня есть в жизни.

Голос Бака сорвался. Мэтью закрыл глаза, стараясь загнать поглубже чувство вины.

— Я не собираюсь остаток своей жизни расплачиваться за то, что не мог предотвратить, и не собираюсь смотреть, как ты заканчиваешь то, что начала акула.

— Мэтью, я прошу тебя остаться. Мы могли бы начать свой бизнес. Катать туристов, например. — Бак сглотнул комок в горле. — Я буду честно тянуть свою лямку.

— Не могу. — Аппетит куда-то пропал, и Мэтью, оттолкнув еду, встал. — Я отправляюсь за «Изабеллой». Найду я ее или нет, но я верну свою жизнь. На дне полно затонувших судов, и будь я проклят, если соглашусь до конца дней разделывать железо или катать туристов.

Бак уставился на свои дрожащие руки.

— Значит, я не могу остановить тебя. — Он глубоко

вздохнул, расправил плечи. — Тогда я отправляюсь с тобой.

— Послушай, Бак...

— Я не пью ни капли уже десять дней. Я трезв. Может, я еще не очень устойчив, но я трезв.

В первый раз Мэтью внимательно взглянул на Бака. Под глазами синяки, но глаза ясные.

— Ты и раньше мог продержаться десять дней, Бак.

— Да. Но не сам. Я тоже в этом кровно заинтересован, Мэтью. До смерти страшно возвращаться туда, но я не отпущу тебя одного. Лэситеры всегда держатся друг за друга... Ты хочешь, чтобы я умолял тебя?

— Господи, конечно же, нет. — Мэтью потер лицо руками. У него была тысяча причин для отказа и только одна, чтобы согласиться: Бак — вся его семья. — Я не смогу нянчиться с тобой, не смогу следить, чтобы ты не нализался. Тебе придется работать, отрабатывать свое место на яхте.

— Я знаю, что мне делать.

Мэтью повернулся к приятелю, молча доедавшему ужин.

— Ларю, что ты на это скажешь?

Ларю промокнул рот бумажной салфеткой.

— Ну, я думаю, что еще две руки нам не помешают, если, конечно, они не трясутся. — Он пожал плечами. — А если трясутся, используем его как балласт.

Несмотря на унижение, Бак вскинул голову.

— Я буду честно выполнять свою часть работы. Джеймс хотел найти «Изабеллу». Я помогу вам ради него.

— Ладно, — кивнул Мэтью. — Собирай свои шмотки. Мы отплываем на рассвете.

ГЛАВА 14

Маленький самолет коснулся посадочной полосы и вывел Тейт из полудремы. Последние тридцать восемь часов она почти постоянно находилась в движении, пересаживалась с кораблей на самолеты, с самолетов в такси. Она пересекла приличный кусок Тихого океана, целый континент и почти все часовые пояса.

Глаза сообщали, что за иллюминатором самолета — день, но тело отказывалось этому верить. Ей казалось, что она сделана из очень тонкого и очень хрупкого стекла, которое разлетится вдребезги при малейшем неосторожном движении.

Но она дома! Или почти дома. Осталось только добраться от этого крохотного аэропорта до Хаттераса. Последний рывок в автомобиле, и она не шевельнется по меньшей мере сутки.

В консервной банке с пропеллерами, на которую Тейт успела в Норфолке, она была единственным пассажиром. Как только самолет остановился, пилот повернулся к ней и поднял оба больших пальца. Тейт ответила неопределенным жестом и еще более неопределенной улыбкой.

Ей столько всего надо обдумать, но мозги отказывались работать. Обнаружив связь экспедиции с Ван Дайком, она была занята одним: поскорее добраться до дома. По странной иронии судьбы, когда Тейт запихивала свои вещи в сумки и чемодан, позвонил отец и попросил ее вернуться как можно скорее.

Она и вернулась, причем в рекордный срок.

Всю дорогу ее утешала лишь одна мысль: Ван Дайку

наверняка сообщили, что рыбка сорвалась с крючка и находится в тысячах миль от наживки.

Повесив на плечо сумку, подхватив портфель, Тейт спустилась по узкому трапу на бетонную полосу. Колени дрожали, голова кружилась. Хорошо, что она не забыла нацепить солнечные очки. Ослепительный солнечный свет был бы последней каплей...

Она увидела родителей сразу же, но пришлось ждать, пока пилот вытащит из грузового отсека ее чемодан.

Как же мало они изменились! Разве что в густой шевелюре отца появилось чуть больше седины, но они оба были такими стройными, такими красивыми... держались за руки, радостно улыбались и энергично махали ей.

Почти всю усталость Тейт как рукой сняло от одного взгляда на них.

«Только во что же я опять впуталась? — вспомнила она. — Тайны, о которых нельзя говорить по телефону. Интриги и приключения. Проклятый амулет, проклятое затонувшее судно. Проклятые Лэситеры».

Именно упоминание Рэя о новой авантюре с Лэситерами заставило Тейт направиться прямо на Хаттерас, даже не заглянув в свою квартиру в Чарлстоне. Господи, как можно всерьез думать о повторении того ужасного лета! Только бы отец еще не успел связаться с Мэтью! Только бы он прислушался к ее словам и отказался от своей затеи!

Ну ничего. Она здесь и приведет в чувство своих замечательных, но наивных родителей.

— Доченька моя, как я счастлива! — Мариан крепко обняла Тейт. — Как давно мы не виделись! Почти год.

— Я тоже ужасно скучала. — Тейт рассмеялась и сбросила с плеча сумку, чтобы заключить в объятия отца. —

Вы выглядите потрясающе. — Она чуть отстранилась, чтобы внимательнее рассмотреть родителей. — Потрясающая стрижка, мам. Почти такая же короткая, как у меня когда-то. Тебе очень идет.

— Нравится? — Мариан кокетливо поправила волосы.

— Очень, — уверила Тейт, искренне удивляясь про себя, как у этой прелестной моложавой женщины может быть почти тридцатилетняя дочь.

— Я теперь много вожусь в саду, а длинные волосы мешают. Милая, ты так похудела. Ты слишком много работала. — Наморщив лоб, Мариан повернулась к мужу. — Рэй, я ведь говорила тебе, что она слишком много работает?

— Говорила, — согласился Рэй, закатив глаза. — Тысячу раз. Как добиралась, малышка?

— Целую вечность. Но главное — я здесь.

Через маленькое здание аэропорта они прошли к автостоянке.

— Мы счастливы, — сказал Рэй, укладывая в джип багаж Тейт. — Нам очень хотелось, чтобы в этом путешествии ты была с нами, только меня мучает совесть, ведь я сорвал тебя с прекрасной работы. Я знаю, как она важна для тебя.

— Не так важна, как я думала раньше. — Тейт забралась на заднее сиденье, откинула голову на спинку. Ей не хотелось говорить о Ван Дайке. Еще не время. — Я рада, что участвовала в этой экспедиции. Все было великолепно, но как-то обезличенно. К тому времени, как артефакты попадали ко мне, они проходили через огромное число других рук... как будто я брала что-то из

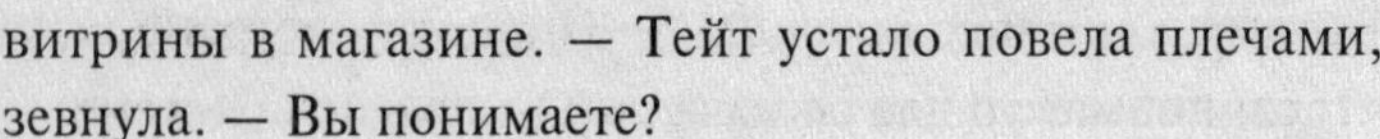

витрины в магазине. — Тейт устало повела плечами, зевнула. — Вы понимаете?

— Да. — Вспомнив о предупреждении Мариан, Рэй не стал сразу выкладывать дочери свои потрясающие новости.

— Ты дома, — подхватила Мариан. — И первое, что тебе надо сделать, это хорошенько поесть и отоспаться.

— Никаких возражений, но, как только в голове прояснится, вы посвятите меня в свои планы.

— Когда ты прочитаешь результаты моих исследований, — уверенно заявил Рэй, — ты поймешь, почему мне так не терпится отправиться в плавание. — Он заметил многозначительный взгляд жены и прикусил язык. — Сначала отдохнешь, а потом мы все обсудим.

— Скажи хотя бы, с чего все началось. — Но тут машина вынырнула из сосновой рощи на песчаную аллею, и Тейт забыла обо всем на свете. — О, азалии расцвели!

Высунувшись в окно, она жадно вдохнула аромат сосен и цветов, смешанный с неповторимым запахом залива.

На пологом холме среди деревьев и цветов возвышался красивый двухэтажный дом из кедра с широкой верандой. В нежно-зеленой весенней траве поблескивали яркие головки примул, дельфиниума и водосбора.

— Мама, неужели это сад камней?

— Тебе нравится? У нас здесь так много тени, что без изобретательности пропадешь. Ты еще не видела мои лекарственные травы и огород.

— Потрясающе! — Тейт выпрыгнула из джипа. — И такая тишина! Не представляю, как вы можете покидать этот рай!

— Зато когда мы возвращаемся домой, нам здесь

нравится еще больше. — Рэй подхватил вещи дочери. — Отличное место для отдыха. — Он подмигнул жене. — Когда мы повзрослеем.

— То-то будет денек. — Тейт направилась к дому по мощенной плитами дорожке. — Думаю, я созрею для вязания и лото гораздо раньше любого из...

Она замерла у задней двери. Цветастый гамак, купленный ею на Таити для отца, был занят.

— У вас гости?

— Ну, не совсем гости. Старые друзья. — Мариан распахнула дверь кухни. — Приехали вчера вечером. У нас полный дом усталых путешественников, правда, Рэй?

— Полный дом.

Тейт видела лишь копну темных волос, падавших на зеркальные очки, цветастую ткань гамака, растянутую длинным мускулистым телом... Этого хватило, чтобы у нее засосало под ложечкой.

— Какие старые друзья? — спросила она как можно небрежнее.

— Бак и Мэтью Лэситеры, — откликнулась Мариан из кухни, где уже помешивала густой суп из моллюсков со свининой и овощами. — И их друг Ларю. Интересный человек, правда, Рэй?

— Очень интересный. — Рэй заметил недовольство дочери возрождением старого партнерства, а потому с трудом сохранил веселую улыбку. — Он тебе понравится, Тейт. Я пока отнесу вещи в твою комнату. — «И уберусь от греха подальше», — мысленно добавил он.

— А где Бак, мама? — Даже войдя в кухню, Тейт не сводила глаз с гамака, благо он был виден в кухонное окно.

— Где-то на берегу. — Мариан попробовала похлебку, одобрительно кивнула. — Он сейчас выглядит гораздо лучше.

— Он пьет?

— Нет. Ни капли с тех пор, как появился здесь. Присядь, дорогая. Я налью тебе супа.

— Не сейчас. — Тейт распрямила плечи. — Думаю, и мне пора возобновить старое знакомство.

— Отлично. Скажи Мэтью, что ленч готов.

— Скажу.

Она собиралась сказать ему гораздо больше.

Песок и пружинистая трава приглушали шаги. Правда, Тейт не сомневалась в том, что он не пошевелился бы, даже если бы она подошла к нему с духовым оркестром. Солнечные лучи, пробивавшиеся сквозь кроны сосен, скользили по его лицу. «Чересчур красивому», — в ярости подумала Тейт.

Ни возмущение, ни презрение не могли помешать ей признать это. Растрепавшиеся волосы давно не видели парикмахерских ножниц. Похудевшее лицо во сне расслабилось, красивые губы смягчились. Скулы стали острее...

Тейт разглядывала его лицо, мускулистое тело, обтянутое старыми джинсами и вылинявшей футболкой, и скрупулезно анализировала свою реакцию. Пульс участился... но это естественно, когда женщина сталкивается с великолепным самцом... Какое счастье, что после первоначального потрясения она не чувствует ничего, кроме раздражения, возмущения и гнева! Этот ублюдок спокойно спит, натворив столько бед!

— Эй, Лэситер!

Он не шелохнулся. Его грудь продолжала ритмично

вздыматься и опускаться. Мрачно улыбаясь, Тейт расставила ноги, вцепилась в край гамака и дернула.

Мэтью проснулся примерно на полпути к земле, инстинктивно выбросил вперед руки и выругался сначала от удара, потом от боли в пальцах, куда впились колючки чертополоха. Еще сонный, ничего не понимающий, он замотал головой и попытался сесть.

Первыми перед его затуманенным взором предстали маленькие узкие ступни в туфлях на низком каблуке. От туфель вверх тянулись ноги. Очень длинные, очень красивые ноги, обтянутые черными леггинсами. В других обстоятельствах Мэтью долго наслаждался бы этим зрелищем...

Он перевел взгляд чуть выше, наткнулся на черную рубашку мужского покроя, прикрывающую определенно не мужские бедра и прелестную высокую грудь.

Когда он увидел ее лицо, кровь забурлила в его жилах.

Тейт изменилась. Она просто не имела права так измениться. Вместо юной и прелестной двадцатилетней девушки перед ним стояла ослепительная женщина.

Кожа цвета слоновой кости, чистая, почти прозрачная. Ненакрашенные полные губы, сочные и сладкие, надутые от злости... У него пересохло во рту. Она отрастила волосы, и теперь, затянутые в конский хвост, они оставляли лицо открытым. Темные стекла солнечных очков не скрывали сверкающего в глазах гнева.

Осознав, что таращится на нее, раскрыв рот, Мэтью разогнулся, поднял голову и нагло улыбнулся.

— Привет, Рыжик. Давно не виделись.

— Какого черта ты здесь разлегся? Как ты посмел втянуть моих родителей в очередную авантюру?

Мэтью небрежно оперся спиной о дерево... на самом деле у него просто подкашивались ноги.

— Я тоже рад тебя видеть, — сухо сказал он. — И ты ошибаешься: эту авантюру затеял твой отец. Я просто плыву по течению.

— Скорее всего используешь его. — Тейт уже не могла сдерживать отвращение, и оно хлынуло потоком. — Наше партнерство распалось восемь лет тому назад, и на этом поставили точку. Я хочу, чтобы ты уполз обратно в ту дыру, из которой вылез.

— Теперь ты здесь главная, Рыжик?

— Я сделаю все, что угодно, лишь бы защитить от тебя родителей.

— Я не причинил никакого вреда ни Рэю, ни Мариан... ни тебе, если уж на то пошло, хотя тут у меня была куча возможностей.

Ее щеки вспыхнули. О, как же она ненавидит его! Как ненавидит эти проклятые зеркальные очки, прячущие его глаза и швыряющие ей в лицо ее собственные отражения!

— Я уже не наивная восторженная девчонка, Лэситер. И я точно знаю, кто ты. Авантюрист без малейшего представления о чести и долге. Мы в тебе не нуждаемся.

— Твой отец думает иначе.

— Он слишком мягкосердечен. Я — нет. Может, тебе и удалось обманом выманить у отца деньги на какой-то свой фантастический план, но теперь я здесь и не позволю тебе использовать его.

— Так вот как ты все это видишь? Я его использую?

— Ты с рождения всех используешь, — кротко сказала Тейт, упиваясь собственным самообладанием. — А когда начинаются трудности, исчезаешь. Ты бросил

Бака на захудалой стоянке для автоприцепов во Флориде. — Она забыла о невозмутимости и в гневе начала наступать на Мэта. — Я навещала его год назад и видела свинарник, в который ты его засунул. Он был один, он был болен. У него не было еды. Он сказал, что ты где-то плаваешь, что он не помнит, когда в последний раз ты приезжал к нему.

Мэт скорее откусил бы себе язык, чем стал бы оправдываться.

— Он нуждался в тебе, он убивал себя алкоголем, а ты плевал на него. Если бы мои родители знали, как ты бессердечен, они бы вышвырнули тебя отсюда.

— Но ты знаешь.

— Да, знаю. Я узнала это еще восемь лет назад, когда ты так любезно просветил меня. Это единственное, за что я в долгу перед тобой, и я расплачусь: я дам тебе шанс самому выйти из игры!

— Черта с два! — Мэтью скрестил на груди руки. — Я отправляюсь за «Изабеллой», Тейт, с вами или без вас. У меня тоже накопились долги.

— Но я не позволю моим родителям платить по твоим счетам.

Тейт развернулась на каблуках и гордо удалилась.

Оставшись один, Мэтью пересел в гамак и уперся ногами в землю. Он, конечно, не ждал, что Тейт бросится к нему с распростертыми объятиями и радостной улыбкой, однако и такой неприкрытой ненависти не ожидал.

Только это еще не самое худшее. Далеко не самое худшее. Долгие годы он лишь изредка вспоминал о ней, а теперь осознал, что вовсе не излечился, что по уши, как последний идиот, влюблен в нее. До сих пор. Страшный удар, от которого он никак не мог прийти в себя.

Тейт пролетела мимо матери, не успевшей повторить приглашение к ленчу, пронеслась через уютную гостиную, сбежала по ступенькам парадной лестницы на лужайку перед домом. Ей необходимо было отдышаться.

Слава богу, она сдержалась. Слава богу, она не отлупила его, как ей хотелось, думала Тейт, мчась к проливу. Она ясно высказала свою точку зрения. Она проследит, чтобы Мэтью Лэситер собрал свои шмотки и отправился на все четыре стороны еще до сумерек.

Тейт набрала полную грудь воздуха и ступила на узкий причал, к которому была пришвартована родительская яхта «Новое приключение», купленная всего два года назад. Красавица, к тому же быстроходная и маневренная. Тейт знала это, хотя плавала на ней лишь один раз и очень недолго.

Она поднялась бы на борт, провела бы несколько минут в одиночестве, успокоилась бы... если бы не вторая яхта, пришвартованная с другой стороны пирса.

Пока Тейт хмуро разглядывала необычный катамаран, на палубу вышел Бак.

— Привет, красотка.

— И вам привет. — Улыбаясь, Тейт поспешила к Баку. — Позволите подняться на борт, сэр?

— Милости прошу.

Рассмеявшись, Бак протянул руку. Тейт спрыгнула на палубу и сразу же заметила, что лицо его потеряло одутловатость, вызванную дурной едой и алкоголем, щеки снова разрумянились, глаза прояснились. Тейт обняла Бака и не почувствовала запаха виски и пота.

— Как я рада вас видеть! Вы выглядите обновленным.

— Стараюсь! — Бак неловко переступил с ноги на ногу. — Знаешь, как говорят, потихоньку-полегоньку.

— Я горжусь вами. — Тейт прижалась щекой к щеке старика, но, заметив его смущение, отстранилась. — Ну, расскажите-ка мне об этой яхте. Как давно она у вас?

— Мэтью закончил ее всего за пару дней до нашего отплытия.

Ее улыбка растаяла.

— Мэтью?

— Да, Мэтью. — Гордость, распиравшая Бака, звенела в каждом слове. — Он строил ее все эти годы по собственному проекту.

— Мэтью сам сконструировал и построил эту яхту?

— Без всякой посторонней помощи. Идем, я тебе покажу. — Бак провел Тейт по палубе от носа до кормы, подробно описывая особенности конструкции яхты и ее ходовые качества и любовно касаясь то поручней, то начищенных металлических частей.

— Я наговорил мальчику гадостей, — признался Бак, — но он доказал, что я не прав. У берегов Джорджии мы попали в ураган, и эта дамочка выдержала его с блеском.

Тейт сумела выдавить лишь что-то неразборчивое.

— Она несет двести галлонов свежей воды, — продолжал хвастаться Бак. — На ней места не меньше, чем на шестидесятифутовой яхте, два двигателя мощностью в сто сорок пять лошадиных сил.

— Как вижу, он торопится, — пробормотала Тейт, входя в рубку, и изумленно распахнула глаза. — Господи, Бак, какое оборудование!

Она обошла просторное помещение, застекленное со всех сторон, со входами с левого и правого борта.

Первоклассный эхолокатор, глубиномеры, магнетометр, дорогое навигационное оборудование, радиотелефон, радиолокатор, телекс для приема метеосводок, компьютерный картограф с экраном на жидких кристаллах.

— Мальчик хотел только самое лучшее.

— Да, но... — Тейт хотела спросить, откуда у Мэта деньги, но побоялась услышать, что заплатили ее родители. — Высший класс.

Посреди рубки стоял широкий стол для морских карт, пока пустой, на стене висели полированные шкафчики с медными ручками, в углу примостился мягкий диванчик с темно-синей обивкой. Все это не шло ни в какое сравнение с «Морским дьяволом».

— А теперь я покажу тебе каюты. Черт, я бы назвал их королевскими покоями. У нас две каюты, и каждая — с собственным гальюном. А нашим камбузом гордилась бы даже твоя мама.

— Конечно, Бак, я посмотрю с удовольствием. — Они вышли на кормовую палубу. — И как давно Мэтью решил отправиться на поиски «Изабеллы»?

— Не могу сказать. Может, еще когда мы потеряли «Маргариту». Думаю, он давно это задумал, только ему не хватало времени и средств.

— Средств... Значит, он где-то раздобыл деньги?

— Ларю вступил в долю.

— Ларю? Кто...

— Я, кажется, слышу свое имя?

Тейт увидела у сходного трапа неясную фигуру, затем различила худенького, щегольски одетого мужчину неопределенного возраста — где-то между сорока и пятьюдесятью годами.

— Ах, мадемуазель, у меня кружится голова! — Ларю улыбнулся, сверкнув золотым зубом, и поднес руку Тейт к губам.

— Тейт, не обращай внимания на этого тощего кэнака. Он считает себя дамским угодником.

— Почитателем женщин, — поправил Ларю, вводя Тейт в кубрик. — Я очарован, мадемуазель. Счастлив, что такая красавица посетила наше скромное жилище.

Интересно, кто посмел бы назвать это скромным жилищем? Стойка бара полированного красного дерева, высокие табуреты с мягкими разноцветными сиденьями, на стенах — старинные морские карты в рамках, на столе — ваза со свежими нарциссами.

— Да, это не «Морской дьявол», — с гордостью заметил Бак.

— От «Морского дьявола» к «Русалке», — ухмыльнулся Ларю. — Позвольте предложить вам чаю, мадемуазель?

— Нет. — Тейт еще не оправилась от шока, и отказ прозвучал грубовато. — Нет, благодарю вас. Я должна вернуться домой. Мне необходимо о многом поговорить с родителями.

— Ах да! Ваш отец с восторгом принял известие о вашем участии в нашей экспедиции. А я, я восхищен тем, что две очаровательные дамы скрасят наше путешествие.

— Тейт не просто красавица, — заявил Бак. — Она отличная аквалангистка, прирожденная искательница сокровищ и ученый.

— Женщина с разносторонними талантами, — восхищенно прошептал Ларю. — Я посрамлен.

Тейт насторожилась.

— Вы плавали с Мэтью?

— Да, действительно. И старался повысить его культурный уровень.

Бак презрительно фыркнул.

— Тоже мне, интеллектуал. Дерьмо с чудны́м акцентом все равно остается дерьмом. Прошу прощения, Тейт.

— Мне пора. Рада была познакомиться с вами, мистер Ларю.

— Просто Ларю. — Он снова поцеловал ей руку. — *A bientot.*

Бак оттеснил Ларю в сторону.

— Я провожу тебя, девочка.

— Спасибо. — Они спустились на пирс и направились к берегу. — Бак, вы сказали, что Мэтью строил яхту годами?

— Да, как только выдавалось немного свободного времени и заводились деньги. Он сделал десятки чертежей и рисунков, прежде чем остановился на этой конструкции.

— Понимаю. — Похвальные честолюбие и упорство, хотя и несколько неожиданные. Если только... — Значит, все эти годы он думал о «Изабелле»?

— Кто знает, что было у мальчика на уме. Но сейчас он точно о ней думает. Снова заболел ею. А может, никогда и не выздоравливал.

Тейт положила ладонь на плечо Бака.

— Надеюсь, вы поймете меня правильно, но мне это не нравится.

— Ты имеешь в виду наше партнерство?

— Да. «Маргариту» мы нашли чудом. Шансы на новое чудо практически равны нулю. Нам всем было очень трудно справиться с разочарованием. Я не хочу, чтобы вы и мои родители снова пережили все это.

Бак остановился, поправил очки.

— Я сам не очень-то счастлив. — Он опустил глаза на искусственную ногу. — Страшные воспоминания. Но Мэтью полон решимости, а я перед ним в долгу.

— Неправда. Это он вам должен. Он обязан вам своей жизнью.

— Я заставил его дорого заплатить. — Бак нахмурился. — А сам не спас его отца. Не знаю, мог ли, но факт остается фактом: не спас. Я не отомстил Ван Дайку. Не знаю, принесло бы это какую-то пользу, но не отомстил. Потом, когда пришел мой черед расплачиваться, я не смог принять несчастье как мужчина.

— Не смейте так говорить. — Тейт заботливо взяла старика под руку. — Вы прекрасно держитесь.

— Всего пару недель. А все эти годы... Я все взвалил на плечи мальчика — всю работу и всю вину.

— Он бросил вас, — в ярости возразила Тейт, — а должен был остаться с вами, заботиться о вас.

— Мэтью только и делал, что поддерживал меня. Занимался ненавистной работой, чтобы у меня было все необходимое. Я брал деньги, пропивал их и при любом удобном случае оскорблял его. Мне очень стыдно.

— Не понимаю, о чем вы говорите. В последний раз, когда я была у вас, вы...

— Я солгал тебе. — Бак потупился, понимая, что рискует потерять ее любовь, но, снова солгав, перестал бы уважать себя. — Я сказал, что Мэтью бросил меня, не появляется, ничего для меня не делает... Может, он и нечасто приезжал, но нельзя его за это винить. Он по-

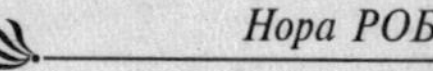

сылал мне деньги, заботился обо всем. Не сосчитать, сколько раз он платил за мое лечение от алкоголизма.

— Но я думала...

— Я хотел, чтобы ты так думала. Хотел, чтобы и мальчик страдал. Вроде так мне было легче. Но он делал все, что мог.

Далеко не убежденная, Тейт замотала головой.

— Он должен был остаться с вами.

— Он делал то, что должен был делать, — упрямо повторил Бак, и Тейт оставалось лишь склонить голову перед непоколебимой семейной преданностью.

— Все равно эта затея кажется мне пустой и опасной. Я постараюсь отговорить родителей. Надеюсь, вы поймете.

— Не могу винить тебя за нежелание снова связываться с нами. Делай, как считаешь нужным, Тейт, только вот что я тебе скажу: твой папа уже слышит свист ветра в парусах.

— Я постараюсь свернуть эти паруса.

ГЛАВА 15

Однако иногда даже самая сильная буря не в состоянии сбить с курса решительно настроенного моряка.

Сжав зубы, Тейт терпела присутствие Мэтью за обедом. Она поддерживала беседу с Баком и Ларю, слушала их рассказы, смеялась их шуткам. Ей не хватило духу испортить царящее за столом праздничное настроение и погасить огонь в отцовских глазах.

Естественно, она замечала озабоченные взгляды матери и старалась не проявлять враждебности к Мэтью, но самое большее, на что она оказалась способной, это холодное: «Передай мне соль».

Когда трапеза закончилась, Тейт удалось заманить отца в кухню.

— Держу пари, ты целый месяц не ела ничего подобного, — заметил Рэй, складывая в раковину грязные кастрюли.

— Целый год. Я так наелась, что не смогла попробовать ореховый торт.

— Попробуешь позже. Этот Ларю нечто потрясающее, правда? Не успеет обменяться кулинарными рецептами с твоей матерью, как уже спорит о внешней политике, или бейсболе, или изобразительном искусстве восемнадцатого века.

— Нормальный разносторонний человек, — пробормотала Тейт, не составившая пока окончательного мнения. Любой друг Мэтью требовал тщательного изучения... даже если он очаровательный и эрудированный. Особенно если он очаровательный и эрудированный. — Я так и не поняла, что его связывает с Мэтью?

— Думаю, они прекрасно подходят друг другу. — Пока Тейт загружала посудомоечную машину, Рэй залил кастрюли мыльной водой. — У Мэтью всегда был огромный потенциал, просто у него не было шанса его реализовать.

— А по-моему, он из всего может извлечь выгоду! Я хочу обсудить это с тобой.

— «Изабелла»? — Засучив рукава, Рэй атаковал гору грязных кастрюль. — Обязательно обсудим ее, дочка. Как только все немного отдохнут. Я ничего никому не рассказывал — ждал твоего приезда.

— Папа, я помню, как ты радовался находке «Маргариты». Я помню свои чувства и понимаю, почему ты хочешь вернуться к поискам, но я сомневаюсь, что ты предусмотрел все опасности.

— Я долгие годы думал о них и практически только о них последние девять месяцев. В прошлый раз судьба и улыбнулась нам, и посмеялась над нами, но на этот раз все будет иначе.

— Папа... — Тейт сунула последнюю тарелку в посудомоечную машину и выпрямилась. — Насколько я понимаю, после несчастья Бак ни разу не нырял, а Ларю работал на корабле поваром. Он никогда в жизни не надевал акваланг.

— Это правда. Бак действительно не нырял, но нам не помешает лишняя пара рук на палубе. Что касается Ларю, то он готов учиться, и мне кажется, он из тех, кто учится быстро.

— Нас шестеро, — не унималась Тейт, еще надеясь, что ее попытки притушить оптимизм отца не останутся бесплодными. — И только трое умеют нырять с аквалангом. Я сама почти два года практически не работала под водой.

— Это все равно что кататься на велосипеде, — беззаботно сказал Рэй. — В любом случае кто-то должен следить за оборудованием и снаряжением. А главное — у нас теперь есть собственный дипломированный морской археолог. — Он ослепительно улыбнулся дочери. — Может, в этой экспедиции ты соберешь материал для своей диссертации.

— В данный момент диссертация меня не волнует. Меня волнуешь ты. Вы с мамой последние несколько лет играли в охотников за сокровищами, обследовали открытые другими затонувшие суда. Ты нырял в свое удовольствие, собирал раковины. Это не идет ни в какое сравнение с тем, что ты задумал.

— Я в прекрасной форме, — возразил задетый за живое Рэй. — Трижды в неделю занимаюсь в спортзале, регулярно ныряю.

Тейт поняла, что избрала неверную тактику.

— Ладно. А как насчет денег? Экспедиция займет месяцы плюс расходы на оборудование. Это уже не развлечение. Кто будет финансировать эту авантюру?

— У нас очень прочное финансовое положение.

Пытаясь успокоиться, Тейт принялась оттирать кухонные столы.

— Вот и ответ на мой последний вопрос. Ты рискуешь своими деньгами. Ты, а не Лэситеры.

— Дело не в деньгах, деточка. — Искренне недоумевая, Рэй насухо вытер руки. — Это партнерство, как и раньше. Когда мы найдем «Изабеллу», то компенсируем весь дисбаланс за счет прибыли.

— А если не найдем? Если нет никакой «Изабеллы»? — взорвалась Тейт. — Можешь выбросить все до последнего цента на свою мечту, я не возражаю. Я хочу, чтобы ты потратил в свое удовольствие то, что заработал, но я не могу спокойно смотреть, как этот скользкий авантюрист использует тебя.

Рэй встревожился и похлопал дочку по плечу.

— Тейт, не понимаю, почему ты так расстроена? Когда ты сообщила о своем возвращении, я решил, что моя идея увлекла тебя.

— Я вернулась, чтобы удержать тебя от страшной ошибки.

— Я не совершаю никакой ошибки. Корабль действительно затонул в том месте. Отец Мэтью знал это.

Я это знаю. «Изабелла» лежит там вместе с «Проклятием Анжелики».

— О господи! Только не амулет!

— Именно амулет. Его искал Джеймс Лэситер, его жаждет заполучить Ван Дайк, но найдем его мы.

— Почему это так важно? Это судно? Это чертово колье?

— Потому что мы все кое-что потеряли в то лето, Тейт, — тихо сказал Рэй. — Гораздо больше, чем украденное у нас сокровище. Гораздо больше, чем ногу Бака. Мы потеряли радость открытия, надежды и мечты. Пора вернуться за ними.

Тейт обреченно вздохнула. Она могла бороться с чем угодно, но только не с мечтами. Разве сама она перестала мечтать о собственном музее? Кто она такая, чтобы встать на пути одного-единственного желания отца?

— Хорошо. Мы вернемся за «Изабеллой» втроем.

— Нет. Лэситеры — неотъемлемая часть этого. Точно так же, как прежде. И если кто-то имеет законное право на «Изабеллу» и амулет, то только Мэтью.

— Почему?

— Потому что это стоило ему отца.

Тейт не хотелось об этом думать, не хотелось представлять беспомощного подростка, скорбящего над телом погибшего отца.

— Для Мэтью амулет — всего лишь средство покончить со всеми проблемами. Он продаст его тому, кто предложит большую цену.

— Это ему решать.

— Но тогда он не многим лучше Ван Дайка.

— Он обидел тебя в то лето. — Рэй ласково обнял ладонями лицо дочери. — Я чувствовал, что между вами что-то происходит, но не знал, насколько все серьезно.

— Прошлое не имеет никакого отношения к настоящему, — упрямо возразила Тейт. — Важно только то, кто он и что собой представляет.

— Восемь лет — долгий срок, милая. Может, тебе следует оглянуться и переоценить все, что произошло тогда. А пока я должен кое-что показать тебе, всем вам. Собери всех в моей берлоге.

Деваться было некуда, и Тейт неохотно присоединилась к компании, собравшейся в уютном кабинете отца. Она умышленно выбрала уголок подальше от Мэтью и устроилась на подлокотнике кресла Мариан.

Врывающийся в открытые окна ветер приносил аромат залива и прохладу, оправдывающую разведенный в камине огонь. Рэй прошел к письменному столу и откашлялся, как взволнованный лектор перед важным докладом.

— Я понимаю, вам любопытно, почему я затеял это рискованное предприятие. Все мы помним, что случилось восемь лет назад, что мы нашли и что потеряли. Я забывал иногда на какое-то время, но вдруг какая-то мелочь вновь возрождала воспоминания. Как-то я заболел гриппом, и Мариан заставила меня остаться в постели. Я коротал время с телевизором и случайно наткнулся на документальный фильм о подводных раскопках. Это было судно, затонувшее у мыса Горн. Очень ценная находка. И как вы думаете, кто купался в лучах славы? Не кто иной, как Сайлас Ван Дайк!

— Ублюдок! — пробормотал Бак. — И то судно он наверняка тоже украл.

— Возможно, но главное не в этом. Сам он не слишком красовался перед камерой, но за кадром рассказывал о своих исследованиях, о других обнаруженных им затонувших судах, в том числе и о «Санта-Маргарите». По его словам выходило, что честь открытия принадлежит ему, а он, щедрая душа, подарил пятьдесят процентов найденных сокровищ правительству Сент-Китса.

— В виде взяток, — процедил Мэтью.

— Я разозлился. Негодяй завладел «Маргаритой», но «Изабеллы» ему не видать как своих ушей. Я возобновил исследования. Почти два года я гонялся за любой самой ничтожной информацией. Ни одно упоминание о корабле, команде или том шторме я не считал незначительным. И я нашел два важнейших ключа к разгадке: карту и упоминание о «Проклятии Анжелики».

Рэй благоговейно вынул из верхнего ящика стола книгу с обтрепанной, обклеенной скотчем обложкой и пожелтевшими пересохшими страницами.

— Она рассыпается, — зачем-то пояснил он то, что все и так видели. — Я нашел ее в букинистической лавке. «Жизнь моряка», написанная в 1846 году правнуком матроса с «Изабеллы».

— Но в том кораблекрушении никто не спасся! — воскликнула Тейт.

Рэй любовно погладил ветхую обложку.

— Просто об этом не было известно. Автор этой книги записал историю со слов своего деда. Хосе Балтазара, матроса с «Изабеллы», волны выбросили на Невис. В полубессознательном состоянии цепляясь за доску, возможно, с затонувшей «Маргариты», он видел, как шла ко дну «Изабелла». Думаю, Мэтью, твой отец нашел то же, что и я.

— Если так, то что он делал в Австралии?

— Джеймс следовал за «Проклятием Анжелики». — Рэй выдержал театральную паузу. — За сэром Артуром Минфилдом, купившим амулет у одного французского купца, а это было на поколение раньше.

— Минфилд? — Бак сосредоточенно прищурился. — Я видел это имя в записях Джеймса. Вечером накануне гибели он сказал мне, что ищет не в том месте, что проклятое колье снова обвело всех вокруг пальца. Джеймс так и сказал: «проклятое колье», и он был очень возбужден. Он мечтал закончить обследование рифа и избавиться от Ван Дайка. Он говорил, что надо остерегаться Ван Дайка и не спешить.

Рэй положил книгу на стол.

— Я думаю, Джеймс нашел какое-то упоминание об амулете или Балтазаре. Затонула «Морская звезда», погиб Минфилд, но «Проклятие Анжелики» спаслось. Может, его вынесло на берег, может, кто-то нашел его на рифе. С 1706 года о нем не было ни слуху ни духу, а в 1733-м Балтазар увидел его на юной испанской даме на борту «Изабеллы». Он узнал амулет и пересказал легенду другим морякам.

Рассказ отца не убедил Тейт.

— Если есть свидетельство того, что амулет был на «Изабелле», почему об этом не знал Ван Дайк? Почему он сам не отправился за «Изабеллой»?

— Ван Дайк совсем свихнулся из-за амулета и вбил себе в голову, что он в Австралии, — ответил Бак. — Правда, он не доверял Джеймсу, думал, что тот что-то скрывает от него.

— И убил его за это, — ровным голосом произнес Мэтью. — А потом несколько лет команда Ван Дайка обыскивала Большой Барьерный риф.

— Но если папа и твой отец нашли информацию о том, что амулет в другом месте, — гнула свою линию Тейт, — то Ван Дайк просто обязан был найти то же самое.

— Может, амулет не хотел, чтобы его нашел Ван Дайк, — заметил Ларю, терпеливо скручивая сигарету.

— Это неодушевленный предмет, — возразила Тейт.

— Как и «Алмаз надежды», — сказал Ларю. — Философский камень, Ковчег Завета. Однако легенды, окружающие их, не умирают.

— Ключевое слово — «легенда́».

— Все эти научные степени сделали тебя циничной, — прокомментировал Мэтью. — Очень жаль.

Заметив воинственный огонь в глазах дочери, в дискуссию вступила Мариан:

— Я думаю, мы должны сосредоточиться на найденной Рэем информации, а не на том, обладает амулет какой-то волшебной силой или нет.

— Совершенно верно, — кивнул Рэй. — Так на чем я остановился? Команда, прослышавшая о проклятье, заволновалась. Сам Балтазар верил, что корабль погиб из-за «Проклятия Анжелики», а он остался в живых, чтобы рассказать эту историю другим. Я скопировал несколько страниц его воспоминаний о шторме. Сначала пошла ко дну «Маргарита», затем рассыпалась «Изабелла», пассажиров и команду смыло в море. Балтазар клянется, что видел, как тонула испанская дама и колье сверкало на ее шее. Конечно, эту пикантную деталь он мог добавить ради драматического эффекта.

Рэй пустил по кругу скопированные страницы.

— Итак, Балтазар выжил. Волны пронесли его мимо Сент-Китса, и он потерял всякую надежду на спасение, а потом увидел очертания Невиса. Он ослаб и не верил, что сможет доплыть до берега, но в конце концов его выбросило на сушу. Несколько недель он метался в бреду между жизнью и смертью, а когда выздоровел, то решил остаться на острове.

Рэй вынул из папки еще один документ.

— Кроме записей о своих морских приключениях, Балтазар оставил карту. Вот карта, нарисованная очевидцем! Здесь помечено место гибели «Изабеллы» всего в нескольких градусах на юго-юго-восток от останков «Маргариты». Она там. Она ждет нас.

Мэтью взял карту из рук Рэя. Она была очень примитивной, но он узнал основные ориентиры: похожий на китовый хвост мыс Сент-Китса и конус вулкана Невиса.

Охваченный почти забытым азартом, Мэтью поднял голову. На его лице засверкала улыбка его юности, дерзкая, отчаянная, неотразимая.

— Когда отплываем?

* * *

Тейт долго не могла заснуть. Как ни старалась она смириться с происходящим, как ни пыталась обуздать свои чувства и мысли, ясно было лишь одно: не в ее силах остановить отца. Что бы она ни делала, что бы ни говорила, он отправится в эту чертову экспедицию, и отправится с Лэситерами.

Ее смятение усугублялось тем, что она отказалась от потрясающей карьеры. Правда, отказалась, чтобы не поступиться принципами, и это приносило некоторое удовлетворение. Но главное — она будет рядом с отцом и проследит за всеми, за Мэтью в особенности.

В общем, когда Тейт вышла из дома, она думала о Мэтью.

Когда-то она любила его... А потом восемь лет убеждала себя, что просто увлеклась красивым лицом и обаянием авантюриста.

Трусливая ложь!

«Я его любила, — призналась себе Тейт, поплотнее закутываясь в жакет. — Или любила мужчину, которого сама придумала». Только Мэту удалось так абсолютно завоевать ее сердце и так безжалостно его разбить.

Тейт сорвала листок лавра и, играя им, пошла к воде. Отличная ночь для воспоминаний. Почти полная луна, яркие звезды. Воздух напоен ночными ароматами и томительными обещаниями. К черту обещания! Какое счастье, что теперь она может просто наслаждаться природой, а не увлекаться смутными мечтами, рожденными красотой ночи!

Наверное, она должна благодарить Мэтью за то, что он раскрыл ей глаза. Грубо, болезненно, но раскрыл. Теперь она понимает, что мечты о прекрасных принцах и благородных пиратах — для юных глупых девиц. У нее же гораздо более важные цели в жизни.

И если придется забыть на время об этих целях, она забудет. Всем, чего она достигла, она обязана поддержке родителей и их вере в нее. Она не остановится ни перед чем, чтобы защитить их... даже если для этого придется работать рядом с Мэтью Лэситером.

Тейт остановилась у воды неподалеку от пирса. Ее родители засеяли берег травой, чтобы остановить эрозию почвы. Океан всегда пытался украсть часть суши, а земле приходилось приспосабливаться.

Очень поучительный пример. У нее тоже многое украли. И она приспособилась.

— Отличное местечко, не так ли?

Тейт вздрогнула. Как это она сразу не почувствовала его присутствие? Правда, он передвигался очень тихо, словно хищник.

— Я думала, ты давно спишь.

— Мы ночуем на яхте. — Мэтью представлял ее реакцию и именно поэтому придвинулся так близко, что их плечи почти соприкоснулись. — Бак до сих пор храпит как грузчик, но Ларю это не беспокоит, он спит как убитый.

— Попробуй затычки для ушей.

— А я до сих пор натягиваю гамак на палубе. Как в старые времена.

— Теперь новые времена. — Тейт глубоко вздохнула, собираясь с духом, и повернулась к нему. Как она и ожидала, как она и боялась, в лунном свете он выглядел потрясающе. Сексапильный... опасный. Хорошо, что все это ее больше не трогает. — И мы должны установить основные правила.

— Правила всегда волновали тебя больше, чем меня. — Мэтью опустился на траву и похлопал по земле рядом с собой. — Начинай.

Тейт проигнорировала и приглашение, и протянутую полупустую бутылку пива.

— Как я понимаю, мои родители несут львиную долю расходов. Я намереваюсь тщательно рассчитать твою долю.

«Она сохранила южный акцент, соблазнительный, как ароматная ночь», — подумал Мэт.

— Не возражаю. Бухгалтерия — твоя епархия. Я в это не вмешиваюсь.

— Ты расплатишься, Лэситер, до последнего цента.

Мэтью глотнул пива.

— Я всегда плачу долги.

— Этот долг ты точно вернешь. Я прослежу. — Тейт перевела дух и перешла ко второму практическому вопросу, стараясь не отвлекаться на лунную дорожку, сверкающую в спокойной воде. — Как я поняла, ты учишь Ларю погружаться с аквалангом.

Мэтью пожал плечами.

— У него уже неплохо получается.

— Бак тоже будет нырять?

Даже в темноте она заметила, как вспыхнули глаза Мэтью.

— Это ему решать. Я не собираюсь давить на него.

— Я этого и не прошу. — Тейт настолько смягчилась, что придвинулась к Мэту поближе. — Он дорог мне. Я... я рада, что он хорошо выглядит.

— Ты рада, что он не пьет, — уточнил Мэт.

— Да.

— Он и раньше терпел. Как-то продержался целый месяц.

— Мэтью... — Прежде чем Тейт поняла, что делает, ее ладонь уже лежала на его плече. — Он старается.

— Мы все стараемся. — Мэт схватил ее за запястье, потянул и посадил рядом с собой. — Я устал смотреть на тебя снизу вверх. И потом, так я лучше тебя вижу. Твое лицо просто создано для лунного света.

— Держись от меня подальше и не распускай руки.

— Ради бога. Зачем мне ледышка? Ты с годами заледенела, Рыжик.

— Просто стала более разборчивой.

— Парни с дипломами, — фыркнул Мэтью. — Всегда подозревал, что тебе нравятся интеллектуалы. — Он опустил взгляд на ее руки, затем посмотрел ей в глаза. — Никаких колец. Почему?

— Оставим в покое нашу личную жизнь.

— Это будет нелегко, поскольку некоторое время нам придется работать в непосредственной близости.

— Как-нибудь справимся. А что касается работы, один из членов твоей команды обязательно будет погружаться с кем-то из нашей. Я тебе не доверяю.

— И так умело это скрываешь, — пробормотал Мэтью. — Прекрасно. Меня это устраивает. Мне нравится нырять с тобой, Тейт, ты приносишь удачу. — Он откинулся назад, уперся локтями в землю, уставился на звезды. — Давно я не плавал в теплых водах. Когда ныряешь в Северной Атлантике, быстро начинаешь ее ненавидеть.

— Тогда зачем ты там нырял?

Мэтью покосился на нее.

— По-моему, это личный вопрос.

Тейт отвернулась, проклиная себя.

— Да, но мной руководило профессиональное любопытство.

Ну, он вполне может удовлетворить ее профессиональное любопытство.

— За подъем с глубин металлолома платят большие деньги. На тот случай, если ты не слышала, детка, Вторая мировая война собрала большой урожай.

— Мне казалось, что единственный интересующий тебя металл — золото.

— Что угодно, лишь бы платили, милашка. А я чувствую, что это путешествие будет очень прибыльным. — Хотя изучение ее профиля приносило не только удовольствие, но и боль, он продолжил это занятие. — Ты в это не веришь?

— Не верю. Но папа не может отказаться от мечты. «Изабелла» и «Санта-Маргарита» заворожили его.

— И «Проклятие Анжелики».

— Да, как только он услышал о нем.

— Но ты больше не веришь в проклятия. И в магию. Образование вытравило из тебя веру в чудеса.

Мэтью сказал чистую правду, но почему-то ей было больно слышать это от него.

— Я верю, что амулет существует и находится на борту «Изабеллы». Цена колье складывается из его возраста, стоимости драгоценных камней и золота, а не из суеверий.

— В тебе ничего не осталось от русалки, Тейт, — тихо сказал Мэтью, еле удержавшись, чтобы не погладить ее волосы. — Раньше ты напоминала мне сказочное существо, для которого воздух и море — родная стихия. В твоих глазах было столько тайны, и казалось, что для тебя нет ничего невозможного.

Тейт задрожала, но не от резкого порыва ветра, и, защищаясь, заговорила с нарочитой холодностью:

— Не заговаривай мне зубы. Мы оба прекрасно знаем, что ты обо мне думал.

— Я думал, что ты прекрасна. И еще более недосягаема для меня, чем сейчас.

Тейт вскочила, ненавидя себя за то, что от такой наглой лжи ее пульс забился быстрее.

— Не сработает, Лэситер. Я отправляюсь в это путешествие не для твоего удовольствия. Мы — деловые партнеры. Пятьдесят на пятьдесят, раз так хочет мой отец.

— Ну разве не интересно? — прошептал он, затем медленно отставил бутылку и поднялся. Они стояли лицом к лицу. Он вдыхал аромат ее волос. Его пальцы пульсировали от воспоминания о прикосновениях к ее коже. — Я до сих пор возбуждаю тебя, не так ли?

Ей удалось изобразить легкое презрение.

— Твое самомнение находится там же, где и прежде: точно под «молнией» джинсов. Вот что я скажу тебе, Лэситер. Если мне станет скучно и захочется поразвлечься, я дам тебе знать. Не слишком надейся на это и постарайся не ставить себя в идиотское положение.

— Я совсем не чувствую себя идиотом, — ухмыльнулся он. — Мне просто любопытно. — Надеясь ослабить охватившее его напряжение, Мэтью снова сел. — Еще какие-нибудь правила, Рыжик?

Ей потребовалась целая минута, прежде чем она смогла доверять своему голосу.

— Если случится чудо и мы найдем «Изабеллу», я, как морской археолог, оценю и систематизирую все находки. Все до последнего гвоздя будет занесено в каталог.

— Прекрасно. Надо же как-то использовать твои ученые степени.

Тейт ощетинилась от явного пренебрежения ее достижениями.

— Двадцать процентов находок, которые я отберу сама, мы подарим правительству Сент-Китса и Невиса.

— Двадцать процентов — изрядный кусок, Рыжик.

— Прибавь немного славы к будущему богатству, Лэситер. В случае удачи, я начну переговоры с правительством о создании музея. Музея Бомонтов—Лэситеров. Если «Изабелла» так богата, как предполагается, ты выделишь десять процентов из своей доли и все равно сможешь не работать ни дня до конца своей жизни. И не будешь испытывать недостатка в пиве и креветках.

Мэтью снова ухмыльнулся.

— Все еще злишься из-за той шпаги? Твои условия мне не нравятся, но я не возражаю.

— Еще одно. Если мы все-таки найдем «Проклятие Анжелики», оно пойдет в музей.

Мэтью схватил бутылку и залпом осушил ее.

— Нет. Я выслушал все твои условия, Тейт. У меня же есть только одно — амулет мой.

— Твой? — Она бы рассмеялась, если бы не стиснула зубы от злости. — Ты имеешь на него столько же прав, сколько любой из нас. Его потенциальная стоимость огромна.

— Оценишь и вычтешь из моей доли. Но оно мое.

— Зачем оно тебе?

— Заплатить старый долг. — Мэтью поднялся, и, увидев выражение его лица, Тейт съежилась. — Я обмотаю им шею Ван Дайка и придушу его.

— Это глупо. — Ее голос дрогнул. — Это безумие.

— Это факт. И тебе придется смириться с ним, Тейт, потому что так оно и будет. — Мэт взял ее за подбородок, и она задрожала, но на этот раз не от его прикосновения, а от кровожадного блеска его глаз. — У тебя свои правила, у меня — свои.

— И ты ждешь, что мы будем наблюдать за тем, как ты планируешь убийство?

— Ничего я не жду. Просто надеюсь, что у тебя хватит ума не мешать мне. А теперь иди спать. У нас завтра тяжелый день.

Он растаял в тени деревьев, а Тейт обхватила себя руками, чтобы унять дрожь.

Не стоит обманывать себя. Мэтью не шутил. Он все еще полон жажды мести. Конечно, вряд ли они найдут «Изабеллу». И еще меньше шансов найти амулет...

Впервые в своей жизни, отправляясь в экспедицию, Тейт надеялась на неудачу.

ГЛАВА 16

Увлекшись подготовкой к путешествию, Тейт старалась не думать о его конечной цели и просто наслаждаться жизнью. Ей это почти удалось. Иногда даже казалось, что она вернулась на восемь лет назад.

Они покинули Хаттерас солнечным весенним утром. Прохладный бриз поднимал на море легкую зыбь. Тейт по настоянию отца первой встала за штурвал и повела яхту вокруг острова к океану. Вскоре и бывшая пиратская гавань, и пассажирский паром остались позади. Материк превратился в смутную тень, осталось лишь бескрайнее море.

— Как чувствуешь себя, шкипер?

Рэй встал позади дочери и обнял ее за плечи.

— Прекрасно. — Тейт подняла лицо к ветру, дующему в открытые окна. — Думаю, я слишком долго оставалась пассажиркой.

— Мы с твоей матерью часто уплывали куда глаза глядят на пару дней. Такое наслаждение! — Рэй вздохнул. — Но я уверен, что гораздо лучше плыть к выбранной цели. Я так давно мечтал об этом.

— А я думала, что ты забыл об «Изабелле». Я даже не представляла, как сильно ты хочешь найти ее.

— Я тоже не представлял. Правда. — Рэй по привычке проверил курс и с удовлетворением отметил, что ни дочь, ни яхта его не подвели. — Когда мы потеряли «Маргариту» и ты вернулась в колледж, я просто опустил руки. Мне было очень тяжело из-за Бака. Я чувствовал себя таким беспомощным. Они с Мэтью были в Чикаго, и Бак даже слышать обо мне не хотел.

— Я понимаю, — прошептала Тейт. — Вы так сдружились в то лето.

— Он потерял ногу. Я потерял друга. Все мы потеряли сокровища. Ни я, ни Бак не справились с потерями. Я не знал, что сказать, как поступить. Иногда я смотрел видеофильмы, которые Мариан сняла в те месяцы... смотрел и вспоминал. Иногда посылал письма. Мэтью и словом не обмолвился, насколько все плохо. Мы, может, никогда и не узнали бы, если бы не отправились во Флориду и не увидели все своими глазами.

Рэй покачал головой, вспомнив, какой испытал шок, когда увидел друга пьяным, ковыляющим вокруг вонючего трейлера среди мусорных куч.

— Мальчик должен был сообщить нам, в какой переплет попал.

— Мэтью? — Тейт в изумлении оглянулась. — Помоему, это Бак попал в беду. Мэтью должен был остаться и позаботиться о нем.

— Если бы он остался, то не смог бы помочь Баку. Он должен был работать, Тейт. Черт, деньги не приплывают с приливом. Ему, должно быть, понадобились годы, чтобы оплатить все медицинские счета. Я думаю, он до сих пор не расплатился за лечение дяди.

— Существуют разные социальные программы, пособия.

— Не для таких, как Мэтью. Он может попросить заем, но никогда — милостыню.

Тейт нахмурилась.

— Глупая гордыня.

— Гордость, — поправил Рэй. — И вот после того, как я увидел Бака, мысль об «Изабелле» снова стала точить меня.

Рэй устремил взгляд на горизонт, но Тейт показалось, что он видит что-то недоступное ей, что-то, о чем она забыла давным-давно.

— Папа, в том, что случилось, не было ничьей вины.

— Не в этом дело, милая, а в справедливости. Круг замкнулся. Я чувствую, что нам повезет. Это, конечно, нелогично.

— Не волнуйся о логике. — Тейт приподнялась на цыпочки и поцеловала отца. — Об этом позабочусь я.

— А твоя мама позаботится обо всем остальном. — Стряхнув грустные воспоминания, Рэй почувствовал прилив энтузиазма. — Мы отличная команда, Тейт.

— Мы всегда были отличной командой.

— «Русалка» с правого борта, — тихо сказал Рэй.

Тейт взглянула на «Русалку». Двойные корпуса разрезали воду, как алмазы — стекло. В отраженном солнечном свете окна рубки казались зеркальными, но Тейт удалось разглядеть Мэтью, стоящего у штурвала.

Мэтью подвел катамаран почти вплотную к «Новому приключению», и Тейт скорее почувствовала, чем увидела, его дерзкую улыбку.

— Похоже, он вызывает тебя на соревнование, — заметил Рэй.

— Неужели? Вызов принят. Ну, Лэситер, берегись, — пробормотала Тейт. Расставив ноги чуть шире, она обхватила рычаг и прибавила оборотов двигателя. Яхта рванулась вперед, оставив «Русалку» за кормой.

Тейт громко рассмеялась. «Новое приключение» — не прогулочная яхта, двенадцать узлов для нее не предел.

Она не удивилась, когда «Русалка» легко догнала ее, и снова прибавила оборотов. Как давно она не испытывала такого волнения, такого азарта!

Пятнадцать узлов! Тейт подождала, пока отставшая «Русалка» с явным трудом дотянулась носом до кормы «Нового приключения», запустила двигатель на полную мощность и захихикала... Она все еще самодовольно улыбалась, когда «Русалка» пулей пронеслась мимо.

К тому времени, как Тейт закрыла разинутый рот, Мэтью обогнал ее на пятьдесят футов. Под заразительный смех Мариан Тейт пришлось признать свое поражение.

Странно, но она не испытывала горечи. И даже когда Мэтью, описав широкую дугу, снова подвел «Русалку» к борту «Нового приключения», она не почувствовала себя оскорбленной.

Черт его побери, она не смогла не улыбнуться ему!

К вечеру третьего дня они бросили якоря во Фрипорте. Чтобы переждать шторм, компания решила организовать общий ужин на борту «Русалки».

К тому времени, когда от главного блюда — джамбалайи[1] с устрицами, приготовленной Ларю, не осталось ни крошки, Ларю с Мариан глубоко увязли в кулинар-

[1] Джамбалайя — блюдо, похожее на плов.

ных теориях, а Бак и Рэй, легко вернувшиеся к старым привычкам, горячо спорили о бейсболе.

Тейт, не интересовавшаяся ни кулинарией, ни бейсболом, оказалась лицом к лицу с Мэтью. Поскольку молчание могло быть воспринято как трусость, она решила завязать ни к чему не обязывающую беседу:

— Бак сказал, что ты сам спроектировал «Русалку».

— Да. Я сделал несколько проектов и в конце концов остановился на этом. Наверное, я всегда надеялся вернуться за «Изабеллой».

— Неужели? Почему?

— Потому что хотел хоть раз закончить то, что начал. А ты никогда не подумывала вернуться к поискам?

— Нет, — солгала Тейт. — Я была занята другими делами.

— Учебой. Слышал, что скоро ты станешь доктором. Тебе это пойдет.

Он заметил, что Тейт стала заплетать волосы в косу. Это тоже очень ей шло.

— Предстоит еще уйма работы.

— Ты здорово поработала для Смитсоновского института пару лет назад. — В ответ на ее удивленный взгляд Мэтью пожал плечами. — Рэй и Мариан держали меня в курсе. Они гордились твоими исследованиями какого-то древнего греческого корабля.

Он не стал уточнять, что купил журнал и дважды прочитал ее статью.

— Вряд ли это моя личная заслуга. Я была частью команды. Археологические исследования возглавлял Хейден Дил, мой университетский профессор, необычайно талантливый ученый. Я работала с ним на «Кочевнике» в своей последней экспедиции.

«Экспедиции Ван Дайка», — раздраженно подумал Мэт.

— И об этом я слышал. Колесный пароход.

— Правильно. Он затонул на слишком большой для аквалангистов глубине. — Поскольку профессиональный разговор казался безопасным, Тейт расслабилась. — Мы сняли потрясающий фильм о подводной флоре и фауне.

— Похоже, отлично повеселились.

— Это была научная экспедиция, а не увеселительная прогулка, — холодно возразила Тейт. — Команда состояла из лучших ученых. И, кроме научных открытий, — язвительно добавила она, — мы нашли золото. Вот это тебе ближе. Целое состояние в золотых монетах и слитках.

— Значит, Ван Дайк стал еще богаче.

«Он знает», — поняла Тейт и оцепенела.

— Это к делу не относится. Научная и историческая ценность перевешивает...

— Чушь собачья! Все махинации Ван Дайка относятся к делу, — вскипел Мэтью. «Неужели она настолько изменилась, что верит в бескорыстие подонка?»

— Тебе все равно, кто подписывает твой чек?

— «Морские исследования»...

— Ван Дайк владеет и «Трайдентом», и «Посейдоном», и «Морскими исследованиями». — Мэтью поднял стакан с красным вином и, презрительно улыбаясь, провозгласил тост: — Поздравляю с успехом! Уверен, что Ван Дайк удовлетворен твоей работой.

Несколько секунд Тейт смотрела на него, затаив дыхание. Ей было так больно, словно он ударил ее. Она помнила, как стояла перед Ван Дайком на палубе «Триумфатора», помнила свою ярость, и страх, и ужасное чувство потери.

Так и не найдя подходящих слов, она встала из-за стола и вышла на палубу. Тихо выругавшись, Мэтью оттолкнул тарелку и последовал за ней.

— Что такое, Тейт? Теперь ты просто уходишь, когда кто-то подносит зеркало к твоему лицу?

Она стояла, вцепившись в поручни, не обращая внимания на ливень.

— Я не знала.

— Так я и поверил.

— Я не знала, — повторила она. — Не знала, когда соглашалась. Если бы знала, то никогда бы... Я никогда не связалась бы ни с чем, имеющим отношение к Ван Дайку. Я даже не задумалась над тем, что стоит за моим назначением. — Если, узнав о Ван Дайке, она чувствовала гнев и возмущение, то сейчас просто сгорала от стыда. — Должна была знать.

— Почему? Ты ухватилась за предоставленный шанс. Это жизнь. — Мэт сунул руки в карманы, чтобы ненароком не коснуться ее. — Все нормально. Ты просто сделала свой выбор. И в любом случае Ван Дайк — не твоя головная боль.

— Как бы не так!

В приливе ярости Тейт резко повернулась к Мэту. Вдали загрохотал гром. Голубая молния расколола небо и отразилась в ее горящих глазах.

— Что бы ты ни думал, Мэтью, Ван Дайк — не твой личный демон. Он обокрал всех нас.

— И ты решила взять что-то у него. На «Кочевнике» ты заработала немного славы, немного денег, и какая разница, за чей счет?

— Будь ты проклят, Лэситер! Я же сказала, что не знала. Как только я выяснила, что это он включил меня в состав экспедиции, я собрала вещи и уехала.

— Хватит молоть чушь, Тейт. Я знаю, что Рэй позвонил тебе и рассказал о своих планах. Ты примчалась, чтобы спасти своих родителей от меня.

— Да пошел ты к черту! Я ничего не должна тебе доказывать. И мне не в чем оправдываться перед тобой. — «Только перед самой собой», — устало подумала она, откидывая с лица мокрые волосы. — Я думала, что меня рекомендовал Хейден.

Мэтью почувствовал легкий укол ревности.

— Твой любовник?

— Просто коллега, — процедила Тейт сквозь зубы. — Друг. Он сказал, что мое имя уже было в списке.

— Ну и что?

— Пошевели мозгами, Лэситер. Я сразу задала себе вопрос: зачем кто-то включил меня в список? Я решила это выяснить и выяснила. Меня выбрал Ван Дайк. Как ты думаешь, сколько на свете морских археологов по имени Тейт Бомонт?

Ситуация начала проясняться, и Мэтью почувствовал себя круглым дураком.

— Ну, я бы сказал, что один.

— Вот именно. — Тейт снова повернулась к Мэту спиной. — Он точно знал, кто я. И он хотел, чтобы я работала на «Кочевнике». Можешь мне не верить, но, когда папа позвонил, я уже покидала экспедицию.

Мэтью вздохнул, потер мокрое лицо.

— Я верю тебе. Может, я был слишком груб, но я никак не мог смириться с тем, что ты работала на него ради карьеры. — Тейт оглянулась и окинула его таким

ледяным взглядом, что он почувствовал себя полным ничтожеством. — Ну я же признал, что вел себя по-хамски. Я ошибся.

— Да, ты ошибся. — Теперь вздохнула она. А почему он должен доверять ей? Столько лет прошло. Они совсем не знают друг друга. — Но это неважно. Я рада, что мы устранили недоразумение. Мне неприятно признавать, что он использовал меня. И еще меньше нравится то, что он не выпускал меня из виду все эти годы.

Сам Мэтью до этого не додумался, а когда ее слова дошли до него, ярость вытеснила смутную ревность. Он схватил ее за плечи и едва не оторвал от палубы.

— Ван Дайк когда-нибудь связывался с тобой? Предпринимал что-нибудь?

— Нет. — Пытаясь сохранить равновесие, Тейт уперлась ладонями в его грудь. — Я не видела его с того дня, когда он угрожал пристрелить нас. Но он явно следил за мной. Моя первая после окончания университета экспедиция была организована «Посейдоном»... Господи, в скольких же его проектах я участвовала? Сколько дверей он открыл для меня и почему?

— Ну, на последний вопрос легко ответить. Он увидел твои возможности и решил их использовать. — Мэтью встряхнул ее. — Он не стал бы помогать тебе, если бы не был уверен, что ты и без него всего добьешься. Он не делает одолжений, Рыжик. Ты добилась всего сама благодаря своему уму и целеустремленности.

— Может быть. Но он всегда стоял за кулисами.

— Да. — Мэту пришло в голову, что, может, она не оттолкнет его, если он притянет ее к себе, но он не стал рисковать. Его руки легко соскользнули с ее плеч. — Мы должны еще кое-что обсудить.

— Что? — рассеянно спросила Тейт, борясь с охватившей ее дрожью. Его ласковое прикосновение всколыхнуло в ней столько воспоминаний.

— Если он знал, что ты была на «Кочевнике», то он знает, что ты бросила экспедицию. Он знает, что мы снова вместе, знает, куда мы собираемся.

— Что же нам делать?

— Победить его.

— Как? У него огромные средства и связи. Теперь он использует меня, чтобы добраться до тебя. Наш единственный шанс — сбить его со следа. Я должна вернуться на «Кочевник» или в любое другое место, где он сможет найти меня. Я даже могу пустить слушок, что ты увлек моих родителей в совершенно безнадежную авантюру на Мартинику. Я уведу его от вас.

— Нет. Мы будем держаться вместе.

— Мэтью, я предлагаю единственно разумный выход. Если он ценит меня как ученого, то обязательно поверит. Раз я не заинтересовалась этой экспедицией, то она действительно бессмысленна, и он оставит тебя в покое.

— Мы будем держаться вместе, — повторил Мэт. — И мы победим его вместе. Мы нужны друг другу, Тейт.

Он взял ее за руку и потянул за собой.

— Куда мы идем?

— На мостик. Я хочу тебе кое-что показать.

— Надо рассказать остальным. Решение должно быть общим.

— Решение принято.

— Ты здесь не главный, Лэситер.

Они бегом поднялись на мостик, Мэтью захлопнул дверь ногой, схватил с вешалки куртку и кинул ей.

— Если собираешься отправиться в одиночное плавание, то ты вовсе не такая умная, какой кажешься. Надевай. Ты вся дрожишь.

— От злости, — пояснила Тейт, но натянула ветровку. — Я не хочу быть слепым орудием в руках Ван Дайка. Не хочу, чтобы ты пострадал.

Мэтью, уже наливавший себе бренди, замер.

— Не думал, что тебя беспокоит моя судьба.

Тейт гордо вскинула голову.

— Я охотно разделалась бы с тобой по собственной инициативе.

Мэт улыбнулся и протянул ей пузатый стакан с бренди.

— Ты всегда потрясающе выглядишь мокрой, особенно когда возмущаешься. Как сейчас. Я понимаю, Рыжик, ты с удовольствием разрезала бы меня на кусочки и скормила рыбам, но уверен, что ты подождешь, пока работа не будет закончена.

Тейт пригубила бренди и улыбнулась.

— Я не стала бы кормить тобой рыб, Лэситер. Я их для этого слишком уважаю.

Мэтью засмеялся и легонько дернул ее за косу.

— Тейт, знаешь, что у тебя есть, кроме отличных мозгов, упрямого подбородка и непоколебимой преданности?

Она безразлично пожала плечами и отвернулась к бушевавшему за окнами дождю.

— Прямота, — прошептал Мэт. — Тебе идет.

Тейт закрыла глаза. Каким-то образом он до сих пор умудрялся обойти все ее укрепления и найти путь к ее сердцу.

— Неужели ты мне льстишь, Мэтью?

— Это не лесть, я говорю, что думаю. И задаю себе вопрос, сохранила ли ты то необыкновенное чувство сострадания, которое делало тебя особенной?

— Я никогда не была особенной для тебя.

— Была. — Безразличным пожатием плеч он постарался замаскировать болезненную правду. — Если бы не была, то не покинула бы Сент-Китс девственницей.

Ее щеки вспыхнули.

— Самовлюбленный ублюдок!

— Факт остается фактом, — возразил Мэтью, удовлетворенный тем, что отвлек ее от мыслей о Ван Дайке, и, отставив стакан бренди, наклонился к шкафчику под угловым диваном. — Подожди, — кротко попросил он, когда она направилась к двери. — Это тебя точно заинтересует. И поверь мне... — Он оглянулся через плечо. — Я не собираюсь соблазнять тебя. По крайней мере не сейчас.

Пальцы Тейт крепче сжали стакан. Как жаль, что осталось всего несколько капель, не то она вылила бы бренди ему на голову.

— Лэситер, у тебя столько же шансов соблазнить меня, сколько у вонючего скунса стать моей любимой собачкой. И у тебя нет ничего, что я захотела бы увидеть.

— Несколько страниц из дневника Анжелики Монуар.

Тейт, уже положив ладонь на ручку двери, остановилась как вкопанная.

— Анжелики Монуар? *Той* Анжелики?

— Оригинал дневника у Ван Дайка. Он нашел его лет двадцать назад через потомков служанки Анжелики и заказал перевод. — Мэтью вынул из шкафчика металлическую коробку и выпрямился. — Предполагается, что Ван Дайки — дальние родственники свекра Анжелики, вот почему Сайлас считает амулет своей собственностью.

Мэтью сел и положил коробку на колени.

— Сайласу льстит, что он потомок графа, пусть даже с сомнительной репутацией. По его словам, граф вернул себе амулет. Правда, для этого пришлось убить служанку, но, в конце концов, она была всего лишь служанкой. Год спустя он умер мучительной смертью — похоже, от сифилиса.

Тейт облизнула пересохшие губы.

— Если ты все это знал, то почему не рассказал нам раньше?

— Я знал не все. Отец поделился с Баком, а Бак держал язык за зубами и не показывал мне бумаги. Я наткнулся на них только пару лет назад, когда засунул Бака в клинику для алкоголиков и стал разгребать трейлер. Бак молчал из страха перед проклятием. — Не сводя глаз с Тейт, Мэтью забарабанил пальцем по коробке. — Как я понимаю, Ван Дайк слишком много рассказал моему отцу. Видимо, он решил, что вот-вот найдет амулет, и захотел похвастаться, рассказал, как выследил «Проклятие Анжелики» через семью графа. Некоторые его потомки умерли молодыми насильственной смертью. Те, кто дожил до старости, влачили жалкое существование. Амулет был продан, и начались его странствия.

— Как твой отец скопировал страницы дневника?

— Судя по его заметкам, он не доверял Ван Дайку. Он решил провести самостоятельное расследование, и это ему удалось, когда зимой пришлось сделать передышку в погружениях. Должно быть, именно тогда он наткнулся на упоминание о «Изабелле», так как стал зашифровывать свои записи. Это все мои домыслы, Тейт. Он многим не делился со мной. Черт побери, ничем он со мной не делился! Теперь, пытаясь собрать все факты, я на самом деле пытаюсь понять, каким был он. Я даже не уверен, что знал его.

— Мэтью, — Тейт села рядом с ним и накрыла его руку ладонью, — ты был мальчишкой. Ты не должен винить себя за то, что плохо знал его.

Мэтью опустил взгляд на их руки: ее — узкую и белую, свою — большую, грубую, покрытую шрамами. Хорошая иллюстрация. Не хуже, чем все остальное, показывает, какая между ними пропасть.

— Я не знал планов отца, только чувствовал: что-то происходит. Я не хотел, чтобы он нырял с Ван Дайком в тот день, потому что слышал, как они спорили накануне. Я просил его не нырять или хотя бы позволить мне спуститься с ним, а он только рассмеялся... — Мэтью замотал головой, словно пытаясь стряхнуть воспоминания. — Да, я не ответил на твой вопрос. Очевидно, отец обыскал каюту Ван Дайка, нашел дневник и скопировал самые важные страницы. Думаю, из-за этого они и спорили.

— Мэтью, почему ты рассказываешь это мне? Зачем возвращаешься к тому, что уже нельзя изменить?

— Потому что ты не останешься, если я просто попрошу тебя.

Тейт убрала руку.

— Значит, играешь на моем сострадании?

— Нет. Излагаю факты. Ты не веришь, что мы найдем «Изабеллу»? — Он внимательно смотрел ей в глаза, оценивая ее реакцию. — Ты уверена в том, что мы не найдем амулет, а если и найдем, для тебя это будет всего лишь ценное старинное украшение.

— Правильно. И все, что ты рассказал, меня не переубедило. Я понимаю, почему тебе хочется верить, но это не меняет фактов.

— Мы охотимся не за фактами, Тейт. — Мэтью открыл коробку и вручил ей страницы, исписанные мелким почерком. — Если ты забыла об этом, то, может быть, прочитав дневник Анжелики, вспомнишь.

«Октябрь, 9. 1553

Утром меня убьют. У меня осталась всего одна ночь на земле, и я проведу ее в одиночестве. Они забрали даже мою дорогую Колетт. И к лучшему. Ни ее рыдания, ни молитвы, чистые и бескорыстные, не помогли бы мне, а она лишь зря страдала бы в этом подземелье, дожидаясь зари. За долгие шесть недель, прошедшие со смерти Этьена, я научилась жить в одиночестве. Я потеряла не только самого близкого друга, мою любовь, мое счастье, но и защитника.

Они сказали, что я отравила его, опоила своим колдовским зельем. Какие дураки! Я отдала бы за него жизнь. Что я и делаю. Я не смогла излечить его. Болезнь вспыхнула так неожиданно. Ни настойками, ни молитвами я не смогла отвратить смерть. И меня, его жену, они обвинили и осудили. Меня, ту, что лечила болезни всех жителей деревни, осудили как убийцу и колдунью. Все, чьи страдания я облегчала, поливали меня бранью, как волки, воющие на луну, и требовали моей смерти.

Их направляет граф, отец Этьена. Он ненавидит и желает меня. Следит ли он сейчас из окна своего замка, как воздвигают костер, который станет моим смертным

ложем? Я уверена, что да. Я отчетливо представляю, как злобно сверкают его глаза, как сплетаются в молитве его алчные пальцы. О, я сгорю завтра, но он будет гореть вечно! Небольшое, но все же утешение.

Если бы я уступила, если бы предала Этьена — пусть даже после его смерти — и легла в постель его отца, может, я осталась бы жива. Так граф обещал мне. Но я с радостью предпочла пытки их проклятого христианского суда.

Я слышу, как смеются мои тюремщики. Предвкушение моей казни пьянит их. Но когда они входят в мою темницу, они не смеются. Их глаза горят страхом, их дрожащие пальцы складываются в оберегающие от колдовства знаки. Только невежи и дураки могут верить, что эти жалкие жесты в силах остановить истинное могущество.

Они отрезали мои волосы. Этьен часто называл их ангельским огнем и любил расчесывать. Даже этой последней гордости они лишили меня. Мое исхудавшее тело покрыто ранами от безжалостных пыток. Только на эту ночь они оставили меня в покое. И в этом их ошибка.

Тело мое слабеет, но душа становится сильнее. Скоро я буду с Этьеном. Я больше не рыдаю при мысли о том, что покину этот ставший таким жестоким мир, мир, который прикрывает божьим именем пытки, проклятия и убийства. Я смело встречу пламя, и, клянусь душой Этьена, я не буду молить безжалостных о пощаде и не буду взывать к богу.

Колетт тайком принесла мне колье. Конечно, мои палачи найдут и отберут его. Но этой ночью оно со мной, тяжелая золотая цепь с яркой рубиновой слезой, на которой выгравированы наши с Этьеном имена. Я смотрю на сверкающие рубины и бриллианты. Кровь и слезы. Я чувствую близость Этьена, вижу его лицо.

И я проклинаю всех, кто убил нас, кто убьет ребенка, который шевелится во мне и о котором знаем только я и Колетт. Ребенка, который никогда не узнает жизнь с ее радостями и горестями.

Ради Этьена и нашего ребенка я призываю на помощь все высшие силы. Пусть те, кто проклял меня, страдают так, как страдали мы. Пусть те, кто лишил меня всего, никогда не узнают счастья. Я проклинаю тех, кто заберет мой амулет — эту последнюю связь между мной и моей любовью. Я молю все силы рая и ада: пусть несчастья падут на голову того, кто заберет последний дар Этьена! Пусть вор потеряет самое ценное, самое дорогое. Я оставляю в наследство своим убийцам и их потомкам горе и страдания.

Завтра они сожгут меня, как колдунью. Я молюсь, чтобы они оказались правы, чтобы моя власть, как и моя любовь, длилась вечно.

Анжелика Монуар».

Не в силах вымолвить ни слова, Тейт вернула Мэтью страницы, поднялась и подошла к окну. Дождь утих, лишь тяжело падали отдельные крупные капли.

— Она была так одинока, — наконец прошептала Тейт, не в силах сдержать слезы. — Она ждала в жутком подземелье ужасной смерти, оплакивала мужчину, которого любила, и ребенка, который так и не увидел свет. Неудивительно, что она молила о возмездии.

— Но услышаны ли ее мольбы?

Тейт покачала головой. Слова, написанные так давно, разрывали ее сердце, однако, когда Мэтью подошел и положил ладонь на ее влажную щеку, она отшатнулась и увидела, как потухли его глаза.

— Не надо. Я давно перестала верить в магию, и в черную, и в белую. Колье было бесконечно дорого Анжелике как связь с любимым. Проклятие — совсем другое дело.

— Забавно. Я думал, что исследователь прошлого должен обладать более богатым воображением. Разве, беря в руки старинную вещь, ты никогда не чувствовала ее силы? Ее власти?

Чувствовала. Но не собиралась в этом признаваться.

— Считай, что убедил меня. Я останусь с тобой. Мы вместе победим Ван Дайка. Мы сделаем все, что в наших силах, чтобы амулет не достался ему.

— Такой ответ я и хотел услышать. Я бы предложил скрепить наш договор рукопожатием, но ты же не хочешь, чтобы я касался тебя.

— Не хочу. — Тейт попыталась обойти Мэта, но он загородил дорогу. Она окинула его холодным взглядом. — Мэтью, давай не будем ставить друг друга в дурацкое положение.

— Когда начнем нырять, тебе придется терпеть меня.

— Я переживу. Не наседай.

Тейт направилась к двери, стянула на ходу ветровку, повесила ее на крючок.

— Спасибо за то, что показал мне эти бумаги, Мэтью. Теперь у меня действительно больше фактов.

— Мы партнеры.

Она оглянулась. Странно, каким одиноким он выглядит на фоне штурвала и бескрайнего моря.

— Похоже на то. Спокойной ночи.

ГЛАВА 17

Сайлас Ван Дайк оттолкнул последние отчеты и приказал подать ленч в патио с видом на море. Может, красота природы сгладит острое чувство разочарования...

Внизу грохотали разбивающиеся об утесы волны. Из динамиков, спрятанных в пышной зелени тропических садов, лилась музыка Шопена. Ван Дайк закусывал шампанское сочным фруктовым салатом и думал о любовнице, которая вскоре вернется из набега на магазины. Она охотно развлечет его сексом, но... он не в настроении.

«Я спокоен, — убеждал себя Сайлас. — Я по-прежнему все контролирую. Я просто разочарован».

Тейт Бомонт предала его, и это после всего, что он для нее сделал! Он следил за ее карьерой, как за своими великолепными цветами. Словно любящий дядюшка, он способствовал ее успехам. Анонимно, конечно. Он не ждал благодарности. Только преданности.

Триумф «Кочевника» стремительно вознес бы ее на вершину карьеры. С ее внешностью, с ее энтузиазмом, с ее молодостью она оставила бы далеко позади даже таких уважаемых ученых, как Хейден Дил. И тогда он вышел бы из тени и предложил бы ей весь мир.

Тейт возглавляла бы его экспедиции. В ее распоряжении были бы лучшие лаборатории и современнейшее оборудование. Она отправилась бы с ним на поиски «Проклятия Анжелики». Еще в тот далекий день, когда она стояла перед ним на палубе «Триумфатора», он понял, что именно она — связующее звено между ним и могущественным амулетом, знак, ниспосланный ему свыше, и терпеливо ждал подходящего момента.

Сайлас не сомневался, что с Тейт Бомонт добился бы небывалых успехов... но она предала его.

Его зубы сжались, ногти впились в ладони, тело покрылось испариной, перед глазами поплыли красные круги. Он отшвырнул хрустальный бокал, перевернул столик. Фарфор, серебро, фрукты разлетелись по мраморным плитам.

Возмездие! Ее ждет возмездие. Измена — преступление, караемое смертью. Тейт заплатит и за измену, и за то, что вступила в союз с его врагами.

Ван Дайк заметался по патио, срывая с куста кремовые розы, раздирая их в клочья.

Они думают, что обхитрили его? Они ошибаются. Тейт ошибается. Она в долгу перед ним, и она вернет долг. Уж он об этом позаботится.

Нечеловеческим усилием воли Ван Дайк поборол кипевшую в нем ярость и, задыхаясь, уставился на осколки драгоценного сервиза и месиво, в которое превратился изысканный ленч.

Неужели это он все сокрушил? Он не помнил ничего, кроме окутавшего его черного облака.

Опять провал памяти, в панике думал он. Сколько времени длился припадок? Сайлас с отчаянием посмотрел на часы, но не смог вспомнить, когда потерял самообладание.

Неважно. Слуги промолчат. Слуги подумают только то, что он прикажет им думать. В любом случае не он устроил этот разгром, а они. Лэситеры. Бомонты. Он просто отреагировал, может, слишком остро. Но он взял себя в руки. Как всегда. Так было и так будет.

Голова раскалывается, ладони, исцарапанные собственными ногтями и розовыми шипами, горят, но он владеет собой. Он даст им время. Он не станет карать их немедленно. А потом он их уничтожит. Уничтожит всех до одного.

Главное — не терять самообладания. Его родители проиграли это сражение. Его отец не мог контролировать его мать. Его мать не могла контролировать себя. Он научился сдерживать свои страсти... но способность к самоконтролю все чаще ускользывает от него, все чаще его охватывает страх, как в детстве, когда казалось, что в шкафах прячутся чудовища. Чудовища. О, они были там, они и сейчас повсюду. Подстерегают в темноте, подкрадываются... Сайлас с трудом удержался, чтобы не оглядеться.

Он теряет контроль, за который боролся так долго!

«Проклятие Анжелики» — вот решение всех его проблем, его судьба. Ведьма вложила в колье свою душу. Почему он раньше сомневался в этом? Почему считал колье всего лишь драгоценной безделушкой? С амулетом он станет сильным, бесстрашным, могущественным.

Сайлас вынул из кармана тонкий льняной платок и вытер лицо, затем сорвал еще один цветок, но уже осторожно и ласково погладил нежные лепестки, наслаждаясь вновь обретенным покоем.

Амулет — его судьба и его спасение. Амулет избавит его от неудач. Амулет вырвет его из черного леденящего мира слепой ярости.

Анжелика вложила свою душу в металл и камни. Анжелика дразнила его годами, манила и не давала приблизиться. Ну, он победит ее, как победил ее его давно умерший предок. Он умеет побеждать.

А что касается Тейт... Сайлас смял цветок, оборвал лепестки... Она сделала свой выбор.

Вест-Индия. Ласковые лазурные воды и тропические острова, утопающие в пышной зелени. Отвесные скалы и белый песок, сверкающий на солнце. Величественные пальмы, колышущиеся на ветру. Именно так многие представляют себе рай, и Тейт не была исключением.

Она вышла на палубу, освещенную первыми лучами восходящего солнца. Вершина спящего вулкана Невиса скрывалась в утреннем тумане. Сады и коттеджи недавно построенного прибрежного отеля словно замерли. Ничто не шевелилось вокруг, кроме неугомонных чаек.

Тейт решила попозже прогуляться по острову и заглянуть в сувенирные лавочки, а сейчас, пока все еще спят, она с удовольствием поплавает в одиночестве.

Окунувшись с головой в приятно освежающую прохладную воду, она вынырнула и медленно поплыла вокруг яхты. Ее довольный вздох закончился испуганным визгом, когда что-то вцепилось в ее ногу и потянуло вниз. Тейт забарахталась, вынырнула, отплевываясь, и с негодованием уставилась в весело сверкающие за маской глаза Мэтью.

— Прости, не смог удержаться. Представляешь, плыву себе спокойненько и вдруг вижу болтающиеся в воде ноги. У тебя потрясающие ноги, Рыжик. От кончиков пальцев до самой...

— Море такое большое, Мэтью, — холодно перебила Тейт. — Порезвись где-нибудь в другом месте.

— Почему бы тебе не надеть маску и не поплавать со мной? У меня в кармане плавок есть мешочек с крекерами. — Он протянул руку и отвел с ее лица прядь мокрых волос. — Не хочешь покормить рыб?

Хотела бы, но только если бы первая об этом подумала.

— Нет.

Довольная своим непреклонным ответом, Тейт поплыла прочь.

Мэт нырнул и снова оказался перед ней.

— Раньше ты была веселой.

— Раньше ты не был таким надоедливым.

Он поплыл рядом, приноравливаясь к ее темпу.

— Ты столько времени проводила с компьютерами и роботами, что просто боишься нырять.

— Не боюсь. Я ныряю так же хорошо, как раньше.

— Тебе нужна практика.

— Не нужна.

— Докажи!

Провокатор! Тейт обругала себя, обругала его, но в конце концов подтянулась на палубу и отправилась за маской и трубкой. Мэтью, конечно, кретин, но знает, на какие кнопки нажимать, думала она, снова прыгая в воду.

Мэтью стрелой промчался мимо, развернулся, чуть не столкнувшись с ней масками, ухмыляясь, показал вниз и в ту же секунду, словно нож в масло, вонзился в толщу воды. Тейт вдохнула поглубже, метнулась за ним... и мгновенно забыла о своем возмущении.

Господи, как же давно она не плавала ради удовольствия! Вот он мир, вечно живущий в ее сердце. Развеваемые течением водоросли, прозрачная вода, песчаные равнины и — когда Мэтью разбросал измельченные крекеры — стайки рыбешек. Переливающиеся всеми цветами радуги, они кружили, жадно раскрывая рты и заглатывая крошки. Одна-две с любопытством заглянули в ее маску, но тут же вновь вступили в состязание за пищу... Боль в легких разрушила ее мечтательное настроение. Тейт вынырнула, продула трубку, глотнула побольше воздуха и снова вернулась в волшебный мир.

Только через час она стянула маску и лениво поплыла на спине.

— Может, ты и не потеряла навыки, — заметил Мэтью.

— Я не все время проводила в лаборатории.

Поскольку ее глаза были закрыты, Мэтью доставил себе удовольствие: погрузил пальцы в ее шелковистые волосы, плывущие по воде.

— Ты не заглядывала к нам в Сан-Хуане.

— Я была занята.

Но она видела его. Он учил Ларю нырять с аквалангом.

— Диссертацией?

— Правильно. — Тейт подняла руку, и их пальцы столкнулись.

— Прости. О чем твоя диссертация?

Тейт отплыла на несколько дюймов.

— Тебе будет неинтересно.

Мэтью помолчал с минуту, пытаясь справиться с глубокой обидой.

— Возможно, ты права. — Что-то в его тоне заставило Тейт повернуться к нему и открыть глаза. — Я с трудом сдал школьные экзамены. Что я понимаю в диссертациях?

— Я совсем не это хотела сказать. — Пристыженная, она схватила его за руку. — Просто вряд ли тебе интересно нудное описание того, что ты сам уже сто раз делал. И потом я еще не решила окончательно. — Тейт снова перевернулась на спину и закрыла глаза. — Пока я сравниваю историческую и материальную ценность артефактов. А может, я вернусь к своей первоначальной идее о том, как достижения науки и техники способствуют развитию морской археологии и обезличивают ее. Или...

Тейт открыла один глаз.

— Теперь ты понимаешь, почему я не пришла в восторг, когда ты спросил меня?

— Понимаю. Ты еще не приняла решение. А куда спешить?

— Я думала, есть куда.

Как она могла объяснить ему, что все эти годы словно мчалась по «бегущей дорожке» и вдруг совершенно импульсивно соскочила... и еще не почувствовала твердой почвы под ногами... и понятия не имеет, как вернуться, когда придет время!

Мэтью провел пальцем между ее бровями.

— Когда ты пытаешься перехитрить себя, всегда появляется эта морщинка.

Тейт отбросила его руку.

— Отстань, Лэситер. Не мешай мне переживать профессиональный кризис.

— Мне кажется, пора снова поучить тебя расслабляться.

Он накрыл ее лицо ладонью и толкнул.

Тейт пошла ко дну, успев утянуть его с собой, затем вынырнула и глотнула бы воздуха, если бы не хихикала. Мэтью перехватил ее за лодыжку. Она лягнула его свободной ногой, с удовлетворением отметила, что попала в цель, и обмякла. Как только его хватка ослабла, Тейт еще раз лягнула его и бросилась к яхте, но то ли он стал плавать быстрее, то ли она — медленнее, но она успела сделать лишь пару гребков... Когда ей удалось снова выбраться на поверхность, сил совсем уже не осталось.

— Ты меня топишь.

— Я тебя спасаю, — поправил Мэтью. Действительно, он одной рукой обнимал ее за талию, другой поддерживал их на плаву, а его ноги... его ноги сплелись с ее ногами.

— Может, я и вправду потеряла форму.

— Мне так не кажется.

Тейт перестала улыбаться, осознав, что цепляется за него, прижимается к его почти обнаженному телу. Только сейчас она прочитала желание в его глазах, почувствовала, как откликается ее собственное тело.

— Мэтью, отпусти меня.

Она побледнела и вся дрожала, но Мэт знал, что не от страха. Когда-то он часто видел ее такой... когда в ней вспыхивало желание.

— Я слышу, как стучит твое сердце, Тейт.

— Я сказала...

Мэтью вытянул шею и легко куснул ее нижнюю губу, увидел, как затуманились ее глаза.

— Ну, давай. Повтори.

Но он не дал ей ни одного шанса. Его губы уже покусывали и мяли ее губы, соблазняя, увлекая. Поцелуй становился все более глубоким и опасным.

Господи! Он упивался ею и страдал одновременно. Она была всем, что он помнил, всем, что пытался забыть. И больше. Они ушли под воду, вырвались на поверхность, все еще сплетенные друг с другом, но Мэтью знал, что не море утопит его, а отчаянное и бескрайнее желание, ее вкус, ее аромат, ее вздох, полный наслаждения и замешательства... словно и не было долгих восьми лет между прошлым и настоящим.

— Нет!

Ей удалось выдохнуть одно-единственное слово, прежде чем Мэтью снова впился в ее губы и голова ее снова пошла кругом. Тейт физически ощущала, как ускользает ее воля, и боролась не только с ним, но и с самой собой.

— Я сказала «нет».

— Я слышал. — Мэтью вел свою собственную войну. Он хотел Тейт и по ее реакции знал, что может ею овладеть. Он нуждался в ней и читал не менее сильное желание в ее затуманенных глазах. Если бы речь шла только о желаниях, сражение закончилось бы очень быстро.

Но он любил ее. И остался истекающей кровью жертвой на поле битвы.

— Я не один участвовал в этом, Тейт, но если предпочитаешь винить меня — ради бога.

— Ничего я не предпочитаю. Отпусти меня!

Он уже отпустил и потому сложил губы в некое подобие улыбки.

— Это ты меня держишь, дорогуша.

Он поднял руки, помахал ими.

Выругавшись, Тейт отпустила его.

— Я знаю, это затасканное выражение, но история не повторится, Лэситер. Мы работаем вместе, мы ныряем вместе. Это все, что мы делаем вместе.

— Твой выбор, Рыжик. Как всегда.

— Значит, не будет никаких проблем.

— Никаких проблем. — Мэтью откинулся на спину и лениво заработал руками. — Если тебя не волнует тот факт, что ты не сможешь сопротивляться мне.

— Еще как смогу! — крикнула Тейт ему вслед, но морщинка, снова появившаяся между ее бровями, пролила бальзам на его раны.

Тейт окунула голову в прохладную воду, затем, что-то бормоча, поплыла в противоположную сторону.

Мэтью сунул пачку листов под нос Ларю.

— Ты не начнешь работать под водой, пока не сдашь письменный экзамен.

— Я не школьник.

— Ты практикант. Я твой инструктор. Сдашь экзамен — будешь нырять. Провалишься — с палубы ни ногой. Первая часть — идентификация снаряжения. Ты помнишь, зачем нужен регулятор?

— Для подачи воздуха из баллона аквалангисту. — Ларю оттолкнул бумаги. — Ну и что?

Мэтью подвинул бумаги обратно.

— Из чего он состоит?

— Он состоит, состоит... — Ларю насупился и выдернул из кармана кисет. — Ах да, загубник, шланг и, как его там, вентиль, что ли?

— Расскажи про вентиль.

— Он позволяет уменьшать давление. Зачем ты меня мучаешь этими глупостями?

— Ты не будешь нырять, пока досконально не изучишь снаряжение. — Мэтью сунул Ларю остро отточенный карандаш. — Можешь не спешить, но помни: ты не будешь нырять, пока все не выучишь. Бак, помоги мне на палубе.

— Да-да, сейчас.

Ларю бросил взгляд на удаляющуюся спину Мэтью и зашептал:

— Бак, что такое закон Бойля?

— Когда давление...

— Не жульничать! — крикнул Мэтью. — Бак, уж от тебя я этого не ожидал.

— Прости, Ларю, ты уж сам давай. — Пристыженный, Бак вышел за Мэтью на палубу. — Я просто хотел чуть-чуть намекнуть.

— А кто ему намекнет в сорока футах под водой?

— Ты прав... но ведь у него хорошо получается, так? Ты сам говорил, что он способный.

— Там внизу он плавает как рыба, — подтвердил Мэтью. — Но никаких поблажек.

Мэтью надел гидрокостюм, в последний раз проверил снаряжение, и Бак помог ему закинуть на спину баллоны.

— Мы ненадолго, просто посмотрим, — заметил Мэтью, застегнув грузовой ремень и опустившись на палубу, чтобы надеть ласты.

— Ага.

Бросив якорь над останками «Маргариты», они старались не обсуждать ни прошлую экспедицию, ни ее страшный конец.

— Тейт хочет пофотографировать, — добавил Мэтью, чтобы не озвучивать то, о чем думал каждый из них: что же оставил Ван Дайк?

— Конечно. Она всегда отлично фотографировала. Малышка здорово похорошела, правда?

— Правда. Смотри тут, не подсказывай Ларю.

— Ни в коем случае. Даже если он будет умолять на коленях. — Когда Мэтью надел маску, лицо Бака вытянулось. — Мэтью...

Мэтью оглянулся, увидел панический страх в глазах Бака, но сделал вид, что ничего не заметил.

— Что?

— Ничего. — Бак вытер губы, сглотнул, постарался отключиться от страшных образов, вспыхнувших в мозгу. — Счастливого плавания.

Коротко кивнув, Мэтью соскользнул в воду. Ему хотелось бы погрузиться сразу, затеряться в одиночестве и безмолвии, но надо было плыть к «Новому приключению».

— Эй, на корабле, готовы?

— Почти, — откликнулся Рэй, подойдя к поручням. — Тейт проверяет свою камеру. — Он поднял руку и, улыбаясь, помахал Баку. — Как он?

— Справится. — Вот уж чего Мэтью точно не хотел, так это обсуждать дядины страхи. И ему не терпелось начать. — Эй, Рыжик, хватит возиться! Зря тратим утро.

— Иду.

Ее голова мелькнула и исчезла. «Надевает ласты», — подумал Мэтью.

Через пару секунд Тейт изящно спрыгнула с палубы и сразу пошла на погружение. Мэтью последовал за ней, в то же мгновение их догнал Рэй.

Они спускались втроем, почти касаясь друг друга...

Воспоминания нахлынули внезапно, незваные, непрошеные. Мэтью не ожидал ничего подобного. Все, что случилось в то лето, замелькало перед его мысленным взором ясно и отчетливо. Он вспомнил, как Тейт в первый раз смотрела на него. Настороженно, подозрительно. Вспомнил гнев и возмущение, сверкавшие в ее глазах.

Он вспомнил, как мгновенно увлекся ею, как не мог, да и не старался подавить это влечение. Вспомнил их соперничество, не ослабевавшее, сколько бы они ни работали вместе. Вспомнил их восторг, когда они нашли затонувшее судно. Пока они приближались к «Санта-Маргарите», он вновь пережил все: влюбленность, удовольствие от совместной работы, радость открытия, рождение самой смелой мечты, острую боль потери и крушения надежд...

Ван Дайк не оставил ничего. Мэтью сразу понял, что нет смысла спускать пневмонасос. Пустая трата времени. Ничего ценного здесь уже не найти. Даже корпус был разодран в поисках последнего дублона.

«При тщательных раскопках «Маргариту» можно было бы спасти, а теперь она просто корм червям», — грустно подумал Мэтью, но, взглянув на Тейт, понял, что его смутные сожаления не идут ни в какое сравнение с ее чувствами.

Потрясенная, она смотрела широко раскрытыми глазами на разбросанные доски, даже не пытаясь справиться со своим горем.

Ван Дайк убил «Маргариту», думала Тейт. Он не ограничился насилием, он ее уничтожил. Из-за жадности одного-единственного человека никто никогда не увидит, какой она была.

Тейт стряхнула с плеча руку Мэтью и подняла камеру. Она разрыдалась бы, но какой толк от ее слез? Она может сделать лишь одно — зафиксировать смерть. Смерть среди вечной красоты, которая сейчас не трогала ее сердце.

«Маргарита» уничтожена и забыта, точно как любовь, которую она когда-то предложила Мэту. Пора похоронить прошлое и начать все заново...

Они поднялись на поверхность, и первое, что увиде-

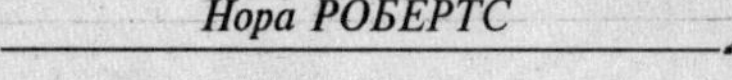

ла Тейт, было бледное, встревоженное лицо Бака, перегнувшегося через поручни.

— Все в порядке?

— Все прекрасно, — уверила она и, поскольку «Русалка» была ближе, выбралась на палубу, затем повернулась и помахала матери, снимавшей их на видео с «Нового приключения». — Все, как мы и ожидали.

— Ублюдок разбил ее вдребезги, так?

— Да.

На палубу вскарабкался Мэтью.

— Рэй хочет отойти чуть дальше к югу. — Он снял маску, пригладил волосы. — Можешь остаться здесь, Тейт, ведь это не займет много времени, правда, Бак?

Кивнув, Бак поднялся в рубку, запустил двигатель.

— Оптимальный вариант — несколько разведочных погружений. — Расстегнув «молнию» костюма, Мэтью опустился на палубу рядом с Тейт. — Может, нам повезет.

— Предчувствуешь удачу, Лэситер?

— Нет. — Он закрыл глаза. — «Маргарита» и для меня кое-что значила.

— Славу и богатство?

Эти слова резанули снова, но не так сильно, как тон, которым были произнесены. Мэтью бросил на Тейт взгляд, полный боли и гнева, вскочил и направился к мостику.

Тейт бросилась за ним.

— Мэтью, прости.

— Забудь.

— Нет. — Тейт схватила его за руку. — Мне очень жаль. Горько смотреть на то, что от нее осталось, и вспоминать. Самое легкое — сорвать зло на тебе, но это не помогает.

В бессильной ярости Мэтью так вцепился в поручни, что суставы его пальцев побелели.

— Я мог остановить Ван Дайка. Бак так думает.

— Бака там не было. — Тейт взяла его за плечо и заставила оглянуться. Странно. Она не думала, что он станет винить себя. Не думала, что в его холодном сердце есть место для чувства вины. — Никто из нас ничего не мог сделать. Копание в прошлом ничему не поможет и ничего не изменит.

— Мы говорим не только о «Маргарите»?

Тейт хотела бы отмахнуться от его слов, но уклоняться глупо, а она надеялась, что излечилась от глупости.

— Да, не только.

— Я был не таким, каким ты хотела меня видеть, и я обидел тебя. Это я тоже не могу изменить.

— Я была молода. Увлечения проходят. — Тейт не заметила, как опустила руку, как сплелись их пальцы, а заметив, высвободилась и отступила. — Я кое-что поняла там, внизу. Ничего не осталось, Мэтью. Ни корабля, ни того лета, ни той девчонки. Все кончилось. Нам придется начинать заново.

— С чистого листа.

— Не знаю, возможно ли это. Давай просто перевернем страницу.

— Ладно. — Мэтью протянул ей руку и, когда Тейт взяла ее, поднес ее пальцы к своим губам и прошептал: — Я не отступлюсь, Рыжик.

— Прости, не поняла.

— Ты сказала, что мы открыли новую страницу. Думаю, и я имею право кое-что нацарапать на ней. Так что я буду добиваться тебя. В прошлый раз ты бросилась мне на шею.

— Ничего подобного.

— Еще как бросилась. Теперь моя очередь. — Он погладил ее пальцы, и она выдернула руку. — Я даже собираюсь получить удовольствие от своих трудов.

— Не понимаю, зачем я вообще пытаюсь подружиться с тобой? Ты совсем не изменился. Такой же самонадеянный наглец.

— Именно таким я тебе и нравлюсь, красотка.

Тейт резко отвернулась, но успела заметить его ослепительную улыбку, и, как она ни старалась, уголки ее губ поползли вверх.

Он прав, черт побери! Именно таким он ей и нравится.

ГЛАВА 18

Разведочные погружения не принесли ничего интересного.

Мэтью и успешно сдавший письменный экзамен Ларю занялись отработкой практических навыков, а Тейт большую часть дня провела в рубке с отцом. Она перебрала все документы, собранные Рэем в Национальном архиве США и Государственном архиве в Севилье, разложила на отдельные стопки географические и морские карты, судовые декларации, дневники и сосредоточилась на расчетах отца, перепроверенных ею уже десятки раз.

Если их выкладки верны, они находятся в нужном месте, но магнетометр «Русалки» не обнаружил никаких следов железа, то есть ни пушек, ни ядер, ни якорей. Проблема в том, что, даже зная координаты, найти затонувшее судно — все равно что найти одну особенную песчинку в горсти песка.

Море так огромно, что даже с самыми современными технологиями человеческие возможности ограничены. Можно находиться в двадцати футах от судна и не заметить его.

Им так безумно повезло с «Маргаритой», что Тейт не рассчитывала на вторую удачу. Она страдала, когда смотрела в полные надежды и энтузиазма глаза отца. «Изабелла» необходима им, всем им, хотя и по разным причинам.

Тейт осталась в рубке, и когда Рэй вышел на палубу.

— Так ты не нагуляешь румянца, Рыжик.

Она подняла глаза и с удивлением уставилась на Мэтью, протягивающего ей стакан с лимонадом.

— Ты вернулся? Как Ларю?

— Отличный напарник. Сколько ты собираешься все это перепроверять?

Тейт сложила бумаги.

— Пока не закончу.

— А как насчет отдыха? Почему бы нам не поужинать на Невисе?

Мэтью затеребил рукав ее футболки, все еще не уверенный в правильности выбранной тактики.

— Поужинать?

— Ну да. Ты и я.

— Неудачная идея.

— Я думал, мы перевернули страницу.

— Это не значит...

— Меня не привлекает запланированная на вечер карточная игра. Насколько я помню, ты тоже не лю-

бишь карты. В отеле отличный оркестр. Поедим, послушаем музыку. Вряд ли у нас будет свободное время, когда найдем «Изабеллу».

— Я устала.

— А по-моему, ты просто боишься провести со мной пару часов наедине. — Он с вызовом взглянул на нее. — Конечно, если ты боишься снова броситься мне на шею...

— Не надейся.

— Значит, согласна. — Удовлетворенный тем, что все правильно рассчитал, Мэтью направился к выходу. — Распусти волосы, Рыжик. Мне так больше нравится.

Тейт заколола волосы на макушке. Не назло ему, как она уверила себя, а просто ей так захотелось. И надела мамино открытое платье только по ее настоянию. Видите ли, в широкой юбке легче влезать и вылезать из катера.

Уже сидя в маленьком катере, несущемся к острову, Тейт вдруг поняла, что действительно не прочь поужинать в элегантном ресторане... с привлекательным кавалером.

А он действительно неотразим. Взлохмаченные ветром волосы... сильная рука, сжимающая румпель. Если бы не то, что случилось восемь лет назад... Тейт отогнала горькие воспоминания. Она больше не поддастся его обаянию. Состязание? Великолепно. Она докажет ему, как сильно он ошибается, если думает — а он явно так думает, — что соблазнит ее во второй раз.

— Похоже, хорошая погода продержится всю неделю, — с нарочитой беззаботностью заметила она.

— Наверное... Ты до сих пор не красишь губы. —

Когда Тейт инстинктивно провела кончиком языка по губам, его пульс забился раза в два быстрее. — К сожалению, большинство женщин не понимают, как соблазнительны ненакрашенные губы. Особенно надутые.

— Приятно сознавать, что следующие несколько часов я буду сводить тебя с ума.

Тейт попыталась сосредоточить внимание на чем-нибудь, кроме Мэта. В контрасте с чистым, ослепительно синим небом вокруг вершины вулкана клубились облака. Пляж пестрел разноцветными зонтиками и шезлонгами. Недалеко от берега неловкий парнишка снова свалился с доски для виндсерфинга.

— Бедняга! — рассмеялась Тейт. — А ты когда-нибудь занимался виндсерфингом?

— Нет.

— Я пробовала. Очень трудно удержаться, но когда ловишь ветер, то просто чудесно.

— Лучше, чем погружения?

— Нет. — Тейт с улыбкой смотрела на парня, вскарабкавшегося на доску. — Ничего нет лучше погружений.

Мэтью подвел катер к пирсу и бросил швартовочный канат служителю отеля. Тейт ухватилась за руку Мэта и перебралась на пирс.

— Кажется, что этот отель просто вырос среди пальм.

— Все так изменилось. Невис уже не такой таинственный, как раньше.

Мэтью взял ее под руку, и она не стала сопротивляться. Они спустились на пляж, прошли по мощеным дорожкам через пышные сады и зеленые лужайки мимо двухэтажных коттеджей, мимо столиков у бассейна. Тейт с удивлением оглянулась.

— Разве мы ужинаем не здесь?

— Я задумал нечто более романтичное, чем легкая закуска у бассейна. — Мэтью подвел Тейт к стойке предварительных заказов, за которой стояла женщина в яркой форменной блузе. — Лэситер.

— Да, сэр. Вы заказали столик на веранде.

Мэтью заметил, что Тейт хмурится, и пояснил:

— Я позвонил заранее. — Она еще больше нахмурилась, когда он выдвинул ее стул. Его манеры, похоже, значительно улучшились. — Ты разбираешься в шампанском? — прошептал Мэтью, наклонившись так близко, что его дыхание защекотало ей ухо.

— Конечно, но...

Он тут же заказал бутылку.

— Отличный вид.

— Да. — Тейт с трудом перевела взгляд с лица Мэтью на сады за его спиной.

— Расскажи мне о последних восьми годах, Тейт.

— Зачем?

— Мне интересно. Скажем, хочу заполнить некоторые пробелы.

— Я много занималась. Даже не думала, что придется столько учиться. Мне казалось, что я уже почти все знаю. В общем, первые несколько месяцев я... приспосабливалась. — Не признаваться же, как она была растерянна, несчастна, как безумно тосковала по нему.

— Думаю, ты приспособилась очень быстро.

— Пожалуй. — Тейт заставила себя улыбнуться.

Официантка принесла бутылку шампанского и показала Тейт этикетку.

— Налейте даме попробовать, — распорядился Мэтью.

Девушка откупорила бутылку и плеснула чуточку шампанского в бокал Тейт.

— Изумительно, — прошептала Тейт, внутренне съежившись под пристальным взглядом Мэта.

Когда оба бокала были наполнены, она хотела снова пригубить шампанское, но Мэтью остановил ее, легко коснулся бокалом ее бокала и с улыбкой сказал:

— За следующую страницу.

— Хорошо. — Тейт напомнила себе, что она взрослая женщина. И опытная. Она в состоянии оказать сопротивление мужчине. Даже такому, как Мэтью.

— Итак, ты училась, — подсказал он.

— Да. И как только предоставлялся шанс присоединиться к какой-нибудь экспедиции, я его не упускала.

— А «Изабелла»? Разве это не прекрасный шанс?

— Поживем — увидим. — Тейт открыла меню, увидела цены, и глаза ее широко распахнулись. — Мэтью!

— Я отложил пару баксов за эти годы, — успокоил он. — И потом ты же мой амулет. — Он взял ее за руку. — На этот раз, Рыжик, мы вернемся домой богатыми.

— Так вот в чем дело? Ну что же, Лэситер, это твоя вечеринка. Если хочешь жить сегодняшним днем, я не возражаю.

Они наслаждались чудесной едой, в бокалах искрилось шампанское, на столике горели свечи. Вскоре солнце спряталось в море, уступив место коротким и прекрасным тропическим сумеркам, от которых у Тейт всегда щемило сердце. Словно по сигналу во внутреннем дворике заиграл оркестр.

— Мэтью, ты не рассказал мне о своих восьми годах.

— Ничего интересного.

— Но ты построил «Русалку». Это интересно.

— Красотка, не правда ли? — Мэтью оглянулся на море, туда, где за горизонтом покачивалась на волнах его яхта.

— Чем бы ни закончилась наша экспедиция, ты сможешь проектировать и строить яхты.

— Я никогда больше не буду работать только для того, чтобы сводить концы с концами, — тихо сказал он. — Никогда не буду делать то, что должен, и забывать о том, чего хочу.

Боль, прозвучавшая в его словах, решительный блеск его глаз поразили Тейт. Она положила ладонь на его руку.

— Вот как это было восемь лет?

Мэтью удивленно взглянул на нее, с нарочитой небрежностью пожал плечами, но не упустил возможности сжать ее пальцы.

— Главное — это больше не повторится. И я кое-что хочу сказать тебе, Рыжик.

— Что?

— Ты красавица. — Тейт попыталась выдернуть руку, но Мэтью удержал ее. — Нет. Ты — моя. Пока моя. Привыкай.

— То, что я предпочла твою компанию картам, явно вскружило тебе голову.

— А этот голос... — прошептал Мэтью, восхищенный смущением, промелькнувшим в ее глазах. — Тихий, напевный, чарующий. Словно мед, приправленный капелькой хорошего бурбона. Мужчина может опьянеть, просто слушая тебя.

— Шампанское ударило тебе в голову. Обратно катер поведу я.

— Прекрасно. Но сначала мы потанцуем.

Мэтью подозвал официантку и расплатился по счету.

Один танец ничего не изменит, решила Тейт. Даже может оказаться полезным. Мэтью убедится, что ее не так легко вовлечь в мимолетный роман, как он, видимо, думает.

На этот раз она даже сможет получить удовольствие, не рискуя разбить свое сердце. А если Мэтью пострадает немного, так это только придаст пикантности всей ситуации.

Чтобы показать Мэту, как мало значит для нее их тесный контакт, Тейт оставила свою руку в его руке. Так, держась за руки, они и спустились по лестнице в патио, где не было никого, кроме оркестра и обнимавшейся за одним из столиков парочки. Чувственные звуки медленной мелодии, дразнящие слова любви, многозначительно выводимые солистом, словно дрожали в наэлектризованном ароматном воздухе. Мэтью притянул Тейт к себе близко-близко, и ей не оставалось ничего другого, кроме как прижаться щекой к его щеке и закрыть глаза.

Господи! Она могла бы догадаться, что он прекрасно танцует, но не ожидала, что с первого же мгновения они так идеально станут понимать друг друга.

— Я не знала, что ты умеешь танцевать.

Мэтью поднял руку, лежавшую на ее талии, провел ладонью по гладкому шелку, по затрепетавшей от его прикосновения обнаженной спине.

— Мы многого не знали друг о друге, но я не мог забыть твой аромат. — Мэтью уткнулся лицом в ее шею. — Он не изменился.

— Я изменилась. — Тейт попыталась произнести

эти слова как можно убедительнее, но, похоже, не добилась желаемого эффекта.

— Ты все та же. — Мэтью стал вынимать шпильки из ее волос.

— Прекрати.

— Мне нравилась короткая стрижка. — Его голос был тихим, как ветер с моря, и таким же чарующим. — Но так лучше. — Его губы скользнули по ее виску. — Кое-что изменилось.

Ее уже охвала мелкая непроизвольная дрожь, которую он так хорошо помнил.

— Мы теперь совсем другие люди, — прошептала Тейт. Как же она хотела, чтобы это была правда! Ей это просто было необходимо. И все же... Почему ей так легко, словно они никогда не расставались?

— Но многое осталось прежним... Ты все так же создана для моих объятий.

Тейт откинула назад голову, но Мэтью успел коснуться губами ее губ.

— И твой вкус не изменился.

— Я совсем другая. Все теперь совсем другое.

Тейт вырвалась из его рук и бросилась к пляжу. Она задыхалась и никак не могла вдохнуть достаточно воздуха. Благоухающая ночь вдруг стала предательницей.

«Я дрожу от гнева», — пыталась убедить себя Тейт. Но она знала, что дрожит от желания, и ненавидела за это Мэтью.

Когда Мэтью догнал ее, она не сомневалась, что набросится на него с кулаками, но ее руки сами собой обвили его шею, рот стал жадно искать его губы.

— Я ненавижу тебя за это. Господи, как же я тебя ненавижу!

— Мне плевать. — Он жадно впился губами в ее губы и нашел нежность и страсть, которые так мучительно помнил. В нем вспыхнуло отчаянное желание утащить ее в кусты и сломя голову броситься в это пламя.

— Я знаю. Но мне не наплевать.

Тейт вырвалась и, когда он снова хотел обнять ее, уперлась ладонями в его грудь, отчаянно сопротивляясь призывному блеску его глаз.

— Ты хотел доказать, что все еще можешь высечь эту искру между нами? Ну, ты доказал. Только решать, что нам делать с этим, буду я.

— Тейт, я хочу тебя. Ты хотела заставить меня сказать это? Ты хотела услышать, что я не могу спать по ночам, разрываясь от желания?

Слова, грубые и нетерпеливые, закружились в ее голове, забурлили в крови

— Может, хотела, но факт остается фактом: мне необходимо время, чтобы принять решение. Когда-то я была готова на что угодно ради тебя. Когда-то. То, что я сделаю теперь, я сделаю ради себя.

Мэтью сунул руки в карманы.

— Справедливо. Потому что и я на этот раз буду думать о собственном благе.

— На этот раз. — Тейт нервно рассмеялась, запустила пальцы в разлохмаченные волосы. — По-моему, и тогда ты думал только о себе.

— Значит, ты знаешь, с чем имеешь дело.

— Не уверена, — устало сказала Тейт. — Ты не перестаешь удивлять меня. Я не могу разобраться, где реальность, а где иллюзия.

Мэт обнял ее за шею и притягивал к себе, пока их губы не встретились.

— Вот реальность.

— Да. — Тейт со вздохом высвободилась. — А сейчас, Мэтью, я хочу вернуться. Завтра рано вставать.

Тейт не имела ничего против того, что отец взял в напарники Ларю, оставив ее в команде с Мэтью. Раньше они отлично работали вместе, и после первого же погружения она поняла, что это не изменилось.

Какое счастье исследовать дно не с помощью электронного оборудования, а собственными руками!

Долгие часы копания в песке не казались ей скучными. Она снова занималась любимым делом в любимом подводном мире. Даже разочарование было неотъемлемой частью целого. Каждый раз, как в песке что-то мелькало, ее сердце начинало биться быстрее, и неважно, что находка оказывалась ржавой цепью или консервной банкой.

Мэтью был рядом, всегда готовый разделить с ней восторг при виде необыкновенно красивого подводного грота или почти человеческого недовольства потревоженного морского окуня. Если Мэтью слишком часто касался ее... ну что же, она и этим наслаждалась.

Если она смогла противостоять его усилиям соблазнить ее, ей хватит сил справиться с ухаживаниями.

Дни превращались в недели, но Тейт не чувствовала себя обескураженной. Время, проводимое под водой, утоляло жажду, смутно тревожившую ее последние годы. Она снова в море не как ученый, не как посторонний наблюдатель, фиксирующий научные данные, а как женщина, упивающаяся свободой и обществом интригующего мужчины.

Тейт расчистила песок, обследовала очередной коралл, затем оглянулась через плечо, чтобы выяснить, чем занимается Мэтью. Вдруг она почувствовала резкую боль, отдернула руку и увидела исчезающую в расщелине коралловой гряды зубастую пасть мурены.

Не успела Тейт обругать себя за невнимательность, не успела оправиться от шока, как Мэтью схватил ее за раненую руку. Тревога в его глазах, клубящаяся в воде кровь привели ее в чувство. Подумаешь, укус! Тейт хотела знаками объяснить, что все в порядке, но Мэтью уже обхватил ее за талию и поднимал на поверхность.

— Расслабься, — приказал он, выплюнув загубник. — Я втащу тебя на палубу.

— Со мной все в порядке. — Правда, от пульсирующей боли к глазам подступили слезы. — Это всего лишь укус.

— Расслабься, я сказал. Ты белая как мел. — Он подплыл к трапу и стал отстегивать ее баллоны. — Рэй, Рэй!

— Мэтью, перестань немедленно. Подумаешь, царапина!

— Заткнись! Рэй, где вы, черт побери?

— Что? Что случилось?

— Ее укусила мурена. — Мэтью передал Рэю баллоны. — Помогите ей подняться.

— Господи, можно подумать, меня сжевала акула, — пробормотала Тейт и осеклась, осознав, что сморозила глупость. — Мама, я в полном порядке.

— Дай мне взглянуть. — Мариан усадила сопротивляющуюся Тейт на скамью. — Рэй, принеси аптечку, надо очистить ранку.

— Это всего лишь укус! — Тейт еще надеялась образумить родителей. — Я сама виновата. — Она вздохнула и хмуро уставилась на Мэтью. — Ты только зря переполошил всех, Лэситер.

— Дайте посмотреть. — Мэтью решительно оттеснил плечом изумленно замигавшую Мариан и большим пальцем стер кровь с руки Тейт. На тыльной стороне ладони показалась не очень глубокая ссадина. — Похоже, зашивать не придется.

— Естественно. Это просто... — Тейт умолкла, увидев, как Мэтью выхватил аптечку из рук Рэя, а в следующую секунду уже визжала, поскольку Мэтью щедро залил ссадину антисептиком. — Ты не церемонишься.

Как следует разглядев очищенную ранку, Мэтью постепенно успокаивался.

— Возможно, останется шрам. — Он нахмурился, представив шрам на ее нежной руке. — Идиотка!

— Послушай, это могло случиться с кем угодно.

— Нет, если соблюдать осторожность.

— Я соблюдала.

Пока продолжались лечение и обмен любезностями, Рэй и Мариан только переглядывались.

— Как будто тебя никогда не кусали. Взгляни на свои руки!

— Мы говорим о тебе.

Тейт фыркнула, сжала и разжала пальцы. Повязка была маленькой, аккуратной и совсем не мешала. Только она скорее бы проглотила язык, чем сказала бы об этом.

— Не хочешь поцеловать, чтобы поскорее зажило? — насмешливо спросила она.

— Хочу. — Он поставил Тейт на ноги и на глазах ее изумленных родителей жадно поцеловал в губы.

Обретя наконец дар речи, Тейт откашлялась и протянула ему перевязанную руку:

— Ты промахнулся.

— Ничего подобного. Над твоим ртом необходимо как следует поработать, красотка.

— Неужели? — Тейт прищурилась. — Так ты еще и эксперт по тому, что мне необходимо?

— Я всегда знал, что тебе необходимо, Рыжик. В любой момент, как только почувствуешь... — Мэтью вдруг вспомнил, что они не одни, и, обуздав кипящие чувства, отступил. — Можешь принять парочку таблеток аспирина, чтобы ослабить боль.

— Мне совсем не больно, — заявила Тейт и подхватила свои баллоны.

— Куда это ты собралась?

— Обратно.

— Черта с два!

— Только попробуй меня остановить.

Рэй открыл было рот, но Мариан похлопала его по руке и прошептала:

— Пусть сами разбираются, милый. Похоже, накипело.

— Попробовать? Пожалуйста. — Мэтью выхватил из ее рук баллоны и швырнул их за борт. — Довольна? По-моему, вопрос исчерпан.

Несколько секунд Тейт ошеломленно таращилась на него, раскрыв рот, потом ее прорвало:

— Идиот! Сукин сын! Теперь тащи свою задницу в воду и доставай мои баллоны.

— Сама доставай, если так хочешь нырять.

Повернувшись к Тейт спиной, Мэт совершил ошибку, и дорого за нее заплатил. Тейт бросилась на него. Он попытался увернуться, но кончилось тем, что они вместе свалились в воду.

— Мариан, ты уверена, что мы не должны вмешаться? — спросил Рэй, опершись на поручни.

— Думаю, все идет прекрасно, дорогой. Ты только посмотри, она чуть не разбила ему челюсть, причем больной рукой.

В последний момент Мэтью резко откинул голову назад и только этим спас свою челюсть, но получил кулаком в живот. Удар, даже смягченный толщей воды, заставил его хрюкнуть от боли.

— Успокойся, — предупредил он, перехватив ее больную руку. — Тебе же будет больно.

— Еще посмотрим, кому будет больно. Отправляйся за моими баллонами.

— Ты не спустишься вниз, пока мы не удостоверимся, что у тебя нет реакции на укус.

— Я покажу тебе свою реакцию, — пообещала Тейт, ткнув его кулаком в подбородок.

— Ну, мое терпение лопнуло. — Мэтью притопил ее, затем приподнял ее голову над водой. Поскольку Тейт продолжала ругаться и плеваться, притопил ее снова... и снова... Когда они добрались до трапа, она уже хрипела. — Достаточно?

— Ублюдок!

— Ну, думаю, надо притопить тебя еще разок...

— Эй, на «Приключении»! — Они оглянулись. К ним быстро приближалась «Русалка». — Эй! — снова крикнул с мостика Бак. — Мы что-то нашли!

— Быстро поднимайся, — пробормотал Мэтью и чуть не внес ее на палубу.

Бак аккуратно подвел «Русалку» к борту «Нового приключения» и выключил двигатели.

— Магнитометр показывает кучу металла на дне.

Глубиномеры тоже дергаются. Отметили это место буйком... тридцать градусов к юго-западу отсюда. Господи, думаю, мы нашли ее.

Тейт с шумом втянула воздух.

— Мэтью, немедленно достань мои баллоны. И даже не думай останавливать меня.

ГЛАВА 19

Существует несколько способов отметить место гибели судна: провести угловые измерения секстантом с трех точек, измерить магнитное склонение компасом или просто определить расстояние до нескольких далеких объектов. Мэтью воспользовался всеми тремя. Буйка, поставленного Баком, было явно недостаточно, к тому же этот метод имел свои недостатки. Буек мог утонуть или его могло отнести течением. А самое неприятное — буек могли увидеть другие заинтересованные стороны.

— Поставим буек на линии, направленной к той группе деревьев, и подойдем поближе к Невису, — сказал Мэт, так и не снявший гидрокостюма, передавая Рэю бинокль. Словно подтверждая его опасения, мимо промчался катамаран с туристами на борту. — Тейт зарисует морское дно для ориентировки.

Рэй повесил бинокль на шею и пристально посмотрел на напряженное лицо Мэта.

— Ты думаешь о Ван Дайке.

— Естественно, черт побери. Если он и прослышит о нас, то не сможет сразу найти судно. Он не знает ни расстояний, ни выбранных нами ориентиров. И буек ему не поможет. Откуда ему знать, ныряем мы ближе к берегу или дальше? Пусть сам потрудится.

— А мы выиграем время, — согласился Рэй. — Если это не «Изабелла»...

— Мы это скоро выясним, — прервал его Мэтью. Ему не хотелось гадать, ему не терпелось узнать наверняка. — В любом случае меры предосторожности необходимы. — Он уже натягивал ласты. — Эй, Рыжик, пошевеливайся!

— Я должна перезарядить камеру.

— Забудь о камере. Мы не будем проявлять пленки.

— Но...

— Послушай, стоит всего лишь одному клерку пустить слушок, и все пропало. Фотографируй сколько душе угодно, но, пока не закончим, мы не сдадим в лабораторию ни одной пленки. У тебя есть доски и графитовые карандаши?

— Да.

Тейт гордо похлопала по своей поясной сумке.

— Погружаемся.

Мэтью бросился в воду, не дожидаясь, пока Тейт наденет маску.

— Ему не терпится, — улыбнулась Тейт родителям, испытывая не меньшее нетерпение. — Скрестите пальцы.

Тейт последовала за дорожкой из пузырьков, оставленной Мэтом. Внутреннее чутье подсказало ей, когда она миновала глубину в тридцать футов, затем сорок.

Вот и дно. Тейт начала рисовать, скрупулезно отмечая каждую приметную деталь, строго соблюдая масштаб и не давая воли своему воображению.

Краем глаза она заметила сигнал Мэтью и раздраженно отмахнулась. Это он настоял на рисунках вместо фотографий, так пусть теперь не мешает. Когда Мэтью снова застучал ножом по баллону, Тейт мысленно обругала его, но убрала в сумку доску и карандаш.

Типично мужское поведение! Иди сюда, и иди немедленно! Как только она сможет говорить, она все ему...

Тейт забыла обо всем, как только увидела медную пушку, позеленевшую и обжитую морскими существами. Она сфотографировала Мэта, но прочувствовала реальность находки, только потрогав ее своими руками.

Когда Мэтью обхватил ее и развернул, она ожидала жарких объятий, но, взглянув вдоль его протянутой руки, задохнулась от изумления. Еще пушки. Четыре, шесть, восемь... разбросаны по песку неровной дугой... Сомнений нет. «Изабелла»!

Они нашли ее примерно в пятидесяти футах к югу, разбитой и почти полностью погребенной песком.

Когда-то она была прекрасной и величавой, думала Тейт, погружая руки в песок и нащупывая хрупкую, изъеденную червями древесину. Как королева, в честь которой была названа. Сколько лет пролежала она, почти всеми забытая, жертва моря и невольная его спутница в вечности! И ждала, ждала...

Тейт снова взялась за карандаш и по мере того, как Мэтью разгребал руками песок, быстрыми точными движениями добавляла все новые детали. Вскоре у нее закончились доски, карандаши превратились в жалкие огрызки, а сердце билось все быстрее и радостнее.

То, что могло случиться лишь раз в жизни, повторилось!

Мэтью подплыл, и Тейт улыбнулась, предвкушая подарок, но он жестом приказал ей закрыть глаза. Тейт послушно протянула раскрытую ладонь, но вместо ожидаемой монеты или пуговицы она ощутила неожиданную тяжесть. На ее ладони лежал брусок тускло поблескивающего тяжелого металла.

Мэтью подмигнул, сунул слиток в ее сумку и ткнул большим пальцем вверх. Тейт не хотелось оставлять только что найденные сокровища, но она взяла Мэтью за руку, и они поплыли к поверхности.

— Теперь ты должна броситься мне на шею, как восемь лет назад, — заметил Мэтью, который так и светился радостью триумфа.

— Я теперь более искушенная. — Но Тейт рассмеялась и сделала именно то, на что он надеялся, — обняла его. — Это она, Мэтью. Я точно знаю, что это она.

— Да, это она. И она наша. — Он успел лишь быстро чмокнуть Тейт в губы, когда их окликнули. — Пора сообщить им новости. Ты не разучилась работать с пневмонасосом, малышка?

— Я ничего не забыла, — ответила она дрожащими губами.

Каждый день Рэй с Ларю и Тейт с Мэтью погружались на морское дно, раскапывали песок, собирали отдельные предметы и конгломерат и поднимали наверх, где Бак и Мариан отделяли артефакты, которые Тейт затем изучала и регистрировала. Каждая находка — от золотой пуговицы с розовой жемчужиной до золотого слитка в добрый фут длиной — зарисовывалась, фотографировалась, получала ярлычок и заносилась в портативный компьютер.

Пока мужчины работали с пневмонасосом, Тейт зарисовывала постепенно обнажающийся разбитый корпус. По характеру разрушений можно проследить всю историю гибели судна, и Тейт решила на этот раз сохранить максимум возможного — это ее долг перед прошлым и будущим. Только одной решимости мало, придется приложить все свои знания и опыт, ведь в мелком Карибском море останки судна страдают не только от гниения, но и от штормов, и от течений.

Чтобы сохранить небольшие предметы, их было необходимо поместить в банки с водой, более крупные — сфотографировать и зарисовать под водой, а затем аккуратно сложить на дне. Для хрупких вещиц, которые Тейт надеялась найти, были приготовлены обитые мягкой тканью коробочки, а для деревянных образцов на палубе закреплен большой наполненный водой бак.

Тейт обучила мать основам химии и использовала ее как подмастерье. Только золото и серебро не требовали специальной обработки.

Весь процесс был очень трудоемким, но Тейт ни за что не назвала бы его скучным. Здесь было все, чего ей недоставало на «Кочевнике»: она непосредственно прикасалась к прошлому, она чувствовала себя хозяйкой и первооткрывателем.

Клейма на пушечных ядрах подтвердили их надежды. Они нашли «Изабеллу»!

Увлекшись изумительными гагатовыми четками, Тейт не заметила, как в рубку вошла мать.

— Милая, я закончила. Не хочешь передохнуть?

— Нет, я не устала. Поверить не могу, что мы так быстро продвигаемся. Прошло всего две недели, а мы столько всего нашли! Мама, ты только взгляни на это распятие.

— Зачем ты возилась? Я бы сама его отчистила.

— Я не утерпела.

Зачарованная, Мариан перегнулась через плечо дочери, провела кончиком пальца по серебряной фигурке Христа.

— Первоклассная работа. Это мужской крест, но слишком красивый для слуги или матроса, скорее он принадлежал одному из офицеров или богатому священнику.

— Теперь ты счастлива?

— Я не могу забыть о «Санта-Маргарите». Ее можно было спасти. Я имею в виду корпус. Он был почти целым. Я надеялась, что «Изабелла» тоже сохранилась, но она погибла.

— Мы многое спасли.

— Да. Я просто жадная, мне этого мало.

Тейт старательно отогнала подальше мысли об амулете. Ни один из них не говорил о нем, наверное, из суеверия, но каждый помнил и о «Проклятии Анжелики», и о Ван Дайке, и каждый понимал, что рано или поздно придется с ними столкнуться.

— Ладно, дочка, не буду тебе мешать, — улыбнулась Мариан. — Мне пора на «Русалку». Бак ждет.

— Я приплыву к вам попозже. Посмотрю, что вы найдете.

Тейт внесла в каталог четки и взяла в руки золотое колье с птичкой-подвеской, распростершей в полете крылья. Стоит, наверное, не меньше пятидесяти тысяч долларов, но кто оценит красоту, пережившую столетия среди волн и песка?

Мэтью смотрел, как стремительно Тейт водит карандашом по бумаге, как солнечные лучи золотят ее волосы, смотрел на призрачный профиль в глубине экрана монитора. Он хотел бы подойти и обнять ее, прижаться губами к ее шее. Он даже представил, как она расслабится, как прижмется спиной к его груди, поднимет голову, подставит губы для поцелуя...

Однако последние недели он вел себя очень осторожно. Терпение стоило ему множества бессонных ночей. Казалось, только под водой между ним и Тейт не возникало никаких проблем, но ему этого было мало, каждая клеточка его тела стремилась к большему.

— Рэй и Ларю прислали парочку винных кувшинов. Один целый.

— Ой! — Тейт вздрогнула и оглянулась. — Я не слышала, как ты вошел. Думала, ты на «Русалке».

А он думал только о том, что она здесь, одна... Тейт даже не сообразила, что слегка отстранилась, когда Мэтью сел рядом с ней, но он заметил и разозлился.

— Как вижу, ты успеваешь обрабатывать все трофеи.

— Я нервничаю, когда накапливается много работы, и стараюсь выкроить несколько часов, когда все ложатся спать.

Он знал это. Каждую ночь, беспокойно шагая взад и вперед по палубе, он видел свет в рубке.

— Поэтому ты никогда не бываешь на «Русалке»?

— Легче работать в одном месте. — И не рисковать. Кто знает, что может случиться волшебной лунной ночью рядом с ним на его собственной территории? — По моим расчетам, раскопки идут гораздо быстрее, чем на «Маргарите». А мы еще не добрались до главных ценностей.

Мэтью наклонился, но ее реакция интересовала его гораздо больше, чем золотая птичка, которую он взял со стола. Черт побери! Когда он коснулся плеча Тейт, оно словно закостенело.

— Сколько?

Тейт нахмурилась. Хотя что тут странного? Любая, самая изумительная реликвия для Мэтью — это только доллары и центы.

— По самой скромной оценке, пятьдесят тысяч.

— Неплохо. — Не сводя глаз с ее лица, он подкинул колье на ладони. — Это удержит нас на плаву.

Тейт забрала у него колье и аккуратно разложила на мягкой ткани, покрывавшей стол.

— Это не главное.

— А что главное, Рыжик?

— Я не собираюсь тратить время на пустые разговоры, но кое-что нам необходимо обсудить.

Тейт отодвинулась и повернулась так, чтобы и видеть его, и соблюдать дистанцию.

— Обсудим за ужином. — Он погладил ее плечо. — Мы не отдыхали уже две недели. Почему бы нам еще разок не смотаться на Невис?

— Давай не будем смешивать дело с игрой твоих гормонов, Лэситер.

— Я справлюсь и с тем, и с другим. — Он поднес к губам ее руку, поцеловал ее пальцы, затем маленький шрам, оставшийся от укуса мурены. — А ты?

— По-моему, я прекрасно справляюсь. — Однако ради безопасности она выдернула руку. — И я много думаю совсем о другом. Мы упустили шанс сохранить «Маргариту». «Изабелла» сильно разбита, но мы могли бы кое-что спасти.

— Разве мы не спасаем ее?

— Я не имею в виду ее груз, я говорю о ней самой. Существуют способы сохранения деревянных частей корабля. «Изабеллу» даже можно частично восстановить. Мне нужен полиэтиленгликоль.

— Я забыл его дома.

— Не остри, Мэтью. Даже дерево, пораженное морскими жучками, можно сохранить, если пропитать этим раствором. Я хочу позвонить Хейдену, попросить его достать все необходимое и приехать сюда помочь нам спасти корабль.

— Забудь об этом.

— Что значит — забудь? «Изабелла» — потрясающая находка, Мэтью.

— Наша находка, — парировал он. — И я не собираюсь делиться ею с какой-то университетской крысой.

— Не смей так говорить. Хейден Дил — блестящий ученый.

— Плевать я на него хотел. Он в нашу сделку не входит.

— Так вот в чем суть? Сделка! — Охваченная негодованием, Тейт вскочила, обогнула стол и остановилась лицом к Мэтью. — Я не прошу тебя поделиться с ним долей добычи. Некоторые из нас не все оценивают в долларах.

— Легко так говорить, когда понятия не имеешь, каково вкалывать, чтобы сводить концы с концами. У тебя всю жизнь были папочка с мамочкой, уютный дом и вкусная еда на столе.

Тейт побледнела от гнева.

— Я всего добилась сама, Лэситер. А ты думаешь только о том, как все эти реликвии превратить в деньги. Аукцион — не главный результат этой экспедиции.

— Прекрасно. Когда мы продадим все эти находки, можешь делать что угодно и с кем угодно. Но до тех пор не смей никому звонить.

Тейт с размаху хлопнула ладонями по столу, наклонилась вперед, испепеляя его взглядом.

— Я думала, что ты изменился, хотя бы чуть-чуть. Я думала, «Изабелла» значит для тебя больше, чем то, что можно извлечь из нее. — Выпрямившись, Тейт покачала головой. — Поверить не могу, что могла так сильно ошибиться в тебе дважды.

— Похоже, могла. — Мэтью оттолкнулся от стола и встал. — Тейт, ты всегда обвиняешь меня в эгоизме, а как насчет тебя? Ты так поглощена своими желаниями, что перестала чувствовать. — Не в силах больше сдерживаться, он схватил ее и притянул к себе. — Что ты чувствуешь? Что ты чувствуешь, черт побери? — повторил он и впился губами в ее губы.

«Очень многое», — успела подумать Тейт.

— Это не ответ, — с трудом выдавила она.

— Один из ответов. Забудь о «Изабелле», амулете и своем чертовом Хейдене. Ответь на единственный вопрос. Что ты чувствуешь?

— Боль! — выкрикнула она, заливаясь бесполезными слезами. — Растерянность. Желание. Да, Мэтью, у меня есть чувства, будь ты проклят, и ты пробуждаешь их каждый раз, когда дотрагиваешься до меня. Ты это хотел услышать?

— Почти. Собери сумку.

Он отпустил ее так неожиданно, что она покачнулась.

— Что?

— Собери сумку. Ты едешь со мной.

— Я... что? Куда?

— К дьяволу сумку.

Тейт сказала ему все, что он хотел услышать, и он не

собирался давать ей время на размышления. Не сейчас. Он снова схватил ее за руку и вытащил на палубу. Не успела Тейт понять, что он задумал, как он подхватил ее на руки и опустил через поручни в катер.

— Ты спятил?

— Похоже, давно. Я забираю ее на Невис! — крикнул он в сторону «Русалки». — Мы вернемся утром.

— Утром? — Прикрыв ладонью глаза, Мариан уставилась на дочь. — Тейт!

— Он свихнулся! — выкрикнула Тейт, однако Мэтью уже спрыгнул в катер, и ей пришлось остаться на месте. — Я никуда с тобой не еду, — процедила она, но ее слова утонули в реве мотора. — Немедленно останови катер или я выпрыгну.

— А я втащу тебя обратно, — мрачно заявил он. — Ты просто вымокнешь.

— Если ты думаешь, что я проведу с тобой ночь на Невисе... — Мэтью резко обернулся, и Тейт осеклась. Он выглядел слишком опасным, чтобы продолжать спор. — Мэтью, — более спокойно начала она, — возьми себя в руки. Это не способ улаживания споров. — Он резко выключил двигатель, и ей показалось, что сейчас он просто вышвырнет ее из катера.

— Послушай, Тейт, давно пора закончить то, что мы начали восемь лет назад. У тебя было достаточно времени все обдумать. — Мэт так сильно сжимал румпель, что рука онемела. — Посмотри на меня и скажи, что ты не имела в виду того, что сказала. И я поверну катер назад. И больше не буду об этом вспоминать.

Она растерянно провела рукой по волосам. Черт побери! Он схватил ее, бросил в катер, а теперь оставляет выбор за ней.

— Ты ждешь, что я стану рассуждать о последствиях сексуального влечения?

— Нет, я жду ответа. Да или нет.

Тейт оглянулась на «Русалку», где ее мать все еще стояла у поручней, затем перевела взгляд на окутанный облаками вулкан.

— Мэтью, у нас нет ни одежды, ни вещей, ни комнаты, в конце концов.

— Это да?

Тейт открыла рот и услышала собственный лепет:

— Это безумие.

— Значит, да, — решил Мэтью и снова запустил двигатель.

Больше он с ней не разговаривал. Они домчались до пирса, пришвартовали катер, затем на почтительном расстоянии друг от друга пересекли пляж. Мэтью подтолкнул ее к пустому шезлонгу.

— Сядь. Я скоро вернусь.

Слишком ошеломленная, чтобы спорить, Тейт села, уставилась на свои босые ноги. Подошла официантка с подносом, предложила напитки. Тейт растерянно улыбнулась и отрицательно покачала головой, затем перевела взгляд на море. «Русалка» и «Новое приключение» остались за горизонтом. Похоже, она перешла свой Рубикон.

Если это ответ, уже нет времени думать о вопросе...

Вернулся Мэтью и протянул ей руку. В молчании они прошли через сады, через полого поднимающуюся зеленую лужайку. Мэтью отпер скользящую стеклянную дверь, закрыл ее за ними и защелкнул задвижку.

Комната оказалась просторной, светлой и уютной. Тейт уставилась на аккуратно застеленную кровать, на огромные взбитые подушки и словно очнулась, когда Мэтью задернул шторы, погрузив комнату в полумрак.

— Мэтью...

— Поговорим позже.

Он начал расплетать ее косу. Он хотел, чтобы ее волосы струились сквозь его пальцы.

Тейт закрыла глаза и готова была поклясться, что пол качнулся под ее ногами.

— А если это ошибка?

— Ты никогда не совершала ошибок? — ослепительно улыбнувшись, спросил он.

Тейт с удивлением обнаружила, что улыбается в ответ.

— Одну или две. Но...

Мэтью опустил голову и нашел ее губы. Желание кипело в нем, и, чтобы утолить его, чтобы спасти остатки рассудка, он должен был погрузиться в нее, как погружался в море. Он хотел сорвать с нее одежду, скорее коснуться ее кожи, овладеть всем, от чего когда-то отказался... но безумный голод, заставивший его привезти ее сюда, растаял, когда он почувствовал ее вкус, сладкий, как его воспоминания. Любовь, которую он так и не смог победить, окутала его, празднуя победу.

— Я хочу увидеть тебя, — прошептал он. — Я так давно хотел увидеть тебя.

Очень осторожно он расстегнул ее блузку, нашел тело, светлое, как слоновая кость, и нежное, как атлас, трепещущее под его прикосновениями.

Ласкає губами ее обнаженное плечо, он стянул с нее шорты и узенькие трусики.

«Моя русалка, — подумал он, теряя голову, — такая стройная, и белая, и прекрасная».

— Мэтью... — Тейт сдернула с него рубашку через голову, умирая от желания прикоснуться к нему. — Скорее! Я сейчас умру.

Он уложил ее на кровать и стал ласкать неторопливо и очень нежно...

Нежность? Она не ждала от него нежности и не могла ей сопротивляться. Наверное, она разглядела нежность в отчаянном парне, в которого когда-то влюбилась, но сейчас, через столько лет, ей казалось, что она нашла бесценное сокровище. Его руки ласкали и возбуждали ее, рот жадно поглощал ее вздохи.

Ее собственные руки метались по его телу, его кожа разгоралась под ее любопытными прикосновениями. Она ощупывала пальцами каждую мышцу, каждый шрам, впитывала губами вкус мужчины и моря.

Его губы сомкнулись на ее груди, и Тейт изогнулась ему навстречу, затрепетав от восторга. Она словно плыла по бурному океану, но, когда ей казалась, что она тонет, Мэтью спасал ее и снова поднимал на гребень волны. И снова воздух густел и обжигал, снова прерывалось дыхание. Она бы взмолилась о пощаде, если бы у нее оставались силы.

Он следил за ней, зачарованный быстрой сменой выражение наслаждения, растерянности, отчаяния, мелькавших на ее лице. У него закружилась голова, когда ее тело напряглось и задрожало. Борясь с жарким желанием, он накрыл ее рот своим и, когда она задышала ровнее, снова ласками подвел ее к самому краю.

Тейт не могла остановить дрожь. Ей казалось, что ее тело вот-вот разорвется. Острое наслаждение волна за волной накрывало ее, и она цеплялась за Мэтью, как за якорь спасения.

Она как-то попала в шторм в Индийском океане, ей пришлось пережить песчаную бурю на морском дне, она помнила жар мужского тела, сплетенного с ее телом... но никогда она не испытывала ничего подобного. Ничто так сильно не трогало ее, не разжигало кровь, не затуманивало мозг, как эти бесконечные и неумолимые ласки. У нее не осталось никаких секретов, она забыла о собственной гордости. Она отдавала ему все, чего он хотел. Бессильная жертва кораблекрушения.

Мэтью медленно скользнул в нее, дрожа теперь, как дрожала она, прижался лбом к ее лбу.

— Тейт. Только это... Только ты...

Он пытался не спешить, пытался продлить это мгновение. Он чувствовал биение своего сердца, слышал пульсацию крови в висках... Ее ногти вонзились в его плечи, ее тело содрогнулось. Из горла вырвалось рыдание и его имя. И, не в силах больше сдерживаться, он нырнул в свое море.

Ван Дайк потягивал «Наполеон» в тысячах миль от Вест-Индии. Он прочитал отчет об экспедиции Бомонтов—Лэситеров, и тот его не удовлетворил.

Похоже, они все еще копаются в останках «Санта-Маргариты». Ни один из его шпионов на Сент-Китсе и Невисе не узнал ничего важного... только Сайлас нутром чуял, что пора вмешаться.

Небольшая прогулка в Вест-Индию вполне уместна. По меньшей мере он получит возможность выразить свое неудовольствие Тейт Бомонт.

И если Лэситеры после всех затраченных на них лет не приведут его к «Проклятию Анжелики», он разделается с ними.

ЧАСТЬ III

Будущее

ГЛАВА 20

Тейт приоткрыла глаза. По ее личному, хотя и не очень большому опыту, после такой ночи чувствуешь себя неловко. Слава богу, Мэтью не видно. Она успеет принять душ и собраться с мыслями.

Они мало разговаривали накануне, но трудно вести разумную беседу, когда мозги буквально плавятся на огне бурного жаркого секса. Боже, что касается секса, она никогда не испытывала ничего подобного!

Тейт приняла душ, завернулась в толстый махровый халат, потянулась за феном и мельком увидела свое отражение в запотевшем зеркале. Она улыбалась во весь рот!

А почему бы и нет, в конце концов? Она провела невероятную ночь. Мэтью Лэситер ошеломил ее, и, если она не очень сильно ошибается, он тоже ошеломлен... Только уже рассвело, и пора взглянуть в глаза реальности.

Хотя напряжение несколько разрядилось, им предстоит не только вместе работать, но и скрестить шпаги, когда дело дойдет до главного.

Неужели двое людей, так восхитительно подходящих друг другу в постели, не смогут поладить во всем остальном? Тейт вздохнула. Компромисс, похоже, единственное решение, но как же она не любит компромиссы!

Высушив волосы, Тейт провела языком по зубам. Как жаль, что вместе с халатами отель не предоставляет зубные щетки. Все еще сокрушаясь, она вышла в спальню как раз в тот момент, когда Мэтью появился из сада через стеклянную дверь.

— Привет.

— Привет. — Мэтью бросил ей маленький пакет. Заглянув в него, Тейт изумленно покачала головой и вытащила зубную щетку.

— Ты прочитал мои мысли.

— Отлично. Теперь прочти мои.

Это оказалось совсем нетрудно, так как он подхватил ее на руки и опустил на кровать.

— Мэтью! Что ты делаешь?

Ухмыляясь, он сорвал рубашку.

— Ничего нового.

Она смогла воспользоваться зубной щеткой только через час.

— Я все думала... — начала Тейт, когда они шли по пляжу к пирсу.

— О чем?

— Что нам с этим делать?

Он помог ей спуститься в катер.

— С тем, что мы любовники? И насколько ты собираешься все осложнять?

— Я не хочу осложнять, я только хочу...

— Установить правила. — Мэтью поцеловал ее на глазах ухмыляющегося экипажа прогулочной яхты, затем завел двигатель. — Ты не меняешься, Рыжик.

— А что плохого в правилах?

— Я от тебя без ума, — с улыбкой заявил Мэтью.

Его слова проникли ей прямо в сердце.

— Правило номер один. Давай не смешивать физическое влечение...

— С чем?

— Со всем.

— Ты всегда сводила меня с ума.

— Мэтью, я серьезно.

— Я вижу. — Обидно, однако он не желал расставаться с великолепным настроением... и с надеждой, которую лелеял, пока Тейт спала рядом с ним. — Ладно, как насчет следующего раза? Я хочу заниматься с тобой любовью при каждом удобном случае. Так лучше?

Ей показалось, что внутри у нее все растаяло, но она сумела сохранить деловой тон.

— Может быть, честно, но едва ли практично. Нас шестеро на двух яхтах.

— Значит, придется пошевелить мозгами. Ты будешь плавать сегодня утром?

— Конечно.

Мэтью с удовольствием посмотрел на ее растрепанные ветром волосы, на босые ноги.

— Попробую поймать тебя голой под водой. — Он поднял руку, защищаясь, когда Тейт замахнулась на него. — Просто шучу. Пока шучу.

Если Мэтью подумал, что шокировал ее, то он ошибся, однако сначала надо все прояснить до конца.

— Мэтью, у нас остались и другие проблемы.

Он замедлил ход. Черт побери, она собирается донимать его, пока окончательно не испортит настроения!

— Ты все еще хочешь позвонить своему коллеге или кто он там тебе?

— Если бы Хейден смог присоединиться к нам, то его помощь была бы неоценима.

— Мой ответ остается прежним, Тейт. Выслушай прежде чем злиться. Мы не можем рисковать. Ван Дайк пронюхает о наших результатах.

— У тебя мания преследования.

— Ты не боишься опять все потерять?

Тейт хотела было ответить, но вдруг поняла, что Мэтью говорит не только о «Изабелле».

— Боюсь. Я не передумала, но хорошо, я пока не буду звонить Хейдену.

— Как только закончим раскопки, можешь звонить любому ученому. Я даже помогу тебе поднять «Изабеллу» по кусочкам, если ты этого хочешь.

Тейт изумленно уставилась на него.

— Правда?

Мэтью подвел катер к «Новому приключению» и рывком выключил двигатель.

— Ты не веришь мне, Рыжик? Даже теперь?

— Мэтью... — смущенно прошептала Тейт, протягивая ему руку.

— Привыкай, — огрызнулся он. — И будь готова к погружению через двадцать минут.

Какая ирония судьбы, думал Мэт, ведя катер к «Русалке». Предполагается, что именно женщины чувстви-

тельны и эмоциональны, и вот вам: он размяк от любви, как последний дурак, а она болтает о правилах и науке!

Ларю, улыбаясь во весь рот и сверкая золотым зубом, поймал брошенный Мэтом трос.

— Итак, *mon ami*, ты чувствуешь себя обновленным?

— Заткнись, — предложил Мэтью, легко спрыгивая на палубу и стаскивая на ходу рубашку. — Я хочу кофе.

Даже не пытаясь спрятать ухмылку, Ларю прошествовал к камбузу.

— Когда я провожу ночь с женщиной, то утром мы оба улыбаемся.

— Заткнись, не то потеряешь еще один зуб, — пригрозил Мэтью и, схватив плавки, отправился на левый, противоположный «Новому приключению» борт.

Тейт легла с ним в постель, с горечью думал он. Забыв обо всем, она отдавалась ему, пока они оба не сошли с ума. И все равно она считает его немногим лучше последнего подонка. Что же она за женщина, черт побери?

Мэтью скинул шорты, натянул плавки и вернулся за своим гидрокостюмом. Бак уже поджидал его.

— Минуточку, парень. — Бак ткнул племянника кулаком в грудь. — Ты должен кое-что объяснить.

— Я должен работать. Готовь пневмонасос.

Однако Бак не собирался отступать.

— Я никогда не вмешивался в эту... гормональную часть твоей жизни. — Бак снова ткнул Мэта в грудь. — Думал, ты и без меня все понимаешь. Но когда ты злоупотребляешь доверием этой милой девочки...

— Милой? О да, она очень мила. Особенно когда вытряхивает из тебя душу или заживо спускает шкуру. — Мэтью схватил гидрокостюм и начал одеваться. —

Все, что происходит между мной и Тейт, тебя не касается.

— Еще как касается! Мы все — одна команда, а ее отец — мой лучший друг. — Бак провел ладонью по губам, с отчаянием подумав, что стаканчик виски помог бы ему успешно закончить лекцию. — Я понимаю, что у мужчины есть определенные желания, и, наверное, нелегко сдерживать их все эти долгие недели в море. — Бак нахмурился. Уж очень он не любил болтать на такие темы, но он был просто обязан исполнить свой долг. — Только ты не имеешь права использовать Тейт. Я говорил тебе это восемь лет назад и повторяю снова. Она не какая-нибудь дешевка, парень, и я не собираюсь стоять и смотреть...

— Да не использую я ее, черт побери! — Мэт, уже почти натянувший костюм, сунул руки в рукава. — Я люблю ее.

— Не смей... — Бак осекся, замигал, потом решил, что лучше присесть. Опустившись на палубу, он молча ждал, пока Мэтью глотал принесенный канадцем кофе. — Ты не шутишь?

— Отцепись!

Бак перевел взгляд на Ларю, благоразумно занявшегося изучением компрессора.

— Послушай, Мэтью, я не очень-то понимаю в таких делах, но... Господи, мальчик, когда это случилось?

— Лет восемь тому назад. — Его гнев иссяк, но напряжение не отпускало. — Не приставай ко мне, Бак. Ты узнал прогноз погоды?

— Да-да. Никаких проблем. — Чувствуя себя не в своей тарелке, Бак неуклюже поднялся и помог Мэтью закрепить баллоны. — Пока вас не было, Рэй и канадец подняли немного фарфора. Мариан собиралась его отчистить.

— Прекрасно. Ларю, дай сигнал на «Приключение». Пора начинать.

— Пора заканчивать, — возразил Ларю, однако покорно отправился к поручням и окликнул Бомонтов.

— Конечно, все в порядке, мама. — Тейт закрепила на ноге подводный нож. — Вам с папой не о чем волноваться.

— Лично я не волнуюсь. Немного озабочена, пожалуй, но я знаю, что Мэтью никогда тебя не обидит.

— Неужели? — пробормотала Тейт.

— Милая моя, — Мариан притянула к себе дочь и крепко обняла. — Ты счастлива?

— Не знаю. — Тейт закинула на спину баллоны. — Я еще не поняла. — Она оглянулась на оклик Ларю и со вздохом застегнула ремень. — Но я разберусь с этим. И я справлюсь с Мэтью. — Тейт надела ласты и нахмурилась. — Папа не собирается пристрелить его?

Рассмеявшись, Мариан передала дочери маску.

— С Рэем справлюсь я. — Она перевела взгляд на Мэта, стоявшего на палубе «Русалки». — Мэтью Лэситер очень красивый мужчина, Тейт. И непростой. Умная женщина могла бы раскрыть его достоинства.

— Меня не интересуют его достоинства. — Тейт надела маску и усмехнулась. — Но я с удовольствием снова бы наложила руки на его тело.

Мэтью не предоставил ей такой возможности. Как только они спустились к останкам «Изабеллы», он включил пневмонасос. Временами песок, раковины и осколки словно пули барабанили по ее спине и плечам, но она терпеливо ползала по дну, ковыряясь в летевшем из трубы мусоре, наполняя ведра, дергая за веревку — сигнал Баку поднимать добычу наверх. Совсем не оставалось времени восторгаться находками.

Приличных размеров конгломерат ударил по плечу, наверняка оставив синяк, но Тейт даже не поморщилась, лишь мысленно обругала Мэта. Затем она подобрала глыбу... нет, не глыбу, а невероятную абстрактную скульптуру из вросших в известняк почерневших серебряных монет. Тейт бросилась в клубящуюся вокруг Мэтью мутную воду и нетерпеливо застучала по его баллону.

Мэт обернулся, отпрянул от мелькнувшей перед самой маской находки Тейт и, мельком взглянув на нее, безразлично пожал плечами.

«Что с ним случилось, черт побери?» — удивилась Тейт, укладывая находку в ведро. Он должен был ухмыльнуться, дернуть ее за косу, погладить по лицу... ну, что угодно. А он продолжает работать как маньяк, явно не испытывая обычного удовольствия от ее компании.

«Она думает, что меня интересуют только деньги», — кипел Мэтью, осторожно водя по песку трубой пневмонасоса. Неужели она ожидала, что, увидев кусок серебра, он встанет на задние лапки и запляшет? Да пусть забирает все до последней траханой монеты! Пусть отдает все в свой бесценный музей или своему ненаглядному Хейдену Дилу.

Да, он хотел ее. Но он не знал, что секс без ее любви и — будь все проклято! — без ее уважения оставит его таким опустошенным... словно выпотрошенным.

Ну, теперь он знает. И у него остается одна-единственная цель — «Проклятие Анжелики». Он обыщет каждую расщелинку, каждый кусок коралла, каждый песчаный холмик, найдет колье и отомстит убийце отца. Лучше стремиться к мести, чем к любви женщины. Видит бог, поражение не будет таким болезненным.

Мэтью работал, пока руки не заныли, а мозги не онемели, и не сразу осознал, что означает блеск в песке.

Золото!

Мэтью отвел трубу, оглянулся на Тейт. Сосредоточенно вглядываясь в груду осколков, она усердно копошилась в мутной воде, однако в ее движениях чувствовалась усталость. Ну что же, он знал, что изматывает ее, и это его не останавливало.

«Неужели излишняя гордость всегда будет нашей проблемой?» — подумал Мэт. Он улыбнулся, глядя на сверкающие монеты, разбросанные по морскому дну, словно мелочь, выпавшая из божьего кармана, повернул трубу, и через мгновение монеты зазвенели по баллонам Тейт.

Ее глаза вспыхнули, она бросилась подбирать дублоны, как ребенок бросается к рассыпавшимся конфетам, затем повернулась и протянула ему горсть золотых монет. И словно живительный бальзам пролился на его кровоточащее сердце. Мэтью отложил трубу и расплылся в улыбке, когда Тейт подплыла к нему, оттянула ворот его костюма и высыпала туда монеты. Ее глаза искрились смехом, любопытные рыбешки замерли, уставясь на их шутливую борьбу и неуклюжие объятия.

Мэтью показал большим пальцем наверх, но Тейт отрицательно замотала головой и стала бросать горсти золота в ведро. Он снова подобрал трубу.

Забыв об усталости, Тейт доверху наполнила два

ведра и вдруг заметила потертый бархатный мешочек. Она протянула руку, ветхая ткань не выдержала ее прикосновения, и сквозь дырку просыпались звезды.

Тейт затаила дыхание — не в переносном смысле, а буквально перестала дышать. Блеск бриллиантов и сапфиров взорвал подводный сумрак, будто накапливаемый веками огонь засверкал перед ее распахнувшимися от изумления глазами. Трехъярусное золотое колье было таким роскошным, что даже казалось аляповатым.

Не сводя глаз с мерцающих звезд, Тейт протянула находку Мэту.

Одно безумное мгновение он думал, что они нашли «Проклятие Анжелики». Он готов был поклясться, что чувствовал силу, исходящую от драгоценных камней... но, когда он коснулся колье, все изменилось. Да, бесценное, да, великолепное, но в нем не было никакой магии. Мэтью небрежно накинул колье на шею Тейт, и на этот раз, когда он показал наверх, она согласно кивнула, дернула веревку, и они последовали за ведрами.

Вынырнув, Тейт повернулась к Мэту:

— Мы нашли сокровища!

— В этом нет никаких сомнений.

— Мэтью! — Тейт благоговейно провела пальцами по колье. — Оно просто чудесное.

— Тебе идет. — Он накрыл ладонью ее пальцы. — Ты все еще приносишь мне удачу, Тейт.

— Боже всемогущий! — донесся с «Русалки» изумленный возглас Бака. — Рэй, у нас тут золото. У нас ведра золота.

Тейт усмехнулась и сжала руку Мэта.

— Поспешим. Хочется увидеть их лица.

— У меня появилась отличная мысль. — Мэтью лениво направился к «Русалке». — Что, если я в полночь тихонько подплыву к «Приключению» и поднимусь на мостик? Я видел, там на двери есть замок.

Тейт ухватилась за поручни трапа.

— Действительно, отличная мысль.

* * *

За два дня они подняли больше миллиона долларов золотом и драгоценности, стоимость которых даже Тейт могла определить лишь приблизительно. И чем ошеломительнее был их успех, тем больше мер предосторожности они предпринимали.

Яхты стояли на якоре более чем в ста футах от «Изабеллы», а Бак по меньшей мере дважды в день, когда мимо сновали экскурсионные суда, сидел на палубе с удочкой и перебрасывался шутками с туристами.

Тейт тщательно прятала бесчисленные фотопленки и рисунки, с восторгом чувствуя, как обретает отчетливые очертания ее мечта о музее. Она обсуждала свои планы с отцом, но не с Мэтью, планы которого, к сожалению, сильно отличались от ее собственных.

Весна потихоньку перетекла в изумительное лето. Тейт и Мэтью дружно работали под водой, проводили безумные ночи на толстом одеяле, брошенном на пол застекленного мостика, а если Мэтью иногда казался ей грустным, если она ловила на себе его изучающий взгляд, то говорила себе, что не о чем беспокоиться: они пришли к компромиссу, устраивающему их обоих.

Ларю, насвистывая, вышел из рубки, понаблюдал с минутку за Баком и Мариан, очищающими находки. Он не переставал восхищаться очаровательной миссис Бомонт, и не столько ее красивым лицом и стройной фигуркой, сколько безупречной и неизменной элегантностью. Женщины, мелькавшие в жизни Ларю, всегда были красивыми, интригующими, но редко стильными. В миссис Бомонт, даже потной и с грязными руками, невозможно было не заметить передаваемые из поколения в поколение достоинство и шик.

Ларю печально вздохнул, понимая, что даже ради нее не нарушит одно из своих немногих правил: не соблазнять замужних женщин.

— Я забираю катер, — объявил он. — Нам нужны продукты.

Мариан смахнула со лба капельки пота.

— Вы собираетесь на Сент-Китс, Ларю? У меня закончились яйца и фрукты.

— Буду счастлив купить вам все, что закажете.

— Вообще-то... — Мариан одарила его улыбкой. — Я бы хотела сама прогуляться по суше. Если вы не возражаете против моего общества.

Ларю ослепительно улыбнулся, на ходу меняя свои планы.

— *Ma chere* Мариан, я в восторге.

— Вы не могли бы подождать несколько минут, пока я вымоюсь и переоденусь?

— Я весь в вашем распоряжении.

Ларю любезно помог Мариан спуститься в катер. Ничто на свете не заставит прелестную миссис Бомонт проплыть даже несколько футов.

— Попусту тратишь свое обаяние, французик, — проворчал Бак, продолжая стучать молотком.

Ларю оглянулся.

— А мне не жалко. У меня море обаяния, *mon ami.* Что привезти с острова тебе?

«Бутылку «Блэк Джека», — подумал Бак, с мучительной ясностью представляя, как первый глоток виски обжигает глотку.

— Мне ничего не надо.

— Как хочешь. — Ларю похлопал по карману, проверяя, не забыл ли кисет, затем прошел к поручням. — А вот и возвращается моя прелестная спутница. Пока, Бак.

Как истинный рыцарь, Ларю сменил даму за рулем и, прежде чем взять курс на Сент-Китс, обогнул «Приключение», чтобы Мариан помахала Рэю.

— Я очень вам благодарна, Ларю. Рэй так увлечен своими картами и документами, что мне не хватает духу отвлекать его. — Предвкушая прогулку по рынку и лавочкам, наслаждаясь восхитительной погодой, Мариан подставила лицо ветру. — И все остальные так заняты.

— Мариан, вы истязаете себя работой.

— О, нет. Настоящая работа — погружения, и, помоему, вы получаете от них огромное удовольствие.

— Как жаль, что вы не видели «Изабеллу» своими глазами!

— Благодаря рисункам Тейт мне кажется, будто я ее видела. Что вы будете делать со своей долей, Ларю? Вернетесь в Канаду?

— Боже сохрани! Там такой холод. — Ларю перевел взгляд на далекую береговую линию, мерцающую белым песком, зеленеющую пальмами. — Мне нравится теплый климат. Может, я построю здесь дом и останусь созерцать океан. Или отправлюсь в кругосветное путешествие. — Он ухмыльнулся. — Но в любом случае я буду наслаждаться богатством.

«Похвальная цель, — мысленно добавил он, — и почти осуществившаяся».

Пришвартовав к пирсу катер, Ларю отвез Мариан в город на такси и с удовольствием прошелся с ней по рынку.

— Ларю, вы не будете возражать, если я пробегусь по магазинам? Стыдно сознаваться, но я соскучилась по цивилизации. Я умираю от желания полюбоваться на безделушки, и еще мне нужны кассеты для видеокамеры.

— С удовольствием составил бы вам компанию, но у меня есть несколько поручений. Вас устроит, если мы встретимся здесь через, скажем, сорок минут?

— Это было бы великолепно.

— Тогда до встречи.

Ларю галантно поднес ее руку к губам, поцеловал и неторопливо удалился.

Убедившись, что отошел достаточно далеко и Мариан его не видит, он проскользнул в вестибюль небольшого отеля и усдинился в телефонной будке. Нужный номер он хранил в голове. Такие вещи опасно записывать, мало ли кто увидит.

Мурлыча под нос веселый мотивчик, Ларю терпеливо ждал, пока оператор соединит его с абонентом. За счет абонента, естественно. Вскоре в трубке раздался высокомерный голос, свойственный слугам богатых домов:

— Резиденция Ван Дайка.

— Мистер Ларю просит соединить его с Сайласом Ван Дайком. Вы оплатите разговор? — спросила телефонистка.

— Подождите, пожалуйста.

— Подождите, пожалуйста, — повторила для Ларю телефонистка, усладив его слух напевным местным акцентом.

— Я располагаю свободным временем, мадемуазель, — заверил Ларю и, чтобы заполнить паузу, свернул сигарету.

— Ван Дайк у телефона. Я оплачу разговор.

— Благодарю вас. Говорите, мистер Ларю.

— *Bonjour*, мистер Ван Дайк. Надеюсь, вы хорошо себя чувствуете?

— Откуда вы звоните?

— Из вестибюля небольшого отеля на Сент-Китсе. Погода здесь изумительная.

— Где остальные?

— Прелестная миссис Бомонт обследует сувенирные лавочки. Остальные в море.

— Чем они там занимаются? «Маргарита» пуста. Я лично об этом позаботился.

— Действительно. Того, что вы оставили, не хватит даже на корм червям. Тейт безумно расстроилась.

— Неужели? — с явным злорадством переспросил Ван Дайк. — Не покинула бы свое место — не расстраивалась бы, но с этой проблемой я разберусь позже. Мне нужен полный отчет, Ларю. Я плачу вам за то, чтобы вы следили за Лэситерами.

— К чему я с удовольствием и перехожу. Бак не пьет. Страдает, бедняга, но пока еще держится.

Ларю выдохнул дым, проводил взглядом колечки, поднявшиеся к потолку будки.

— Он не ныряет, а когда ныряют остальные, грызет ногти и потеет. Может, вас заинтересует то, что Мэтью и Тейт — любовники. Они встречаются каждую ночь.

— Ее вкус меня разочаровывает. — В голосе Ван Дайка появилось напряжение. — Очень забавные сплетни, Ларю, но я не привык платить за такую чепуху. Сколько еще они собираются копаться в «Маргарите»?

— Мы покинули «Маргариту» несколько недель тому назад.

— И вы не потрудились проинформировать меня? — спросил Ван Дайк после короткой паузы.

— Именно это я сейчас делаю. И, как всегда, следуя интуиции, выбираю наиболее драматический момент, *mon ami.* Мы нашли «Изабеллу», и ее богатства неисчерпаемы. — Ларю с наслаждением вдохнул ароматный дым, не спеша выдохнул. — Мой напарник, Рэй Бомонт, не сомневается, что она хранит и нечто бесценное.

— Что именно?

— «Проклятие Анжелики». Полагаю, самое время перевести на мой швейцарский счет сто тысяч американских долларов. Через двадцать минут я проверю.

— Сто тысяч долларов за ваши фантазии? — переспросил Ван Дайк, но его голос прозвучал гораздо глуше.

— Удостоверившись, что деньги переведены, я воспользуюсь гостиничным факсом и перешлю вам копии документов, которые Рэй так долго и усердно собирал. Уверен, они стоят указанной суммы. Буду держать вас в курсе наших достижений. *A bientot.*

Ларю повесил трубку, не дослушав сбивчивых возражений Ван Дайка.

Деньги придут, думал он. Ван Дайк — бизнесмен и понимает, что для получения прибыли необходимо делать вложения.

Ларю самодовольно улыбнулся и отправился в бар отеля, чтобы в приятной обстановке скоротать время.

Он был очень доволен собой: какое наслаждение расшевелить осиное гнездо и наблюдать за жужжащими осами!

ГЛАВА 21

Мэтью метался по мостику «Нового приключения», тщетно убеждая себя, что нелепо так реагировать. Тейт совершенно не обязана ждать его. Плывя сюда, он видел свет в рубке. Рано или поздно Тейт отвлечется, взглянет на часы и придет.

Он уставился на сверкающие в черном небе звезды. С их помощью он, как любой моряк, мог найти дорогу и в море, и на суше. Но кто поможет ему найти путь к тому, чего он жаждет больше всего? В этом путешествии он беспомощен, как новорожденный котенок.

Всю свою жизнь он стыдился беспомощности больше, чем проявления чувств, больше, чем поражений. Он не смог предотвратить бегство матери, убийство отца, увечье Бака, а сейчас он не в силах защитить себя от собственного сердца и от женщины, которой он не нужен.

Как было бы просто, если бы его терзания объяснялись сексом, но этот первобытный голод он утолил. Конечно, он все еще хочет ее. Как можно смотреть на Тейт и не испытывать жгучего желания! Только все зашло слишком далеко, гораздо дальше физического влечения. Когда это случилось?

Мэтью подозревал, что так было с самого начала.

Как объяснить Тейт, что с ней он становится совсем другим? Стал бы другим, если бы она испытывала к нему хотя бы ничтожную долю тех чувств, которые обуревают его... Он, конечно, сможет прожить без нее, как жил почти всю жизнь, однако без нее он никогда не станет тем, кем хочет быть, никогда не добьется того, чего хочет.

Он привык жить настоящим моментом, и ему казалось унизительным признаваться даже самому себе, что женщина заставила его тосковать, стремиться к ограничениям и ответственности, но он ничего не может изменить. Ему остается лишь взять то, что предлагает Тейт, и отпустить ее, когда придет время.

Мэт не видел способа доказать ей, что она ошибается в нем. Они оба понимают, что, как только он найдет «Проклятие Анжелики», он воспользуется им, чтобы отомстить. И как только он завладеет колье, он потеряет Тейт. Невозможно удержать и то, и другое, невозможно жить в мире с самим собой, если не отомстить за отца... И вдруг наедине со звездами, отражающимися в спокойной воде, Мэтью с удивлением понял, что не расстроился бы, если бы алчное море не стало делиться с ним амулетом и всем, что он олицетворяет.

— Прости. — Тейт взлетела на мостик, развернулась, чтобы запереть дверь. Ее волосы взметнулись и красивыми волнами опустились на плечи. — Я рисовала веер, который Ларю поднял сегодня, и совсем потеряла счет времени. Просто фантастика, что такая хрупкая вещь пережила все бури и осталась неповрежденной.

Тейт осеклась, почувствовав себя неуютно под его непроницаемым взглядом. Когда Мэтью вот так смотрел на нее, ей казалось, что он видит ее насквозь. О чем он думает? Как ему удается сдерживать свои чувства? А то, что под его внешней невозмутимостью кипит буря чувств, Тейт не сомневалась. Мэтью напоминал ей дремлющий вулкан, где под тонкой коркой кратера кипит лава.

— Ты злишься? Всего только четверть первого.

— Нет, я не злюсь. Хочешь вина?

— Ты принес вино? — Тейт вдруг занервничала. — Чудесно.

— Украл у Ларю. Он привез с Сент-Китса какое-то изысканное французское вино.

Мэтью наполнил два стакана.

— Спасибо. — Тейт взяла стакан, но понятия не имела, что делать дальше. Прежде они просто падали на пол, срывая друг с друга одежду, как дети, нетерпеливо сдирающие обертку с подарков. — С запада надвигается шторм.

— До сезона штормов еще далеко, но Бак начеку. Расскажи мне о веере.

— Он стоит две-три тысячи. Для серьезного коллекционера гораздо больше.

Мэтью протянул руку, погладил ее волосы.

— Тейт, расскажи мне о веере.

— Хорошо. — Его неожиданный интерес привел ее в замешательство. — Шестнадцать пластин слоновой кости. В раскрытом виде резьба образует розу. Середина семнадцатого столетия, то есть, когда «Изабелла» затонула, веер уже был фамильной реликвией.

Глядя ей в глаза, Мэтью намотал на палец прядь ее волос.

— Кому он мог принадлежать?

— Я не знаю. — Вздохнув, Тейт прижалась щекой к его ладони. — Может, юной новобрачной. Она очень дорожила им и только иногда вынимала из шкатулки, раскрывала, проводила пальцем по рисунку и вспоминала, как была счастлива, когда шла к алтарю.

Мэтью вынул из пальцев Тейт стакан с нетронутым вином и отставил его. Она откинула голову, подставляя лицо его жадным губам.

— Я... — Когда его губы замерли рядом с ее губами, ей показалось, что сердце перестало биться. — Брак для меня не главное. — Тейт сунула руки под его рубашку, погладила спину. — Господи, как я люблю твое тело! Мэтью, я не могу больше ждать. — Она нетерпеливо прикусила его губу.

Если это все, что она предлагает, он выполнит ее просьбу, но она никогда не забудет, что это он разрушил всю ее сдержанность и сумел лишить ее хваленого здравого смысла.

Резко дернув Тейт за волосы, он закинул назад ее голову и впился губами в раскрывшийся от изумления рот.

Тейт вскрикнула и вцепилась в его плечи, пытаясь высвободиться, но он сорвал ее шорты, и в следующее мгновение она уже содрогалась в неожиданно мощном оргазме. На этот раз он не стал тратить время на поиски одеяла и бросил ее прямо на пол. Его руки, казалось, были повсюду, срывая одежду, пробуждая плоть.

Тейт извивалась под ним, но уже от возбуждения, смутно понимая, что взорвался наконец вулкан, который она чувствовала в нем, и все глубже погружалась в водоворот безумного наслаждения. Его жадные губы, зубы, язык сводили ее с ума. Она изогнулась, стараясь слиться с ним, и задрожала в новом оргазме.

— Мэтью... — Ей хотелось визжать от нетерпения. — Мэт...

Он пригвоздил ее тело к полу своим телом и, сжав

одной рукой ее руки, завел их ей за голову. Тейт открыла глаза, и полумрак показался ослепительным.

— Нет, смотри на меня, — потребовал Мэт, когда ее трепещущие веки стали опускаться. — Смотри на меня. — Воздух обжигал легкие, собственные слова как стекло царапали его горло. Ее глаза распахнулись, затуманенные, мерцающие бездонной зеленью. — Ты еще можешь думать?

— Мэтью, я не могу это выдержать.

— Я могу.

И он снова довел ее до оргазма, услышал ее сдавленный стон, почувствовал, как ее тело словно тает.

— Ты еще можешь думать?

Тейт не могла ни думать, ни говорить, она ничего не видела, превратившись в клубок обнаженных чувств, и, не шевелясь, совершенно беззащитная перед ним, лишь ждала новой атаки.

Он смаковал ее тело дюйм за дюймом и, только когда ее губы снова ожили и впились в него с не уступающей ему жадностью, вонзился в нее.

Пригвожденная телом Мэта к неумолимо жестким доскам пола, Тейт чувствовала себя разбитой, опустошенной и необыкновенно счастливой. Она с трудом нашла в себе силы поднять руку и погрузить пальцы в его волосы. Ей вдруг стало жаль всех женщин, не встретивших в жизни такого любовника, как Мэтью Лэситер... Потом она лениво подумала, что утром все тело будет ныть... потом почувствовала, как пересохло горло.

— Сейчас я не отказалась бы от вина, — хрипло прошептала Тейт. — Ты сможешь до него дотянуться? Или, может, сумеешь скатиться с меня? Тогда я постараюсь проползти несколько футов.

Мэт приподнялся, изумляясь, как можно чувствовать себя опустошенным, умиротворенным, довольным и пристыженным одновременно.

Тейт оперлась локтем о пол и взяла стакан. Один освежающий глоток вернул силы.

— Что это было?

Мэтью дернул плечом.

— Секс.

Тейт вздохнула и улыбнулась.

— Не подумай, что я жалуюсь, но это было больше похоже на сражение.

Поскольку его стакан был пуст, он поднялся, чтобы принести бутылку.

— Неважно, раз мы оба победили.

Такой холодный тон после безумной и абсолютной близости?

— Мэтью, что-то не так?

— Все великолепно. — Он подлил себе вина. — Прости, если я был слишком груб...

— Нет. — Тейт не могла объяснить, откуда взялась нежность, переполнившая ее, и погладила его щеку. — Мэтью... — Слова кружились в ее мозгу, в ее сердце. Она пыталась выбрать самые нужные, самые подходящие. — То, что происходит между нами, — необыкновенно. Никто никогда... — Нет, не годится. — Я никогда и ни с кем не чувствовала себя такой свободной. — Она попыталась улыбнуться как можно беспечнее. — Думаю, это потому, что мы оба ничего не ждем друг от друга и прекрасно знаем, на чем стоим.

— Правильно. — Он обхватил ладонью ее голову, не

давая ей отвернуться, сверля ее взглядом. — Иногда можно оставаться на одном месте очень долго.

— Я не понимаю тебя.

Он притянул Тейт к себе и не отпускал ее губы, пока до конца не прочувствовал горький вкус собственных ошибок.

— Наверное, я сам себя не понимаю. Я лучше пойду.

— Не уходи. — Тейт схватила его за руку. — Не уходи, Мэтью. Я... такая чудесная ночь. Я бы хотела поплавать. С тобой. Я не хочу оставаться одна.

Мэтью прижался губами к ее ладони и не видел, как глаза Тейт наполнились слезами.

В роскошном кабинете на борту «Триумфатора» Ван Дайк перечитывал присланные Ларю бумаги, пока не выучил их наизусть. Да, он недооценил Лэситеров, и теперь некого винить за ошибку, кроме самого себя. Все эти годы Лэситеры дурачили его. Теперь в этом нет никаких сомнений.

Слишком много ошибок, думал Сайлас, промокая капельки пота, выступившие над верхней губой. И все потому, что он до сих пор не нашел амулет.

Джеймс Лэситер знал, где искать «Проклятие Анжелики», и умер, смеясь над своим убийцей. Только он, Ван Дайк, не из тех, кто позволяет смеяться над собой.

Висевшее на стене овальное зеркало отразило искаженное яростью, побелевшее лицо. Крепко сжав инкрустированную драгоценными камнями рукоять, Ван Дайк вонзил нож для открывания писем в кремовую обивку антикварного пуфика. Парча лопнула, как плоть, извергнув поток конских волос. Даже треск ткани был похож на жалобные человеческие крики.

Сайлас не мог остановиться, его учащенное хриплое дыхание заглушало мелодию Моцарта, лившуюся из невидимых динамиков, и вскоре изящный пуфик превратился в кучку лохмотьев.

Наконец Сайлас бросил нож на ковер, попятился, шатаясь и обливаясь потом, и, чтобы унять дрожь и тошноту, налил себе коньяка.

Ничего страшного. Это всего лишь вещь, которую легко заменить. Всего лишь вещь. Разрядка вполне естественна для нормального мужчины. Сдерживание гнева приводит к язве, мигрени и неуверенности в себе. Так было с его отцом, вспомнил Ван Дайк. Сдержанность не сделала его сильным, наоборот, усугубила все слабости.

Странно, в последнее время он все чаще вспоминает отца и мать и утешается тем, что сам избежал их недостатков. Нет, не избежал, а восторжествовал над слабостями души и тела. Его мать предал ее мозг, его отца — сердце. Но их сын научился укреплять и то, и другое.,, Отпивая маленькими глотками коньяк, Сайлас не спеша обошел кабинет, поджал губы, глядя на парчовые лоскутки, разбросанные по полу. Да, иногда полезно давать волю своим чувствам. Физическая разрядка просто необходима, она очищает кровь. Конечно, и самообладание необходимо. Он это знает и редко выходит из себя.

Ну, допустим, он поспешил с Джеймсом Лэситером. Но ведь он был тогда молод и несдержан... Джеймс Лэситер... Джеймс Лэситер, даже мертвый, обвел его вокруг пальца... Сайласа вновь охватила дикая ярость, и ему пришлось крепко сжать веки и сделать несколько

глубоких вздохов, иначе он разбил бы вдребезги хрустальный бокал.

Нет, эти проклятые Лэситеры не стоят даже бокала коньяка.

Успокоившись, Сайлас вышел на палубу насладиться прохладой и ароматом ночного воздуха. Яхта скользила по темной глади океана... Он чуть не отправился в Вест-Индию на личном реактивном самолете, но сдержал нетерпение. Время, потраченное на морское путешествие, не пропадет зря. Его планы постепенно приобретут четкие очертания, а имея своего человека в стане Лэситеров—Бомонтов, он словно сам находился среди них.

Конечно, Ларю стал слишком сильно докучать своими непомерными требованиями... Ван Дайк улыбнулся, погладил тонкий хрусталь. Не беда, и с этой проблемой он справится.

У канадца нет родственников, никто о нем не спохватится... как раз то, что Сайлас любил в своих марионетках. Однако еще не пришло время для этого маленького развлечения. Да это и не главное. Истинную радость он испытает, избавляясь от Лэситеров и их партнеров. Естественно, сначала он их использует. Пусть поныряют, поковыряются на морском дне. Труды принесут им чувство удовлетворения, веру в то, что им удалось его обмануть.

Сайлас ярко представил их оживленные сборища, их восторги по поводу собственной ловкости. Они смеются и поздравляют друг друга, считая себя очень хитрыми и терпеливыми, ведь они ждали столько лет, чтобы нанести ему удар...

Конечно, ради справедливости надо признать, что

их усилия достойны восхищения. Однако бесценный приз будет принадлежать только ему, Сайласу Ван Дайку. Это его наследство, его собственность, символ его победы. А завладев амулетом, на гребне своего триумфа он уничтожит их всех.

Сайлас довольно улыбнулся, допил коньяк и одним резким ударом разбил бокал о поручни... не в порыве ярости, а просто потому, что мог себе это позволить.

Грохочущие трехметровые волны и проливной дождь с завывающим ветром заставили их приостановить подводные раскопки. Тейт устроилась в рубке с портативным компьютером и термосом горячего чая, только ее мысли витали далеко от предстоящей работы.

Из-за шторма не будет ночного свидания... Тейт удивилась своему разочарованию. Не подумав о последствиях, она позволила себе привыкнуть к Мэтью. Очень неразумно, однако после долгих споров с самой собой Тейт убедила себя, что все нормально, что ничего особенного не происходит. Физическое влечение и дружеская привязанность совсем не опасны. Конечно, Мэтью иногда раздражает ее и они много спорят, но у них слишком много общего, чтобы заострять внимание на разногласиях.

На этот раз она вполне владеет своим сердцем. Она не влюблена. Секс приносит гораздо больше удовлетворения, если партнер нравится женщине, но глупо любить, когда конец отношений просматривается очень ясно. Мэтью заберет свою долю добычи с «Изабеллы», и они разойдутся.

Нахмурившись, Тейт включила компьютер и вызвала на экран файл, посвященный «Проклятию Анжелики».

«Легенды, подобные той, что окружает амулет Монуар, известный также, как «Проклятие Анжелики», часто основаны на реальных фактах. Хотя нелогично приписывать мистическую силу какому-то предмету, легенда имеет право на жизнь. Согласно историческим документам, Анжелика Монуар действительно жила в Бретани и была целительницей. Она действительно владела драгоценным колье, даром ее мужа Этьена, младшего сына графа дю Таша. В октябре 1553 года она действительно была обвинена в колдовстве и сожжена на костре. Ей было тогда шестнадцать лет.

Выдержки из ее личного дневника подтверждают исторические данные.

Читая слова, написанные ею накануне казни, мы проникаем в ее мысли и понимаем, как родилась легенда о «Проклятии Анжелики».

Предсмертное проклятие женщины, обезумевшей от отчаяния, невиновной женщины, скорбящей о любимом муже, преданной свекром и ожидавшей мучительной смерти, не только собственной, но и своего нерожденного ребенка, — из таких фактов и рождаются мифы...»

Тейт откинулась на спинку стула, перечитала текст. Затем потянулась к термосу, подняла глаза и увидела в дверях Бака. С его желтого клеенчатого дождевика текли потоки воды, толстые линзы очков запотели.

— Привет. Я думала, вы втроем скучаете на «Русалке».

— Проклятый кэнак сводит меня с ума, — проворчал Бак. — Решил поболтать с Рэем.

Тейт заметила, что Бак нервничает, но почему-то не поверила, что это из-за Ларю.

— Родители на мостике, слушают прогноз погоды. — Тейт налила в крышку термоса чай и протянула Баку. — По последним сведениям, шторм начинает стихать. Завтра к полудню должно проясниться.

— Возможно.

Бак взял крышечку, но отставил ее, даже не пригубив чай. Тейт отодвинула компьютер.

— Бак, снимите дождевик и присядьте.

— Не хочу мешать тебе, девочка.

— Пожалуйста, помешайте хоть пару минут. Я буду очень рада. — Рассмеявшись, Тейт принесла из камбуза кружку.

Бак стянул мокрый плащ, присел на диванчик, забарабанил пальцами по столу.

— Я подумал, может, Рэй не прочь поиграть в карты. Не знаю, куда девать свободное время.

— Вас что-то беспокоит?

— Я подвожу парня, — выпалил Бак и схватился за чай, хотя совсем не хотел пить.

— Это неправда! Мы не смогли бы обойтись без вас, Бак. Вы не ныряете, но вы очень ценный член команды.

— Ну да. Проверяю оборудование, наполняю баллоны, помогаю чем могу. — Бак поморщился. — Орудую видеокамерой.

Тейт наклонилась к нему, сжала нервно дергающуюся руку.

— Это так же важно, как нырять.

Бак горестно потупился.

— Я не могу нырять, Тейт. А когда я смотрю, как мальчик исчезает под водой, у меня все внутри сжимается и в горле пересыхает. Я начинаю думать о выпивке.

— Но вы держитесь, не так ли?

— Думаю, один стакан, и я бы уже не смог остановиться. Но жажда не пропадает. — Бак поднял глаза. — Я хотел поговорить об этом с Рэем, не думал, что вывалю все на тебя, девочка.

— А я рада. Вы дали мне шанс сказать, как я горжусь вами, вашей силой воли. И вы делаете для Мэтью очень много, гораздо больше, чем для самого себя.

— Кроме него, у меня никого нет на свете. Он такой же, как его отец. Преданный. И упрямый. И все держит в себе. Джеймс тоже считал, что со всем справится сам. И это его убило. — Бак поднял глаза на Тейт. — Боюсь, мальчик идет той же дорогой.

— Что вы имеете в виду?

— То, что он находит день за днем, возбуждает его, но нужно ему только одно. Амулет завладел им, Тейт, точно так же, как Джеймсом. Это пугает меня до смерти. Чем ближе мы подбираемся к нему, тем мне страшнее.

— Потому что, если Мэтью найдет амулет, он использует его против Ван Дайка.

— К черту Ван Дайка! — Бак откашлялся, глотнул чаю. — Плевать я хотел на этого сукина сына. С ним мальчик справится. Все дело в проклятии.

— О, Бак!

— Я чувствую, амулет близко. — Бак уставился на окно, по которому хлестали струи дождя. — Мы близко. Может быть, этот шторм — предупреждение.

Тейт закусила губу, чтобы не рассмеяться, и скрестила на груди руки.

— Теперь выслушайте меня, Бак. Моряки не могут жить без суеверий, но факты остаются фактами: мы раскапываем затонувшее судно, и очень возможно, что на нем находится этот амулет. Если нам повезет, мы его найдем, я его зарисую, наклею ярлычок и внесу в каталог. Точно так же, как поступаю со всеми остальными находками. Бак, это металл и камни с увлекательной и трагической историей, но не более того.

— Никто из его владельцев не дожил до старости.

— В прошлых веках люди часто умирали молодыми, насильственной и трагической смертью. Я вас не убедила? Ну хорошо, давайте предположим, что амулет обладает каким-то могуществом. Почему это могущество должно быть злом? Бак, вы читали дневник Анжелики? Ту часть, которую скопировал ваш брат?

— Да. Она была ведьмой и прокляла колье.

— Она была несчастной, совсем юной женщиной. Она потеряла любимого мужа, ей и ее ребенку была уготована смерть. — Видя, что ей не удается переубедить Бака, Тейт глубоко вздохнула. — Черт побери, если она была ведьмой, почему она не исчезла в клубе дыма или не превратила своих тюремщиков в лягушек?

— Колдовство так не работает, — упрямо возразил Бак.

— По-вашему, она заколдовала колье? Если я правильно поняла ее записи, Анжелика прокляла тех, кто осудил ее на смерть, тех, кто из алчности отберет последнее, что связывает ее с мужем. Мэтью не осуждал ее на смерть, Бак, и он не крал ее колье. Он только найдет его, если ему повезет, вот и все.

— А когда найдет, что колье сделает с ним? — с горечью спросил Бак. — Вот это и мучает меня, Тейт.

Тейт внутренне содрогнулась.

— На этот вопрос я не могу ответить. — Она вдруг почувствовала, как заледенели руки, и обхватила чашку, пытаясь их согреть. — Но, что бы ни случилось, это будет выбор Мэтью, а не древнее проклятие, наложенное на ювелирное украшение.

ГЛАВА 22

Бак давно ушел, а Тейт все не могла избавиться от беспокойства, вызванного его словами. Она не могла отмахнуться от них как абсурдных и слегка истеричных, хотя прекрасно понимала, как создаются легенды.

И она когда-то верила в мифы. В юности. Когда была наивной и мечтательной, когда верила в возможность чуда. О, она верила в очень многое.

Рассердившись на себя, Тейт налила в чашку чай, тепловатый, поскольку она забыла закрыть термос. Глупо сожалеть о потере наивности. Как детские игры, наивность неизбежно остается в прошлом, сменяясь знаниями и опытом.

Она годами собирала и заносила в компьютер информацию о «Проклятии Анжелики» как ученый, не привыкший отмахиваться от любых исторических фактов. Во всяком случае, так она себя уверяла. Колье не было таким знаменитым, как «Алмаз надежды», или таким таинственным, как философский камень, но его судьба помогала глубже почувствовать личностные аспекты истории.

От Анжелики Монуар колье перешло к графу, осудившему ее на смерть, после смерти графа — к его старшей дочери, которая вскоре погибла, спеша на свидание с любовником: упала с лошади и сломала себе шею. Прошло почти столетие, прежде чем упоминание о колье появилось снова. В Италии оно пережило пожар, уничтоживший виллу и погубивший жену владельца. Вдовец продал колье, и оно отправилось в Англию. Купивший его торговец совершил самоубийство, и оно перешло в руки юной герцогини, которая владела им тридцать лет. Однако ее сын пропил и проиграл все наследство, сошел с ума и умер в нищете. В конце концов колье было куплено Минфилдом, погибшим вместе с «Морской звездой» у Большого Барьерного рифа, и — как естественно было предположить — осталось лежать на морском дне.

Так все и думали, пока Рэй Бомонт не нашел старую потрепанную книжку с воспоминаниями матроса о неизвестной испанской даме, попавшей в шторм на борту «Изабеллы».

Таковы факты, думала Тейт. Смерть всегда жестока, но редко таинственна. Несчастные случаи, пожары, болезни, смерть — часть жизненного цикла, на который не могут повлиять камни и металл... И все же страхи Бака передались ей. Теперь шторм внушал суеверный ужас. В завывании ветра слышались жалобные человеческие крики; в каждой далекой вспышке молнии, в каждом ударе разбушевавшихся волн чудилось предостережение, и все сильнее становилось желание позвонить Хейдену, опереться на его опыт и здравый смысл. Кто-то должен напомнить ей, что здравый смысл существует, что научную ценность имеет археологическая находка, а не связанное с ней проклятие колдуньи...

— Тейт!

Тейт опрокинула чашку, пролив остывший чай на колени, и впервые за свои двадцать восемь лет поняла смысл выражения «выпрыгнуть из кожи».

— Немного нервничаешь?

Тейт готова была поклясться, что Мэтью смеется над ней.

— Неподходящая ночь для гостей, но ты уже не первый. — Тейт вскочила, достала из шкафчика полотенце. — Бак наверху, наверное, пытается организовать карточную игру. — Только сейчас она оглянулась на Мэта. Мокрая рубашка и джинсы облепляли его, а на полу уже образовалась лужа. — Ты добрался вплавь? Ты что, с ума сошел? — Она схватила еще несколько полотенец. — Господи, Мэтью, ты же мог утонуть!

— Но ведь не утонул, — пробормотал Мэт, услужливо подставляя ей мокрую голову. — Не смог подавить желание увидеть тебя.

— Ты достаточно взрослый, чтобы контролировать свои желания. Иди в папину каюту и надень что-нибудь сухое. Только простуженного сумасшедшего нам не хватает.

— Я в полном порядке. — Мэт выхватил полотенце, накинул ей на шею и притянул к себе. — Неужели ты могла подумать, что какой-то ерундовый шторм помешает мне увидеться с тобой?

— Я думала, что здравый смысл победит похоть.

— Ты ошибалась. — Когда их губы встретились, он улыбался. — Но я не прочь что-нибудь выпить. У тебя есть виски?

Тейт вздохнула.

— Коньяк.

— Сойдет, — сказал Мэтью, опускаясь на диванчик.

— Эй, подстели полотенце, — приказала Тейт, доставая бутылку и стакан. — Ты оставил Ларю одного на «Русалке»?

— Он уже большой мальчик. Да и ветер стихает. —

Одной рукой Мэт взял стакан, другой — ее руку. — Солнышко, хочешь посидеть у меня на коленях?

— Большое спасибо за приглашение, но нет, не хочу. Ты весь мокрый.

Ухмыляясь, он усадил ее на колени и обнял.

— Теперь мы оба мокрые.

Тейт рассмеялась, подчиняясь.

— Полагаю, я должна учесть, что ты рисковал жизнью. — Она обеими руками обхватила его голову, повернула так, чтобы легче было добраться до его губ, и, забыв о недавних страхах, утонула в поцелуе. — Согреваешься?

— Можно и так сказать. М-м-м... вернись, — прошептал Мэт, когда она чуть отстранилась, и положил ее голову на свое плечо. — Я видел с «Русалки» свет и думал: как я могу спать, когда она сидит там одна и изнуряет себя работой.

Тейт вздохнула. Как же чудесно сидеть на его коленях, играть серебряной монетой, поблескивающей на его шее!

— Боюсь, что никто не сможет сегодня заснуть. Я рада, что ты здесь.

— Правда? — Он обхватил ладонью ее грудь, обтянутую промокшей блузкой.

— Не из-за этого. Я хотела... м-м-м... — Она забыла, что хотела сказать, когда Мэт обвел большим пальцем ее сосок. — Почему ты всегда точно знаешь, что мне нравится?

— Я написал диссертацию на эту тему, Рыжик. Может, выключишь компьютер? Мы запремся в твоей каюте, и я покажу тебе отличный способ переждать шторм.

— Не сомневаюсь. — Тейт до смешного легко представила себя в его объятиях, почти физически ощутила, как качается на волнах... не только морских. — Только мне необходимо с тобой поговорить. — Она откинула голову, подставляя шею его жадным губам. — Господи, я никогда не подозревала, что меня так легко завести!

— Похоже, я нашел выключатель, малышка.

— Похоже. — Тейт занервничала и, сделав над собой усилие, соскользнула с его колен, одернула блузку. — Нам действительно необходимо поговорить. Я собиралась поймать тебя завтра наедине.

— Многообещающее начало.

— Пожалуй, я тоже выпью. — «И успокоюсь», — мысленно добавила она, отходя от Мэта на безопасное расстояние и наливая себе коньяк. — Мэтью, меня тревожит Бак.

— Он держится.

— Ты имеешь в виду, что он не пьет? Это замечательно, это очень важно, даже если он старается ради тебя, а не ради себя.

— О чем ты говоришь?

— Раскрой глаза. — Тейт осторожно присела на противоположный от Мэта край диванчика. — Он здесь, и он не пьет из-за тебя. Он считает, что в долгу перед тобой.

— Ни черта он мне не должен. Но если это мешает ему сводить себя в могилу, прекрасно.

— Я согласна, но лишь до известной степени. В конце концов ему придется подумать и о себе, а он не сможет этого сделать, пока тревожится о тебе.

— Обо мне? — В голосе Мэта прозвучало недоумение.

— Он боится, что ты найдешь «Проклятие Анжелики» и дорого за это заплатишь.

Мэт отхлебнул коньяка и запустил пятерню в мокрые волосы. Черт побери! Ей все-таки удалось разрушить великолепное настроение, безрассудно бросившее его в штормовое море.

— Послушай, сколько я его помню, он всегда мечтал об этом чертовом колье. Конечно, ему страшно, но он все равно хочет его найти, потому что этого хотел мой отец.

— А теперь ты.

— Правильно. — Мэт снова глотнул коньяка. — Теперь я.

— А ради чего, Мэтью? Неужели Бака мучает только вся эта чепуха о заклинаниях и ведьмах?

— Так теперь это чепуха? — Мэт криво улыбнулся. — Ты не всегда так думала.

— Когда-то я верила и в Зубную волшебницу[1]. — Тейт наклонилась и схватила Мэта за руку, словно это помогло бы убедить его. — Бак не может успокоиться потому, что ты избрал амулет орудием мести.

— Тейт, не проси меня забыть об этом, не проси делать подобный выбор.

— Я не прошу. — Тейт выпрямилась, вздохнула. — Даже если я смогла бы убедить тебя, пришлось бы еще убеждать отца, может, Ларю. И себя. — Она перевела взгляд на монитор компьютера. — Я тоже неравнодушна к очарованию волшебства, Мэтью.

Заинтригованный, он отодвинул ее.

---

[1] Зубная волшебница — сказочная фея, которая оставляет монетку взамен выпавшего зуба, спрятанного ребенком на ночь под подушкой.

— Дай почитать.

— Я еще не закончила. Это просто черновик. Я только...

— Дай почитать, — повторил он. — Я не собираюсь ставить тебе отметку.

Поворчав немного именно потому, что она вдруг почувствовала себя школьницей, нервничающей перед строгим преподавателем, Тейт отодвинулась.

— Как эта штука работает? — спросил Мэтью через несколько секунд. — Я не силен в компьютерах. Как переворачивать страницу? — Он рассеянно взглянул на ее забегавшие по клавиатуре пальцы. — Понял.

Он молча прочитал все с начала до конца.

— Довольно сухо.

— Это научная работа, — запальчиво возразила Тейт, — а не любовный роман.

— Если не читать между строк. — Мэтью оглянулся на нее. — Ты много думала об этом.

— Естественно. Все мы об этом думаем, хотя помалкиваем. — Тейт сохранила файл, занесла его в память и закрыла компьютер. — Я не меньше тебя хочу найти амулет, увидеть его своими глазами, изучить. Это стало бы вершиной моей карьеры. Если честно, я уже подумывала сделать «Проклятие Анжелики» центром своей диссертации. — Она вымученно улыбнулась. — «Миф против науки».

— Тейт, чего ты от меня хочешь?

— Чтобы ты успокоил Бака и, наверное, меня тоже. Я хочу услышать, что ты удовлетворишься находкой амулета. Мэтью, ты не должен никому ничего доказывать. Я уверена, что твой отец не хотел бы, чтобы ты погубил свою жизнь из-за бессмысленной вендетты. — Тейт обхватила лицо Мэтью ладонями. — Это не вернет отца, не возместит те годы, что ты провел без него. Ван Дайк ушел из твоей жизни. Если победа над ним так важна для тебя, ты победишь его, просто найдя амулет. Этого будет достаточно.

Мэтью долго молчал, охваченный такой знакомой бурей противоборствующих чувств, что почти не ощущал душевной боли.

— Этого недостаточно, — сказал он, высвобождаясь из ее рук и вставая.

— Неужели ты действительно думаешь, что сможешь убить его? Даже если тебе удастся близко подобраться к нему, неужели ты веришь, что сможешь отнять человеческую жизнь?

— Ты знаешь, что смогу.

Тейт задрожала под его сверкающим взглядом. Невозможно было усомниться: стоящий перед ней мужчина способен на все. Даже на убийство.

— Ты готов разрушить свою жизнь? И ради чего?

Мэтью пожал плечами.

— Ради справедливости. Мне не привыкать.

— Какое невероятное невежество! — Тейт заметалась по маленькой каюте. — Если на чертовом колье лежит проклятие, то вот оно в действии. Амулет ослепляет людей, пробуждает в них самые низменные чувства. Все! Я звоню Хейдену.

— При чем тут Хейден, черт побери?

— Мне необходим еще один ученый, на мнение которого я могу положиться. Если ты не хочешь искать способ успокоить Бака, я найду. Я докажу ему, что «Проклятие Анжелики» — всего лишь ювелирное украшение, и что если оно будет найдено, с ним будут обращаться только как с исторической реликвией. Научная общественность поддержит меня, и колье окажется в музее, где ему и место.

— Когда я сделаю свое дело, можешь выбросить его в море или вызвать хоть дюжину ученых, но никто и ничто не помешает мне разделаться с Ван Дайком по-моему.

— Всегда все должно быть по-твоему?

Господи, если бы это помогло, она начала бы швыряться всем, что попадется под руку.

— На этот раз да. Я ждал этого половину своей жизни.

— И хочешь погубить ее остаток?

— Это моя жизнь, не так ли?

«Неужели он так слеп? — горько подумала Тейт. — Неужели он может отмахнуться от чуда последних недель? Променять их красоту на безобразие мести?»

— Твоя жизнь принадлежит не только тебе. Остановись хоть на минуту и подумай, что станет с остальными, если тебе удастся воплотить эту безумную идею? Что случится с Баком, если ты умрешь или проведешь остаток жизни в тюрьме? А что буду чувствовать я?

— Не знаю, Тейт. И что же ты будешь чувствовать? Может, скажешь? Мне интересно. Ты всегда так тщательно скрываешь от меня свои чувства.

— Не извращай мои слова! Мы говорим не обо мне, а о тебе.

— Мне кажется, мы говорим о нас. Правила с самого начала устанавливала ты, — напомнил он. — Никаких эмоций, никаких красивых слов, чтобы не осложнять приятный секс. Ты не хотела, чтобы я вмешивался в твою жизнь. Почему я должен позволить тебе вмешаться в мою?

— Черт побери, ты должен понимать, что все не так!

— Не так? — Мэтью приподнял брови. — С моей точки зрения, именно так. Не припомню, чтобы ты говорила иначе.

Тейт побледнела. Как он может так думать! Неужели он не понял, как много значит для нее, как много она отдала ему?

— Я не стала бы спать с тобой, если бы не испытывала к тебе никаких чувств.

— Интересные новости. А я думал, ты просто утоляешь похоть.

— Ублюдок! — Ослепнув от обиды, Тейт размахнулась и изо всех сил ударила его по лицу.

Его глаза вспыхнули, превратились в щелочки, но голос прозвучал очень спокойно:

— Помогло? Или это был твой ответ на вопрос?

— Не приписывай мне свои мотивы и свою бесчувственность, — огрызнулась Тейт. Гнев еще не утих, но она уже сгорала от стыда. — Ты думал, я стану изливать тебе душу и открывать сердце, как восемь лет назад? И не надейся. Никто и никогда больше не причинит мне такой боли! Тем более ты.

— Ты думаешь, только тебе было больно?

— Я это знаю. — Когда его пальцы сомкнулись на ее запястье, Тейт резко выдернула руку. — Я любила тебя, Мэтью, а ты швырнул мне в лицо мою любовь как ненужную безделушку. Теперь твое самолюбие задето, потому что ты не сможешь во второй раз отшвырнуть меня, когда решишь двигаться дальше. Ну и иди к черту!

— Я понимаю, что больше не имею права на твою любовь, но и ты не должна ждать, что я обменяю главную цель своей жизни на секс. Когда-то я отказался от тебя и теперь довольствуюсь тем, что осталось.

— Ты не отказывался от меня. Я никогда не была нужна тебе.

— Ошибаешься. Я любил тебя. — Мэтью схватил ее за плечи, почти оторвав от пола. — Я всегда любил тебя. Я вырвал свое сердце, когда отослал тебя.

Тейт задохнулась. Ей показалось, что ее собственное сердце стало хрупким и при малейшем движении разобьется вдребезги.

— Что значит — отослал меня?

— Я... — Мэт оборвал себя и в смятении отступил на шаг. — Ничего. Не имеет значения. Копание в старых ранах ничего не изменит. Я не смогу дать тебе то, что ты хочешь. Это главное.

Признание Мэтью ошеломило Тейт, но почему-то сейчас она могла лишь изумляться его способности быстро замыкаться в себе и зачарованно следила, как один за другим тускнеют в его глазах отблески обуревавших его чувств.

Нет, промелькнула мысль, на этот раз надо выяснить все до конца.

— Это ты начал бередить старые раны, Лэситер, так давай закончим раскопки. — Тейт сжала в кулаки дрожащие руки. — Восемь лет назад ты рассмеялся мне в лицо. Ты стоял на пляже и говорил, что неплохо развлекся. Просто приятно провел лето. Это было ложью?

Его взгляд не дрогнул. Ни одна искорка не вспыхнула в глубине синих глаз.

— Я сказал, что это не имеет значения. Прошлое принадлежит прошлому.

— Если бы ты в это верил, то не стремился бы с таким дьявольским упорством отомстить Ван Дайку. Ответь мне. Это было ложью?

— А что мне было делать, черт побери! — взорвался Мэт, и небо за окнами отозвалось вспышкой молнии. — Позволить тебе бросить все ради какой-то идиотской мечты? Я ничего не мог дать тебе. Я разрушал все, к чему прикасался. Господи, мы оба знали, что я недостоин тебя, но ты была слишком наивна, чтобы это признать. — Прокатился далекий гром, словно захохотала злобная старуха. — Однако рано или поздно ты бы поняла это и возненавидела меня, как я сам себя ненавидел.

Тейт пошатнулась и вцепилась в край стола. Шторм снаружи не шел ни в какое сравнение с тем, что творилось в ее душе. Все, во что она верила, все, что помогало ей не оглядываться назад, лежало осколками у ее ног.

— Ты разбил мне сердце.

— Я спас тебе жизнь, — возразил Мэт. — Вспомни, Тейт. Мне было двадцать четыре года. У меня не было никакого будущего. У меня не было ничего, кроме искалеченного старика на попечении, а перед тобой открывались огромные возможности. Ты была талантлива, честолюбива. И вдруг ты говоришь, что бросишь университет и останешься со мной, как будто нас ждет легкая и красивая жизнь, как в кино.

— Ничего подобного. Я хотела помочь тебе. Я хотела быть рядом с тобой.

— И в конце концов стала бы считать центы и удивляться, какого черта сотворила со своей жизнью.

— И ты сделал выбор за меня? Ты высокомерный сукин сын! Я все глаза из-за тебя выплакала.

— Ты справилась.

— Справилась, черт побери! — Какое счастье, что она может швырнуть ему в лицо эти слова! — Прекрасно справилась. И если ты думаешь, что я разревусь от благодарности за твое геройское самопожертвование, Лэситер, то ты глубоко заблуждаешься.

— Ничего я не думаю. Я прекрасно знаю, кто я, — устало сказал он. — Это ты видела во мне то, чего не было.

— Ты не имел права делать выбор за меня. И не имеешь никакого права ждать от меня благодарности.

— Я ничего не жду.

— Ты ждешь, будто я поверю в твою любовь.

Он сам все разрушил, и терять больше нечего.

— Я люблю тебя. Трогательно, не правда ли? И никогда не переставал любить. Секс, который ты швырнула мне как подачку, это совсем не то.

— У нас был шанс...

— У нас никогда не было ни единого шанса. — Мэт смахнул кончиком пальца слезу с ее щеки. — Первый раз было слишком рано. На этот раз — слишком поздно.

— Если бы ты был честным со мной...

— Ты любила меня, — тихо сказал он. — Я знал, что любила. Ты никогда бы меня не бросила.

— Не бросила бы. — Тейт отвернулась. Ее глаза затуманились новыми слезами, но она ясно видела все, что было потеряно. — Я никогда не оставила бы тебя. И что же теперь?

— Это тебе решать.

— Значит, на этот раз мне. — Тейт очень хотела рассмеяться ему в глаза, но не нашла в себе сил. — Справедливо, я полагаю. Только на этот раз у меня нет той простой и наивной веры.

«И на этот раз я не знаю, что делать. Я просто должна защитить себя. Я больше не вынесу той страшной боли», — подумала Тейт и, глубоко вздохнув, заговорила снова:

— Мы не можем вернуться назад, значит, должны идти вперед. Было бы несправедливо по отношению к остальным сворачивать экспедицию из-за того, что случилось восемь лет назад. Я готова продолжать раскопки.

Мэт и не ожидал от нее другого решения.

— И?..

— И... Мы не можем осложнять работу личными проблемами. В данных обстоятельствах, я думаю, не в твоих и не в моих интересах продолжать нашу связь.

И здесь он не ожидал ничего другого.

— Хорошо.

— Как больно! — прошептала Тейт.

Мэтью закрыл глаза. Он знал, что не может удержать ее, и ему тоже было невыносимо больно.

— Хочешь поменяться напарниками? Я мог бы нырять с Рэем или Ларю.

— Нет. — Тейт сжала губы, смахнула слезы со щек и повернулась к Мэту. — Думаю, чем меньше шума, тем лучше. Нам необходимо во многом разобраться, но это не должно мешать остальным. Мы можем придумать какой-нибудь предлог, чтобы поменяться, если тебе неловко....

Мэт рассмеялся. Какое нелепое слово для определения его чувств.

— Ты неповторима, Рыжик. Ладно, договорились. Мы остаемся напарниками и исключаем секс. Достаточно просто?

— Не жди, что я расклеюсь! — выкрикнула Тейт, до смерти боясь, что именно это сейчас и случится. — Я смогу довести дело до конца.

— Я не уступлю тебе, детка. Думаю, мы все обговорили.

— Не все. Я хочу позвонить Хейдену.

— Нет. — Мэтью поднял руку, не давая ей возразить. — Мы пока не нашли амулет, и неизвестно, найдем ли. Если когда-нибудь найдем, то поговорим насчет звонка твоему незаменимому Хейдену.

Предложенный компромисс показался Тейт разумным, но почему-то возбудил смутные подозрения.

— Когда мы найдем амулет, я смогу позвонить другому ученому? Ты даешь слово?

— Рыжик, когда мы его найдем, можешь дать объявление в «Научный вестник», а до тех пор никому ни слова.

— Ладно. Может, пообещаешь пересмотреть свой план мести?

— Нет. Я потерял все, что было мне важно в жизни, и ко всему приложил руку Ван Дайк. Не поднимай больше этот вопрос, Тейт. Лавина тронулась шестнадцать лет назад, и ты ее не остановишь. Послушай, я устал и отправляюсь спать.

Тейт окликнула его, когда он уже стоял на трапе.

— Мэтью! — Он оглянулся. — Ты боялся сломать мою жизнь, а теперь на досуге подумай о том, что я могла бы изменить твою.

— Изменила, — прошептал он и бросился в бушующие волны.

ГЛАВА 23

Из-за сильного волнения на море утреннее погружение пришлось отменить, но Тейт даже обрадовалась этому. Прихватив компьютер, она заперлась в своей каюте, правда, работа — это последнее, что было у нее на уме.

Она улеглась на койку и уставилась в потолок. Женщина имеет право похандрить, когда узнает, что восемью годами ее жизни распорядился кто-то другой. Конечно, нет смысла пережевывать одно и то же, но она не могла остановиться.

Мэтью не имел права разбивать ее сердце, пусть даже из лучших побуждений. Все ее отношения с мужчинами были омрачены случившимся на том пляже восемь лет назад, а теперь он заявляет, что любил ее! И любит до сих пор.

Какая глупость, какая несправедливость, подумала Тейт, переворачиваясь на живот. Мэтью явно считал ее несмышленым ребенком, неспособным сделать правильный выбор. Да, она была молода, но она не была идиоткой.

Какую жестокую шутку сыграла с ними судьба, заставив пройти полный круг!

Конечно, прошедшие годы не пропали зря. У нее прекрасная репутация, она завалена приглашениями читать лекции и участвовать в экспедициях. В профессиональном отношении у нее есть все, но у нее нет настоящего дома, нет мужчины, который обнимал бы ее по ночам, нет детей, которых она любила бы всем сердцем.

А все это у нее могло быть. Было бы, если бы Мэтью поверил в нее восемь лет назад.

«Прошлое не вернешь», — подумала Тейт, снова перекатываясь на спину. Кто знает это лучше, чем археолог? Прошлое можно изучать, анализировать и документировать, но его нельзя изменить. Надо жить настоящим.

Даже хорошо, что Мэтью ее любит. Пусть теперь пострадает, как страдала она. Он упустил свой шанс и другого не получит. История не повторится!

«Но я не буду жестокой, — решила Тейт, — не стану платить ему той же монетой. Я его не люблю и смогу сохранять дистанцию. Мы останемся партнерами, коллегами. Я вполне способна забыть о личном ради общего дела!»

Удовлетворенная принятым решением, очень разумным, очень логичным, Тейт покинула свою каюту и отправилась на палубу, где нашла отца, усердно проверяющего акваланги.

— Бурная была ночь, детка?

— Ты и представить всего не можешь. — Тейт подняла глаза на синее небо, совсем ясное, если не считать парочки пушистых облаков, перевела взгляд на анемометр, показывающий силу и направление ветра. — Ветер сменился на южный.

— Море уже успокаивается. — Рэй отложил проверенный регулятор. — У меня хорошие предчувствия, Тейт. Я проснулся сегодня в прекрасном настроении и полон энергии, правда, твоя мать сказала, что это из-за остаточного электричества в воздухе.

— Ты думаешь об амулете, — тихо сказала Тейт, подавив вздох. — Что в нем так притягивает всех? Вчера вечером Бак распсиховался от страха, что мы найдем его. Мэтью думает только о том, как с его помощью отомстить Ван Дайку. Сам Ван Дайк, богатый, преуспевающий, могущественный, готов на все, лишь бы завладеть им. И ты туда же. — Тейт нетерпеливо смахнула с глаз волосы.

Рэй обнял дочь за плечи.

— Когда я был маленьким, у меня был красивый

дом, двор с зеленой лужайкой, друзья и много игрушек. А за забором, прямо за ближайшим холмом, вдоль медлительной, почти неподвижной реки простиралось огромное болото, поросшее густыми кустами и кривыми деревьями. В зарослях водились змеи, и мне запрещали туда ходить.

— Естественно, больше всего на свете ты хотел туда отправиться.

Рэй рассмеялся и поцеловал Тейт в макушку.

— Естественно. Предупреждения, и запреты, и страшные истории о призраках только усиливали притяжение. Мне говорили, что маленькие мальчики уходили на болото и не возвращались, а я стоял у забора, увитого душистой жимолостью, и думал: а что, если?..

— И ты рискнул?

— Однажды я дошел до самого края болота, а потом струсил. Я так и не утолил свое любопытство.

— Тебя могла укусить змея, или ты упал бы с дерева, или заблудился бы. Твоя мама боялась вовсе не призраков. Ты же прекрасно знаешь, что их там не было.

— Не уверен. — Рэй проводил взглядом парящую над их головами чайку. — Было бы очень печально, если бы мы потеряли способность удивляться, если бы отказались верить в чудо, в волшебство, доброе или злое. Можешь сказать, что «Проклятие Анжелики» сменило мое населенное призраками болото. На этот раз я пойду и посмотрю своими глазами.

— И если ты найдешь амулет?..

— Я перестану наконец сожалеть о шаге, который так и не сделал. — Посмеиваясь над собой, Рэй сжал плечо дочери. — Бак, возможно, перестанет думать, что он уж не тот, что прежде, Мэтью перестанет винить себя

в смерти отца. А ты... — Рэй повернул Тейт лицом к себе. — А ты, может, снова впустишь волшебство в свою жизнь.

— Нельзя так много ждать от одного колье.

— А вдруг? — Рэй притянул ее к себе и крепко обнял. — Я хочу, чтобы ты была счастлива, Тейт.

— Я счастлива.

— Разве? Восемь лет назад ты кое от чего отказалась, и я боялся, что, может, неправильно вел себя тогда. Но я хотел для тебя самого лучшего.

— Ты всегда и все делаешь правильно. — Тейт чуть отстранилась, чтобы видеть отцовское лицо. — Особенно если это касается меня.

— Я видел, как Мэтью относился к тебе, а ты — к нему, и это меня беспокоило.

— Тебе не о чем было беспокоиться.

— Ты была так молода, — вздохнул Рэй. — И я вижу, как он относится к тебе сейчас.

— Теперь я уже не так молода, — заметила Тейт, — но тебе все еще не о чем беспокоиться.

— Я вижу, как он относится к тебе, — повторил Рэй, всматриваясь в лицо дочери. — Что беспокоит и удивляет меня, я не понимаю, как ты относишься к нему.

— Может, я еще не решила. Может, я не хочу решать. — Тейт мысленно встряхнулась и нацепила на лицо улыбку. — И тебе не следует беспокоиться о том, что я прекрасно контролирую.

— Может, именно это меня и беспокоит.

— Тебе не угодишь. — Поднявшись на цыпочки, Тейт чмокнула отца в щеку. — Ну все, я посмотрю, готов ли Мэтью к погружению. — Она отвернулась, однако что-то остановило ее и заставило оглянуться.

Рэй стоял, положив одну руку на поручни, устремив взгляд вдаль, но Тейт показалось, что он смотрит внутрь себя.

— Папа, я рада, что ты не пошел тогда на болото. Если бы ты решился, то, вероятно, тебе не пришлось бы мечтать сегодня.

— Жизнь всему находит правильное время и место, Тейт.

Правильное время. Одно мгновение может начать или остановить войну, спасти брак или покончить с ним, дать или взять жизнь, думала Тейт, переходя на правый борт... Мэтью стоял на своей яхте, облокотившись о поручни, обнимая ладонями кружку с кофе. Тейт показалось, что ее сердце начало таять.

Ну почему он выглядит таким одиноким? И почему она так реагирует на это?

Мэтью повернул голову, и их взгляды встретились. Тейт ничего не смогла прочитать в его непроницаемых глазах, не увидела ничего, кроме глубокой загадочной синевы.

— Осталась лишь легкая зыбь! — крикнула она, сглотнув комок, подступивший к горлу. — Спускаешься?

— Подождем час-другой, и море совсем успокоится.

— Я хочу спуститься сейчас. Если внизу неспокойно, вернемся.

— Хорошо. Одевайся.

Тейт отвернулась и как слепая побрела в каюту. Ее жизнь была вполне сносной без него, без «Изабеллы», без Анжелики, без проклятого колье. Черт побери их всех!

Нечего решать, нечего контролировать. Несмотря ни на что, она все еще любит Мэта.

Шторм потрудился и на морском дне: взбаламутил песок, засыпал вырытые траншеи, но Мэтью был благодарен за дополнительную работу. Она не приносила ощутимых результатов, зато не оставляла времени на грустные мысли, мучившие его всю ночь.

В песке мелькнул эфес шпаги. «Как восемь лет назад», — подумал Мэт, отгоняя нахлынувшие воспоминания. Отведя в сторону трубу пневмонасоса, он оглянулся на Тейт, ловко перебиравшую мусор, и постучал по своим баллонам, привлекая ее внимание. Когда она подплыла, он указал на эфес, словно говоря: возьми, эта шпага — твоя.

Тейт замерла, и Мэтью понял, что она тоже вспоминает. Затем ее пальцы сомкнулись на эфесе, освобождая шпагу из песчаного плена, и через секунду показался зазубренный обломок лезвия. Скрывая острое разочарование, Мэт небрежно дернул плечом и стал расширять траншею.

Блюдо они увидели одновременно. Когда Тейт схватила Мэта за руку, чтобы остановить, он уже отводил трубу пневмонасоса. Вручную Тейт раскопала три четверти фарфорового блюда, почти прозрачного, изящно расписанного фиалками, с золотой каймой по краю, и стала его высвобождать. Тщетно! Блюдо застряло накрепко, и Тейт в отчаянии подняла на Мэта глаза. Они оба понимали, что вытаскивать такую хрупкую вещь пневмонасосом — все равно что огранять алмаз топором. Если блюдо целое, что само по себе было бы чудом, струя сжатого воздуха разобьет его, а если разбито, то нечего терять время.

Жестикулируя, они обсудили все возможности и наконец решили попытаться.

Тейт придерживала блюдо, а Мэтью расчищал его песчинка за песчинкой, забыв о напряжении, сковавшем спину и плечи. Появилась еще одна фиалка, затем первый завиток монограммы.

Почувствовав, что блюдо поддается, Тейт остановила Мэта, но через мгновение, после того, как показалась первая золотая буква — Т, блюдо снова застряло. Мэтью осторожно заработал пневмонасосом, уверенный, что вот-вот увидит щербинку, ведь не мог же хрупкий фарфор пережить кораблекрушение и сотни лет под водой? Сосредоточенно хмурясь, он следил, как появляется вторая буква — Л.

Если Л означает удачу Лэситеров, то они точно понапрасну теряют время. Мэт уже решил все бросить и размять затекшие плечи, но возбужденное лицо Тейт удержало его. Наконец появилась третья и последняя буква — Б.

Тейт вздрогнула. ТЛБ! Это были бы ее инициалы, если бы восемь лет назад она вышла за Мэта замуж! Однако, когда абсолютно целое блюдо легко скользнуло в ее руки, горечь странного совпадения быстро сменилась восторженным изумлением, и Тейт чуть не выронила хрупкую находку. Блюдо было таким тонким, что она видела сквозь него свои собственные пальцы. Тейт словно наяву представила фамильный сервиз, с любовью упакованный для путешествия в новую жизнь, но путешествие трагически оборвалось, и вот через сотни лет она первая прикасается к тому, что осталось от чьих-то надежд.

Тейт подняла глаза на Мэта, увидела на его лице отблеск своего восторга, затем выражение его лица изменилось, он снова замкнулся в себе.

Тейт отплыла подальше от взметающихся из-под сопла насоса песочных струй, положила блюдо рядом со сломанной шпагой — воплощение красоты рядом с воплощением силы. Обе вещи пережили один и тот же шторм, их швыряли одни и те же волны, но лишь одна из них устояла, и устояла красота.

Размышляя над капризами судьбы, Тейт вернулась к своим монотонным и тяжелым обязанностям — просеиванию мусора. Позже она не раз задаст себе вопрос, почему оглянулась именно в тот момент, ведь не было никакого движения, которое могло бы привлечь ее внимание, разве что странное ощущение, возникающее, когда кто-то смотрит тебе в спину. Но она оглянулась. Холодные глаза барракуды смотрели на нее в упор, зубы обнажились в странной ухмылке. Она неподвижно висела рядом — терпеливая... и знакомая.

Что за глупости! Безусловно, это не может быть та же барракуда, что следила за раскопками «Маргариты»! Тейт уже хотела привлечь внимание Мэта, уже потянулась за ножом, чтобы постучать по баллонам, как вдруг что-то вылетело из трубы пневмонасоса и приземлилось совсем рядом с ее рукой.

Вода вдруг потеплела и закружилась в вихре, уже не мутном, а прозрачном как стекло.

Золотые звенья цепи и оправа камней сверкали, словно только что вышли из рук ювелира. На огромном центральном рубине, окруженном бриллиантовыми слезами, четко проступали выгравированные французские имена.

Анжелика. Этьен.

Раздался грохот, и Тейт не сразу поняла, что это грохочет в ушах ее собственная кровь. Не жужжал пневмонасос, не стучали по баллонам камни, раковины и черепки. Тишина вокруг была идеальной, настолько идеальной, что Тейт слышала эхо собственных мыслей, словно говорила вслух.

Тейт коснулась колье онемевшими пальцами и почувствовала исходящее от него тепло. Камни и золото запульсировали как живые, словно глубоко и жадно вдохнули воздух... Игра воображения? Предупреждение?

Скорбь, гнев, паника охватили Тейт, но мощный поток отчаянной любви смыл все эти чувства и чуть не разорвал ее сердце. Она обхватила одной рукой цепь, другой — камень и словно наяву увидела мрачное подземелье, тонкий луч света, пробивающийся в единственное зарешеченное окошко под самым потолком. Молодая женщина в грязных лохмотьях с коротко остриженными, потускневшими рыжими волосами сидела за крошечным грубо сколоченным столиком и что-то быстро писала. Роскошное колье обвивало ее тонкую шею, рубин сверкал, как вырванное из груди сердце...

Видение исчезло, словно поглощенное языками алчного пламени.

Сколько времени она сжимала в руках амулет, не чувствуя барабанивших по спине осколков? Первая связная мысль, пронзившая ее онемевший мозг, была о Мэтью.

Тейт взглянула на него, увидела его сосредоточенный профиль. Он даже не подозревает, что они нашли наконец то, о чем мечтали! Как он мог не заметить?

Сжимая в руках амулет, Тейт понимала, что должна просигналить Мэту, показать ему находку. Но к чему это приведет? Какую цену он за это заплатит? Не раздумывая, почему она это делает, Тейт сунула колье в поясную сумку и затянула шнурок, затем оглянулась на барракуду. Та исчезла, как будто ее никогда и не было.

В пятистах милях от них Ван Дайк скатился с роскошного тела изумленной любовницы, завернулся в халат и поспешно покинул каюту. Оттолкнув стюарда в белой униформе, он бегом поднялся на мостик. Во рту пересохло, сердце пульсировало, как свежая рана.

— Прибавьте скорость.

Капитан оторвался от изучения морских карт.

— Сэр, на востоке зарождается шторм. Я хотел изменить курс, чтобы обогнуть его.

— Держитесь прежнего курса, черт побери! — Ван Дайк, редко терявший самообладание при свидетелях, грохнул кулаком по столу, разметав карты. — Держитесь курса и прибавьте скорость. Если яхта к утру не будет у Невиса, вы до конца жизни будете управлять двухвесельной шлюпкой. Уж я об этом позабочусь.

Он не стал дожидаться ответа. Зачем? Его команды всегда четко исполнялись, его желания всегда удовлетворялись. Даже вспыхнувшее от унижения лицо капитана сейчас не принесло обычного удовлетворения, не успокоило.

Его руки дрожали, гнев обволакивал обжигающим туманом. Признаки слабости еще больше разъярили и напугали Сайласа. Чтобы доказать свою силу, он заставил себя гордо прошествовать в кают-компанию, обругал бармена и сам схватил бутылку коньяка.

Амулет! Сайлас готов был поклясться, что увидел его блеск, почувствовал его тяжесть на своей шее, и женщина в его постели вдруг превратилась из наскучившей за два месяца любовницы в Анжелику!

Прогнав бармена, Ван Дайк налил себе полный бокал коньяка, залпом осушил его и наполнил снова. Руки продолжали дрожать, сами собой сжимаясь в кулаки.

Видение было слишком реальным для простой фантазии. Сайлас уже не сомневался, что это было предчувствие, знак свыше.

Анжелика снова дразнит его, смеется над ним из глубины веков. Но на этот раз его не обманут, не перехитрят. Ничто не свернет его с пути, предначертанного ему с самого рождения. В обжигающей жидкости он чувствовал сладкий вкус победы. Скоро в его руках будет амулет и будет власть. А с ними — его наследство и его месть.

— Тейт чем-то озабочена, — заметил Ларю, застегивая «молнию» гидрокостюма.

— У нас была длинная смена. Думаю, она устала.

— А ты, *mon ami*?

— Я в полном порядке. Вы с Рэем поработайте в юго-восточной траншее.

— Как скажешь, Мэтью. — Ларю неторопливо поднял баллоны, закинул их на спину. — Я заметил, что Тейт не задержалась на палубе, как обычно, а сразу проскочила в свою каюту.

— Ну и что? Ты ведешь дневник?

— Я изучаю человеческую натуру, мой друг. По моему мнению, прелестная мадемуазель что-то скрывает и ее что-то беспокоит.

— Следи лучше за собой, — предложил Мэтью.

— Но изучение окружающих гораздо интереснее. —

Улыбаясь Мэту, Ларю опустился на палубу, чтобы натянуть ласты. — Что человек делает, а что не делает и почему? О чем он думает? Что планирует? Ты меня понимаешь?

— Я понимаю, что ты сотрясаешь воздух, — Мэтью кивнул в сторону «Приключения», — а Рэй тебя ждет.

— Мой напарник. Такие отношения требуют абсолютного доверия, не так ли? И ты знаешь, Мэтью... — Ларю надел маску, — ...что ты можешь полностью на меня положиться.

— Да.

Ларю отсалютовал и прыгнул в воду. Интуиция подсказывала ему, что очень скоро придется сделать еще один важный звонок.

Не зная, как поступить, Тейт сидела на краю койки, тупо таращась на амулет. Нельзя скрывать находку. Она это прекрасно понимала, и все же...

Если бы Мэтью узнал, он забрал бы колье и предупредил Ван Дайка, что бесценный амулет у него, и потребовал бы решающей встречи. И только один из них остался бы после этого в живых.

Тейт погладила выгравированные, совершенно не стершиеся за столько лет имена. Господи, она даже не сознавала, что, несмотря на все логические доводы, несмотря на естественный интерес ученого, надеялась, что они не найдут амулет. И вот он в ее руках. Ей вдруг захотелось открыть окно и вышвырнуть колье в море.

Не надо быть экспертом, чтобы понимать — один центральный рубин стоит целое состояние. Нетрудно оценить рыночную стоимость золота и камней, затем прибавить историческую ценность, легенду. И что получится? Четыре миллиона долларов? Пять?

Вполне достаточно, чтобы осуществить самые смелые мечты и... утолить жажду мести.

Какое потрясающее украшение, размышляла Тейт, удивительно простое, несмотря на сверкающий лед бриллиантов и огонь рубина. От женщины, надевшей его, никто не смог бы отвести восхищенного взгляда, а в музее оно стало бы центром экспозиции. Вокруг него можно было бы сформировать самую потрясающую в мире коллекцию подводных археологических находок.

Ее профессиональный успех превзошел бы самые честолюбивые мечты, она прославилась бы, и деньги на любую задуманную экспедицию потекли бы к ней рекой... Нужно только спрятать амулет, улизнуть на катере на Невис, сделать один телефонный звонок, и через несколько часов она со своим трофеем уже будет лететь в Нью-Йорк или Вашингтон навстречу триумфу.

Тейт дернулась, уронила колье на кровать и с ужасом уставилась на него.

О чем она думала? Когда это слава и богатство стали для нее важнее, чем честность и преданность? Важнее, чем любовь?

Тейт прижала ладони к разгоревшимся щекам. Может, чертово колье действительно заколдовано?

Она решительно отвернулась от амулета и отошла к окну, открыла его и глубоко вдохнула соленый воздух. Она отказалась бы и от амулета, и от музея, она отказалась бы от всего, если бы это помогло свернуть Мэтью с избранного им пути. Если бы предательство могло спасти любимого, она лично отдала бы амулет Ван Дайку.

Может, еще и отдаст. Тейт снова повернулась к амулету, рассыпавшемуся звездами по простому покрывалу, после секундного колебания схватила его, затолкала в средний ящик комода под аккуратно сложенное белье и больше уже не размышляла. Некогда! Необходимо действовать как можно быстрее.

Тейт открыла дверь, украдкой взглянула на «Русалку». Ее мать стучала молотком по глыбе конгломерата в ритме мелодии, льющейся из портативного радиоприемника. Бак, насколько Тейт знала, отправился на катере на Сент-Китс, а отец с Ларю работали под водой. Оставался один Мэтью, но его нигде не было видно. Более удобный случай вряд ли представится!

Тейт проскользнула на мостик, молясь, чтобы оператор на Невисе сумел соединить ее с «Трайдент индастриз». Если нет, придется искать Хейдена. Вместе они наверняка найдут способ добраться до Ван Дайка.

Тейт дозвонилась до оператора, сожалея, что приняла решение слишком поздно. Отправившись на берег с Баком, она намного упростила бы задачу.

Через двадцать бесконечных минут ее соединили с отделением «Трайдент» в Майами, но, как выяснилось, никто там даже не знал, что Ван Дайк с ними связан. Все, чего Тейт добилась от секретарши с приятным голосом, так это обещания передать ее сообщение по назначению, и, вспоминая мужчину, с которым столкнулась восемь лет назад, она не сомневалась, что обещание будет исполнено.

Вот только когда? Времени у нее совсем мало.

Остается Хейден, и, дай бог, он еще на «Кочевнике» или вернулся в Северную Каролину. Тейт снова связалась с оператором и после томительного ожидания дождалась ответа дежурной.

— Мне необходимо передать сообщение доктору Дилу. Это срочно.

— Доктор Дил в Тихом океане.

— Я знаю. Говорит Тейт Бомонт, его коллега. Мне необходимо связаться с ним как можно скорее.

— Доктор Дил периодически звонит нам. Буду рада передать ему ваше сообщение, как только он свяжется со мной.

— Скажите ему, что Тейт Бомонт должна срочно поговорить с ним. Срочно, — повторила Тейт. — Я нахожусь на яхте в Карибском море. Телефон НТР-56390. Он может связаться со мной через оператора на Невисе. Вы успели записать?

Секретарша слово в слово повторила местонахождение Тейт и ее телефон.

— Да. Еще передайте доктору Дилу, что мне срочно нужна его помощь. Скажите ему, что я должна связаться с Сайласом Ван Дайком. Если доктор Дил не перезвонит мне в течение недели, нет, трех дней, я договорюсь о возвращении на «Кочевник». Скажите ему, что я отчаянно нуждаюсь в его помощи.

— Не волнуйтесь, мисс Бомонт, я передам ваше сообщение. К сожалению, не могу сказать, когда.

— Благодарю вас.

«Можно продублировать телефонное сообщение письмом, — подумала Тейт. — Один бог знает, сколько времени письмо будет добираться до «Кочевника», но попробовать стоит».

Она резко развернулась и оцепенела, увидев в дверях Мэтью.

— А я думал, что мы договорились, Рыжик.

ГЛАВА 24

Дюжины отговорок и оправданий закружились в ее голове. Правдоподобных отговорок и весомых оправданий. Только она была уверена, что Мэтью отмахнется от них, как от назойливых насекомых. Правда, он стоял, так небрежно прислонившись спиной к дверному косяку, что у нее мелькнула мизерная надежда.

— Я хотела проконсультироваться с Хейденом.

— Неужели? Сколько раз ты хотела проконсультироваться с Хейденом после того, как мы нашли «Изабеллу»?

— Это первый... — Тейт взвизгнула и инстинктивно попятилась, когда Мэтью распрямился, но не от самого движения, медленного и угрожающего, а от бешеного гнева, вспыхнувшего в его глазах. За все время, что она знала его, она ни разу не видела, как его гнев вырывается на волю.

— Черт побери, Тейт, не лги мне!

— Я не лгу. — Тейт вжалась спиной в стену, впервые в своей жизни испытывая животный страх. Ей показалось, что Мэтью хочет ее ударить. — Мэтью, не надо.

— Что не надо? Не надо говорить тебе, что ты лживая дрянь? — Он действительно хотел ударить ее и, боясь потерять остатки самообладания, с размаху уперся ладонями в стену по обе стороны от ее головы. — Когда он добрался до тебя?

— Я не понимаю, о чем ты говоришь. — Тейт нервно сглотнула комок в горле. — Я просто хотела попросить Хейдена....

Ее оправдания закончились жалобным хныканьем, потому что Мэтью крепко сжал ее подбородок.

— Не лги мне, — сказал он, отчеканивая каждое слово. — Я все слышал, и, если бы не слышал собственными ушами, никто не смог бы убедить меня в твоей продажности. Чем он купил тебя, Тейт? Деньгами? Чертовым музеем с твоим именем на фасаде?

— Нет, Мэтью, пожалуйста.

Тейт закрыла глаза, ожидая удара, но его пальцы, отпустив подбородок, как тиски сжали ее запястье.

— Что ты так жаждешь передать Ван Дайку? Где он, Тейт? Держится на безопасном расстоянии, пока мы не закончим разрабатывать «Изабеллу»? И тогда с твоей помощью он все заберет?

Ее глаза налились слезами, бесполезными, беспомощными слезами.

— Я не знаю, где он. Клянусь, Мэтью, я не помогаю ему. Я не собираюсь отдавать ему «Изабеллу».

— Тогда что? Что еще ты могла бы отдать ему, черт побери?

Тейт съежилась под его гневным и презрительным взглядом.

— Пожалуйста, не бей меня. — Сгорая от стыда, замирая от страха, она уже не могла сдерживать слезы, и они брызнули из ее глаз, полились по щекам.

— Ты не испугалась акулы, но ты стыдишься взглянуть на себя и увидеть, во что превратилась. — Мэтью отпустил ее руку и отступил на шаг. — А может, ты решила, что имеешь право отомстить мне? Ну что же, с этим я не стал бы спорить, но я никогда бы не подумал, что ради мести ты предашь всю экспедицию. Что ты собиралась сказать ему?

Тейт открыла рот, но не смогла выдавить ни звука и замотала головой.

— Прекрасно, милашка. Передай ему от меня, что, если он появится ближе, чем в сотне футов от моей яхты, от моего галеона, он — мертвец. Поняла?

— Мэтью, пожалуйста, послушай.

— Нет, послушай ты. Я очень уважаю Рэя и Мариан, а ты для них — центр вселенной, и ради них мы оставим все это между нами. Если они и узнают, что их дочь — дрянь, то не от меня. Ты придумаешь какой-нибудь благовидный предлог, заставишь их поверить, что должна вернуться в университет, или на «Кочевник», или куда угодно, но через двадцать четыре часа чтобы духу твоего тут не было.

— Хорошо, я уеду. Если только ты выслушаешь меня, я уеду, когда вернется Бак.

— Ты не можешь сказать мне ничего, что я хотел бы услышать. Можешь считать, что отлично поработала, Тейт. — Его взгляд, его голос уже были абсолютно равнодушными и убийственно холодными. — Ты отплатила мне с лихвой.

— Когда-то я сама ненавидела тебя и смогу вынести твою ненависть. — Он уже шел к двери, и Тейт чуть не бросилась ему на шею. Не гордость помешала ей, а страх, что никакие мольбы не помогут остановить его. — Я люблю тебя, Мэтью.

Вот это его остановило.

— Такая уловка сработала бы еще пару часов назад, но не сейчас, Рыжик.

— Я не жду, что ты мне поверишь, просто я должна была это сказать. Я не знаю, что правильно. — Тейт крепко сжала веки, чтобы не видеть его суровое, непреклонное лицо. — Я думала, что это. Я была в панике. — Собрав остатки храбрости, она снова открыла глаза. —

Я ошиблась. Прежде чем ты уйдешь, прежде чем прогонишь меня во второй раз, я кое-что должна отдать тебе.

— У тебя больше нет ничего, что я хотел бы получить.

— Есть. — Тейт судорожно вздохнула. — Амулет у меня. Если ты пойдешь со мной в мою каюту, я тебе его отдам.

Мэтью медленно повернулся.

— Что за чушь ты несешь?

— «Проклятие Анжелики» в моей каюте. — Жалкий нервный смешок вырвался из ее горла. — И, кажется, оно действует.

Мэтью в одно мгновение оказался рядом с ней.

— Покажи.

Тейт не заскулила от боли, когда его пальцы впились в ее руку, даже плакать она уже не могла. Они вошли в ее каюту, и она сразу открыла ящик комода, достала амулет.

— Я нашла его сегодня, вскоре после того, как мы выкопали блюдо с монограммой. Оно вдруг оказалось на песке, его даже не пришлось отчищать, — прошептала Тейт, проводя большим пальцем по центральному рубину. — Словно все эти годы пролежало на бархате в витрине. Забавно, не правда ли? Когда я коснулась его, мне показалось... ну, полагаю, в данный момент тебя не очень интересует игра моего воображения. — Тейт протянула Мэту сверкающее колье. — Ты получил то, что хотел.

Мэтью взял амулет, такой же невероятно прекрасный, каким он его представлял себе. Как странно! Золото и камни оказались теплыми... но, может, просто потому, что пальцы заледенели. А чем объяснить дрожь, охватившую его, и языки пламени, замелькавшие перед его глазами?

Нервами, решил Мэтью. Даже сильный мужчина может занервничать, когда держит в руках то, за чем охотился всю жизнь.

— Мой отец умер из-за него. — Он не понял, что произнес это вслух.

— Я знаю. И боюсь, что ты тоже умрешь.

Мэтью поднял на Тейт невидящий взгляд. Она что-то сказала?

— Ты не собиралась говорить, что нашла его.

— Не собиралась. — Теперь она смогла бы вынести его ярость, его ненависть, даже отвращение, только бы он выслушал ее. — Я не могу объяснить, что заставило меня скрыть находку, когда мы были внизу, я просто не смогла просигналить тебе.

Тейт схватила с комода бутылку воды, надеясь погасить пожар в горле.

— Я уже подняла руку... и не смогла. Я спрятала колье в сумку. Мне необходимо было подумать.

— Подсчитать, сколько Ван Дайк заплатит тебе?

Вопрос пронзил ее острой стрелой. Тейт отставила бутылку, повернулась к Мэту, подняла на него полные скорби глаза.

— Как бы сильно я ни разочаровала тебя, ты должен знать, что я не такая.

— Я знаю, что у тебя есть честолюбие, которое Ван Дайк мог бы использовать.

— Да, я честолюбива. И, признаюсь, позволила себе несколько минут помечтать о том, что принес бы мне амулет. — Тейт отвернулась к маленькому окну. — Мэтью, неужели я должна быть безупречной? Мне недозволены никакие эгоистичные желания?

— Ты не имеешь права обманывать свою семью и своих партнеров!

— Если ты думаешь, что я могла это сделать, то ты круглый дурак, но в одном ты прав: я действительно отчаянно пыталась связаться с Ван Дайком. Я хотела договориться с ним о встрече и отдать ему это проклятое колье.

— Ты спишь с ним?

Вопрос был таким нелепым, таким неожиданным, что Тейт чуть не рассмеялась.

— Я не видела Ван Дайка восемь лет. Я ни разу не разговаривала с ним после несчастья с Баком и уж тем более не спала с ним.

— Однако, найдя амулет, ты сразу пытаешься с ним связаться?

— Я испугалась за тебя. — Тейт закрыла глаза, пытаясь найти хоть какое-то утешение в легком ветерке, обвевающем ее разгоряченное лицо. — Того, что ты сделаешь с Ван Дайком или, еще хуже, что Ван Дайк сделает с тобой. Я даже подумывала бросить колье в море, притвориться, что и не находила его, но это вряд ли помогло бы. И тогда я решила отдать амулет Ван Дайку и взять с него слово, что в обмен на амулет он оставит тебя в покое.

Он молча слушал ее.

— Я не сознавала, что все еще люблю тебя, — тихо продолжала Тейт, не сводя глаз с волнующегося моря. — А когда поняла, то запаниковала. — Слезы высохли, и Тейт заставила себя повернуться к Мэту. — Наверное, мы могли бы сказать, что я пыталась спасти твою жизнь, поступить так, как лучше для тебя. Звучит очень знакомо, не правда ли? Только было так же глупо делать выбор за тебя, как ты когда-то сделал выбор за меня.

Тейт подняла руки, но они тут же безвольно упали.

— Теперь колье у тебя, и ты можешь делать с ним все, что считаешь необходимым, но я не желаю на это смотреть. — Открыв скользящую дверцу шкафа, Тейт вытащила чемодан.

— Что ты делаешь?

— Собираю вещи.

Мэтью выхватил у нее чемодан и отшвырнул его в угол каюты.

— Полагаешь, что я отпущу тебя после такого признания?

«Как странно, что я так спокойна. Как будто пробилась сквозь ураган к загустевшему тихому воздуху его центра», — подумала Тейт.

— Да. Нам обоим необходимо время, чтобы разобраться во всей этой путанице. — Она стала протискиваться к чемодану и гордо вскинула подбородок, когда Мэтью загородил ей дорогу. — Я больше не позволю тебе так грубо со мной обращаться!

— Давай по порядку. — Мэтью на секунду отвернулся и защелкнул дверной замок. — Первая проблема решена. Переходим ко второй. У каждого из нас свой интерес в этом деле, но мой — самый старый. Когда я сделаю все, что необходимо, можешь забрать амулет.

— Если ты останешься жив.

— Это моя проблема. — Мэтью сунул колье в карман. — Прошу прощения за все, что наговорил тебе.

— Мне не нужны твои извинения.

— Тем не менее ты их получила. Я не очень-то доверчив, но тебе я должен был доверять. Я напугал тебя.

— Да, наверное, я это заслужила. Пожалуй, мы квиты.

— Мы еще не закончили, — тихо сказал Мэтью, положив ладонь — теперь очень ласково — на ее плечо. — Сядь. Я больше не обижу тебя, — добавил он в ответ на ее настороженный взгляд. — Мне очень жаль, что я это сделал. Сядь. Пожалуйста.

— Не представляю, о чем еще говорить. — Но Тейт села, сложила на коленях руки.

— Я, кажется, слышал, что ты любишь меня.

— Неудачный выбор времени, как обычно. Я не хочу тебя любить, но ничего не могу с собой поделать.

Мэтью сел рядом, не касаясь ее.

— Я не жалею о том, что сделал восемь лет назад. Я не хотел тащить тебя за собой в пропасть. И теперь, когда я смотрю на тебя, вижу, чего ты добилась, я точно знаю, что поступил правильно.

— Какой смысл...

— Дай мне закончить. Я многого не сказал тебе вчера ночью, может, не хотел изливать душу. Когда я начал работать на Фрика, я все время думал о тебе. Я работал, оплачивал счета и думал о тебе. Я просыпался среди ночи и умирал от тоски по тебе. Через некоторое время все стало так плохо, что уже не осталось сил на тоску. Я говорил себе: подумаешь, пара месяцев с красивой девчонкой, и вскоре перестал о тебе думать. Но временами воспоминания хватали за горло, разрывали сердце. Я отмахивался от них. У меня не было другого выхода. Бак спивался, а я надрывался, чтобы свести концы с концами, и ненавидел каждую минуту своей жизни.

— Мэтью...

Он покачал головой, не сводя глаз со своих сцепленных рук.

— Подожди, я должен все сказать. Когда я снова увидел тебя, то чуть не свихнулся. Я хотел вернуть все потерянные годы и понимал, что это невозможно. Даже заманив тебя в постель, я не смог заткнуть дыру в сердце. Потому что на самом деле я хотел любви, а не просто секса. Я хотел начать все сначала, хотел, чтобы ты дала мне еще один шанс. — Он поднял на нее глаза, коснулся ее щеки. — Надеялся, что смог бы убедить тебя полюбить меня снова.

Тейт выдавила слабую улыбку.

— То, что я чувствовала к тебе восемь лет назад, не идет ни в какое сравнение с тем, что я чувствую сейчас. Почему ты так долго ждал, чтобы сказать мне это?

— Я был уверен, что ты рассмеешься мне в лицо. Господи, Тейт, я был недостоин тебя тогда и вряд ли достоин тебя сейчас.

— Недостоин, — тихо сказала она. — В каком смысле?

— Во всех возможных смыслах. У тебя талант, образование, семья... — Он не видел способа объяснить необъяснимое и в отчаянии запустил пятерню в волосы.

Тейт помолчала, переваривая его слова.

— Знаешь, Мэтью, я слишком устала, чтобы сердиться на тебя за такие слова. Я поверить не могу, что у тебя проблемы с самоуважением.

— При чем тут самоуважение? Это факт. У меня нет ничего, кроме яхты, да и та частично принадлежит Ларю. Я сделаю состояние на «Изабелле» и, вероятно, за год промотаю его.

— А я — ученый с хорошо сбалансированным пакетом акций. У меня нет яхты, но есть квартира, которой я очень редко пользуюсь. «Изабелла» прославит меня и сделает еще богаче. Учитывая все вышеизложенное, может показаться, что у нас действительно очень мало общего и нет смысла развивать длительные отношения... И тем не менее не хочешь попробовать?

— Я как раз подумываю об этом, — сказал Мэт после небольшой паузы. — Ты достаточно взрослая и достаточно умная, чтобы жить со своими ошибками. Да, я хочу попробовать.

— Я тоже. Когда-то я любила тебя слепо, теперь я вижу тебя гораздо яснее и люблю еще сильнее. — Тейт сжала его лицо ладонями. — Должно быть, мы сошли с ума, Лэситер, но как же это чудесно!

Мэтью повернул голову, прижался губами к ее ладони.

— И правильно. — Он не смог вспомнить, когда в последний раз был так счастлив, и, притянув ее к себе, спрятал лицо в ее волосах. — Я сумел забыть тебя, Рыжик. Почти.

— Почти?

— Но я не смог забыть твой аромат. Свежесть. Прохладу. Ты пахнешь, как русалка. — Мэтью коснулся губами ее губ. — Я назвал ее в твою честь.

Его яхта, догадалась Тейт. Яхта, которую он построил своими руками!

— Мэтью, у меня кружится голова. — Поскольку это была чистая правда, Тейт положила голову на его плечо. Кажется, на этот раз они уплывут вместе в закат, как в кино. — Пойдем на палубу, пока никто не начал искать нас. И нам есть что сказать остальным.

— Практична, как всегда. — Мэтью взъерошил ее волосы. — А я уж собрался затащить тебя в постель.

— Я знаю. — Тейт задрожала от удовольствия. Как чудесно чувствовать себя желанной! — И жду с нетерпением. Но сейчас...

Тейт взяла его под руку, и вместе они вышли на палубу. С «Русалки» доносились музыка и неутомимый стук молотка, скрежетал компрессор. В воздухе стоял неизбежный при подводных раскопках сернистый запах.

— Все обалдеют, когда ты покажешь им амулет.

— Мы покажем, — поправил ее Мэтью.

— Нет, он твой. Я не могу разумно объяснить, почему, но я так чувствую. Кажется, я смирилась с тем, что вся эта история иррациональна. Когда я держала в руках амулет, я чувствовала его силу и отчетливо представляла все, что он может дать мне. Деньги, огромные деньги, славу и уважение. Власть. Неприятно сознавать, что в тебе скрываются такие низменные желания. Меня так и подмывало утаить амулет.

— И что же тебя остановило? Почему ты решила отдать его Ван Дайку?

— Потому что я люблю тебя. Я сделала бы что угодно, лишь бы защитить тебя, — просто ответила Тейт и чуть улыбнулась. — Звучит знакомо?

— Скорее напоминает, что пора начинать доверять друг другу. Факт остается фактом: амулет нашла ты.

— Может быть, мне было предназначено свыше найти его, чтобы отдать тебе. Он в твоих руках, Мэтью, и тебе решать, что с ним делать.

— И никаких условий? Ты не хочешь сказать, что если я люблю тебя...

— Я знаю, что ты меня любишь. Редкая женщина за всю свою жизнь услышит то, что ты сказал мне. Вот почему ты хочешь на мне жениться.

Мэтью вздрогнул, и Тейт усмехнулась, видя его чисто мужскую реакцию.

— Хочу жениться?

— Хочешь, черт побери. Совсем не трудно оформить документы на Невисе. Я уверена, что мы оба предпочтем простую церемонию прямо здесь, на яхте.

Мэтью потихоньку приходил в себя.

— Как вижу, ты все продумала.

Тейт по-хозяйски обвила руками его шею.

— Я заполучила тебя и никогда больше не отпущу.

— Кажется, бесполезно спорить.

— Абсолютно бесполезно, — с улыбкой согласилась Тейт. — Так что лучше сдавайся сразу.

— Солнышко, я выбросил белый флаг в тот момент, когда ты вышибла меня из гамака. — Его глаза стали серьезными. — Ты — мой амулет, Тейт, моя удача. Без тебя я ничего не добьюсь.

Она уютно устроилась в его объятиях и закрыла глаза. И постаралась не думать о тяжести проклятия в его кармане.

В сумерках обе команды собрались на носовой палубе «Русалки» вокруг огромного стола, заваленного находками. Тут были и навигационные инструменты, и столовая посуда, и ювелирные украшения — от самых изысканных до простого золотого медальона с белокурым локоном.

С трудом отогнав мысли об амулете, все еще лежа-

щем в кармане Мэтью, Тейт сосредоточилась на вопросе отца, рассматривавшего две фарфоровые статуэтки.

— Это китайские праведники. Самое начало правления династии Цин, середина семнадцатого века. Их называют «Бессмертными», и их должно быть восемь. Может, мы найдем весь комплект, хотя их нет в судовой декларации. Удивительно, что эти две абсолютно целые.

— Ценные? — заинтересовался Ларю.

— Очень. И я считаю, что пора перевезти самые хрупкие и ценные вещи в более безопасное место, — сказала Тейт, старательно отводя глаза от Мэта. — И пора пригласить в экспедицию хотя бы еще одного археолога. Мне нужна помощь. И необходимо начать консервацию самой «Изабеллы».

— Как только мы откроем рот, Ван Дайк будет тут как тут, — возразил Бак.

— Нет, если мы примем меры предосторожности и известим соответствующие учреждения. Гораздо опаснее скрывать наши находки. Как только мы известим научную общественность о нашем открытии, ни Ван Дайк, ни кто-либо другой не смогут украсть его.

— Ты не знаешь пиратов, девочка, — угрюмо проворчал Бак. — А правительство — самый жадный пират.

Рэй нахмурился.

— Я поддерживаю Бака. Конечно, мы должны поделиться своими находками, но ведь мы еще не закончили. Пройдут недели, даже месяцы, прежде чем мы полностью раскопаем «Изабеллу». И мы еще не нашли самое ценное.

— «Проклятие Анжелики», — прошептал Бак. — Может, оно не хочет, чтобы мы его нашли.

— Если оно там, мы его найдем, — уверенно сказал Ларю.

— Остается завидовать твоему оптимизму, — вздохнул Рэй. — Каждый раз, как я поднимаюсь без амулета, я чувствую себя неудачником.

Пылающий взгляд Тейт скользнул по Мэтью, остановился на отце.

— Ты не потерпел неудачу. Никого из нас нельзя назвать неудачником.

Мэтью молча поднялся и достал из кармана золотую цепь. Рэй протянул дрожащую руку, коснулся мерцающего рубина.

— Ты нашел его.

— Тейт нашла. Сегодня утром.

— Дьявольское орудие, — пробормотал Бак, пятясь назад. — Оно не принесет тебе ничего, кроме горя.

— Может, и орудие, — согласился Мэтью, покосившись на Ларю. — Но мое орудие, а что касается предложения Тейт, я не возражаю. Пусть связывается со своими комитетами.

— Чтобы привлечь Ван Дайка, — тихо сказала Тейт.

— Ван Дайк — моя проблема. И чтобы добраться до колье, ему сначала придется иметь дело со мной. Думаю, есть смысл приостановить раскопки и отправить Мариан с Тейт на остров.

— И оставить тебя здесь одного? — Тейт вскинула голову. — Даже не надейся, Лэситер. Ты не избавишься от меня только потому, что я имела глупость согласиться выскочить за тебя замуж.

— Вы женитесь? — Мариан прижала ладонь к губам. — О, милая...

— Я собиралась подготовить вас, — раздраженно сказала Тейт. — Ты тупица, Лэситер.

— Я тоже тебя люблю. — Мэтью обнял ее за талию одной рукой, покачивая другой амулет, и пояснил ошеломленной Мариан: — Она сделала мне предложение сегодня днем. Я согласился только потому, что в придачу получаю вас.

— Слава богу, вы наконец образумились. — Всхлипнув, Мариан обняла их обоих. — Рэй, наша девочка выходит замуж.

Рэй неловко погладил жену по плечу. «Моя девочка, — думал он со смешанным чувством сожаления и радости, — моя маленькая девочка теперь не только моя».

— Полагаю, моя очередь сказать что-то проникновенное, но я ни черта не могу придумать.

— Если позволите, — вмешался Ларю, — я предлагаю отпраздновать.

— Конечно. — Мариан вытерла глаза. — Я сама должна была подумать об этом.

Ларю исчез в камбузе и возвратился с припрятанной для подходящего случая бутылкой французского шампанского, а когда бокалы были наполнены, тосты произнесены, слезы утерты, Тейт пошла на правый борт к Баку, уединившемуся там со стаканом имбирного эля.

— Чудесный вечер, Бак.

— Да.

— Я думала... я надеялась, что вы порадуетесь за нас. Я так сильно люблю его.

Бак неловко переступил с ноги на ногу.

— Я знаю, девочка. Только за последние шестнадцать лет я привык думать о нем как о сыне. Правда, я был не очень-то хорошим отцом...

— Замечательным, — пылко прервала Тейт.

— Я не раз ошибался, но старался изо всех сил. Я всегда знал, что в Мэтью есть что-то особенное. Больше, чем во мне. Больше, чем в Джеймсе. Я только не знал, как заставить его раскрыться. У тебя это получилось, — добавил Бак, наконец поворачиваясь к Тейт. — Без тебя он не бился бы так упорно со злым роком Лэситеров. Тейт, ты должна заставить его избавиться от проклятого колье, прежде чем оно погубит ваши жизни, прежде чем Ван Дайк убьет его.

— Мы не имеем права останавливать его, Бак, и, если мы его любим, нам придется смириться с тем, что он задумал.

ГЛАВА 25

Лежа рядом с Мэтью в его каюте на «Русалке», Тейт изо всех сил старалась внять собственному совету, старалась отогнать обуревавшие ее страхи.

Мэтью сказал, что пора доверять друг другу. Ну что же, доверие может стать такой же надежной защитой, как любовь, и она защитит их обоих от кого угодно и чего угодно. Что бы ни случилось, что бы он ни сделал, они справятся с последствиями вместе.

— Перестань тревожиться, — прошептал Мэтью, прижимая ее к себе.

Жар его тела, его сила успокаивали.

— Кто сказал, что я тревожусь?

— Я это чувствую. — Мэтью провел ладонью по ее бедру, надеясь отвлечь ее. — Ты излучаешь беспокойство. — Он перекатился на нее, покрывая поцелуями шею. — И раз уж я все равно проснулся... В следующий раз обязательно сделаю себе каюту побольше.

Тейт вздохнула, наслаждаясь его поцелуями.

— В следующий раз?

— М-м-м-м... И сделаю ее звуконепроницаемой.

Тейт хихикнула. Бак спал в соседней каюте, и от его храпа дрожала переборка.

— Я тебе помогу. Как Ларю это выдерживает?

— Он говорит, что это как качка. Она есть, и от нее никуда не денешься. — Не сводя глаз с лица Тейт, мерцающего в лунном свете, Мэтью ласкал ее грудь. — Когда проектировал каюты, я совсем не думал о жене.

— По-моему, каюты чудесные. — Она лизнула его подбородок. — Особенно каюта капитана.

— Если бы я знал, что после помолвки нам не придется прятаться, я не стал бы тянуть так долго. — Он раскинул ее волосы по подушке. — Здесь лучше, чем на полу.

— Гораздо лучше, — улыбнулась Тейт. — Но мне нравились те ночи, и я не думаю, что помолвка продлится долго. Завтра мы отправляемся на Невис и начинаем оформлять документы.

— Господи, как ты любишь распоряжаться!

— Да, и тебе не улизнуть от меня, Лэситер. Никто никогда не отнимет тебя у меня.

На следующее утро Тейт, Мэтью и Мариан, оставив катер у пирса, направились к курортному отелю. Какой бы скромной ни была предстоящая свадьба, Мариан собиралась отнестись к торжественному событию в жизни дочери со всей серьезностью.

— Как только вы закончите, встретимся в магазине женской одежды напротив отеля, — скомандовала она, останавливаясь на мощеной дорожке и вытряхивая песок из босоножек.

Тейт вздохнула.

— Думаю, бесполезно убеждать тебя, что мне не нужно новое платье.

— Абсолютно бесполезно, — кивнула Мариан. — Мы купим тебе подвенечное платье, Тейт Бомонт. Если в местном бутике не окажется ничего подходящего, поищем на Сент-Китсе. А тебе, Мэтью, — Мариан ласково похлопала будущего зятя по щеке, — не помешала бы стрижка... и приличный костюм.

— Да, мадам.

— Подлиза, — пробормотала Тейт.

— Сейчас займитесь бумагами, а костюм Мэтью мы присмотрим после ленча. А тебе, Тейт, понадобятся туфли.

Бодро помахав на прощание, Мариан направилась к магазинчику женской одежды.

— Маму уже не остановить, — прошептала Тейт. — Слава богу, мы женимся здесь и сейчас. Только представь, что бы она натворила, если бы свадьба была на Хаттерасе: приемы, девичник, выставка свадебных подарков, цветы, поставщики провизии, многоярусный торт. — Она передернула плечами. — Брачные консультанты.

— По-моему, неплохо.

Тейт ошеломленно уставилась на Мэта.

— Ты хочешь сказать, что тебе бы понравилась вся эта суета? Только дай маме шанс, и она запихнет тебя в

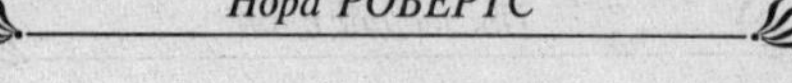

смокинг или даже во фрак. — Тейт похлопала жениха пониже спины. — Во фраке ты был бы неотразим.

— Я думал, все женщины мечтают о пышных свадьбах.

— Только не здравомыслящие женщины. — Тейт поднялась на несколько ступенек и остановилась. — Мэтью, ты действительно не возражал бы?

— Послушай, Рыжик, я готов взять тебя хоть в лохмотьях, но не вижу ничего плохого в новом платье, прическе...

Тейт злорадно прищурилась.

— Мама заставит тебя надеть галстук, приятель.

Мэтью не смог сдержаться и передернулся, но быстро взял себя в руки.

— Подумаешь. Ничего особенного.

— Ты прав. — Тейт нервно хихикнула. — Но, если честно, мне страшно.

— Не тебе одной.

Они нашли чиновника и уже через пятнадцать минут, ошеломленные, вышли из прохладного вестибюля в залитый утренним солнцем сад перед отелем.

— Господи, как все просто! — выдавила Тейт. — Доказать гражданство, подписать несколько бумаг. — Она сдунула с глаз челку. — Через два-три дня мы будем женаты.

— Трусишь?

— Ужасно, но я справлюсь. А ты?

— Я никогда не нарушаю обещаний. — Мэтью подхватил Тейт и оторвал ее от земли. — Как тебя называть: доктор Лэситер или доктор Бомонт?

— Я хочу быть доктором Бомонт и миссис Лэситер. Тебя устраивает?

— Устраивает. Да, нам пора в магазин.

— Я могу избавить тебя от мучений. — Тейт крепко поцеловала его в губы. — Если мы действительно найдем там платье, тебе не полагается его видеть до свадьбы. С мамой случится удар, если мы не придержимся хотя бы одной традиции.

В душе Мэта засиял лучик надежды.

— И мне не надо идти в магазин?

— Не надо, пока она не вспомнит о костюме. Пошатайся где-нибудь поблизости полчасика. Нет, подожди, я забыла, что имею дело с Мариан Бомонт. Дай нам час. А если мама решит утащить меня на Сент-Китс, мы сначала забросим тебя на яхту.

— Рыжик, я в неоплатном долгу перед тобой.

— Я заставлю тебя расплатиться, а сейчас поставь меня на место.

Мэтью еще раз поцеловал ее и поставил на ноги.

— Держу пари, они и белье продают.

— Естественно. — Тейт рассмеялась и оттолкнула его. — Проваливай, Лэситер.

Улыбаясь, она смотрела ему вслед, пока он не исчез в вестибюле, и мысль о новом платье вдруг показалась очень привлекательной. Что-нибудь воздушное, романтичное... и украшенное маленьким золотым сердечком с жемчужинкой.

О, Лэситер, ты здорово удивишься.

Раскрасневшись от удовольствия, Тейт отвернулась, но успела сделать лишь пару шагов, когда ее схватили за руку. Тейт рассмеялась.

— Мэтью, право же...

Слова застряли в ее горле. Ван Дайк! Ей показалось, что мир вокруг покачнулся, что время стремительно бросилось вспять. Ван Дайк совсем не изменился, не состарился. Та же густая серебристая шевелюра, то же гладкое красивое лицо. Его ладонь была нежной, как у ребенка, и он излучал почти неуловимый аромат дорогого одеколона.

— Мисс Бомонт! Какая неожиданная и приятная встреча! Должен сказать, что вы необыкновенно расцвели.

Его голос с чуть заметным европейским акцентом, вежливые слова и довольный тон резко вернули Тейт к действительности.

— Отпустите меня.

— Неужели вы не уделите пару минут старому другу? — Мило улыбаясь, Ван Дайк потащил ее через цветущий сад.

«Вокруг десятки людей, — напомнила себе Тейт, борясь со страхом. — Гости, персонал. В ресторане у бассейна уже появились любители раннего ленча. Стоит только закричать...» Решив, что бояться нечего, она остановилась.

— Я действительно могу уделить вам пару минут, Ван Дайк. Я с удовольствием разберусь с вами. Но если вы немедленно меня не отпустите, я закричу.

— Это было бы прискорбной ошибкой, — кротко возразил он. — А я знаю, что вы разумная женщина.

— Если вы меня не отпустите, я покажу, насколько разумная. — Рассвирепев, Тейт выдернула руку. — Я достаточно разумна, чтобы понимать: вы ничего не можете сделать со мной в общественном месте.

— Неужели? — Сайлас придал своему лицу изумленное и несколько обиженное выражение, но из-за ее открытого неповиновения голова начала раскалывать-

ся. — Тейт, дорогая, я и не помышлял ни о чем подобном. Я просто приглашаю вас провести пару часов на моей яхте.

— Вы сумасшедший!

Его пальцы сжали ее руку так сильно, что Тейт не вскрикнула лишь потому, что шок затмил боль.

— Осторожнее. Я могу и наплевать на хорошие манеры. — Ван Дайк снова улыбнулся. — Может, попробуем еще раз? Я приглашаю вас погостить на моей яхте. Недолго. Если вы откажетесь и все же решите устроить сцену здесь, как вы сказали, в общественном месте, ваш жених дорого за это заплатит.

— Мой жених размажет вашу физиономию по асфальту, если я не сделаю это первой.

— Как жаль, что вы не унаследовали аристократизм вашей матери. — Ван Дайк вздохнул и сжал зубы, чтобы не сорваться на крик. — Пока мы беседуем, двое моих людей следят за вашим Мэтью. Они с удовольствием применят силу, стоит мне только подать сигнал. Уверяю вас, они будут действовать очень профессионально и очень незаметно.

Тейт похолодела, кровь отхлынула от ее лица.

— Вы не можете убить его в вестибюле отеля. — Но брошенное Ван Дайком семя ужаса уже дало росток.

— Хотите проверить? А это не ваша мать там в магазине? Она выбрала для вас прелестные вещицы.

Онемев от страха, Тейт оглянулась. Витрины и застекленные двери отражали солнечные лучи как зеркала, но перед магазином слонялся хорошо одетый мужчина, высокий и широкоплечий.

— Не смейте ее трогать. У вас нет никаких причин...

— Если вы подчинитесь, у меня не останется никаких причин наносить ущерб кому бы то ни было. Итак, мы идем? Я заказал своему повару изысканный ленч и хотел бы разделить его с вами. — Ван Дайк галантно взял Тейт под руку и повел к пирсу. — Путешествие не будет долгим. Моя яхта стоит на якоре чуть к западу от вас.

— Как вы узнали?

— Моя дорогая, — он легко ущипнул ее за подбородок, — как вы наивны!

Тейт выдернула руку, в последний раз оглянулась на отель и спрыгнула в ожидающий катер.

— Если вы только дотронетесь до кого-нибудь из моих близких, я убью вас своими руками.

И, пока катер рассекал водную гладь, она планировала всевозможные способы убийства.

Попросив продавца отложить выбранные платья, Мариан отправилась на поиски дочери. Она обыскала все рестораны и холлы, слегка раздраженная, заглянула в сувенирный ларек, затем снова в бутик. Не обнаружив никаких признаков Тейт, она уже возвращалась в отель, когда увидела Мэтью, вылезающего из такси.

— Мэтью, ради бога, где ты был?

— Кое-что надо было сделать. — Он похлопал себя по карману, где лежал аккуратно сложенный, только что подписанный контракт. — Эй, я почти не опоздал.

— Куда не опоздал?

— Мы договорились встретиться через час. — Совершенно не встревоженный, Мэтью взглянул на свои часы. — Я задержался на несколько минут. Ну, вы уговорили ее купить платье или она еще упирается?

— Я ее не видела, — сердито проворчала Мариан. — Я думала, что она с тобой.

— Нет, мы разделились. Тейт пошла к вам. — Мэтью пожал плечами. — Наверное, она где-то задержалась.

— Салон красоты! — воскликнула Мариан, забыв от облегчения и о изматывающей жаре, и о своем раздражении. — Наверное, решила договориться о прическе и маникюре.

— Тейт?

Мариан покачала головой, удивляясь легкомыслию молодости.

— Любая женщина хочет выглядеть как можно лучше на своей свадьбе. Наверняка она сейчас выбирает прическу.

— Это интересно. — Мэтью усмехнулся, представив, как Тейт чистит перышки ради него. — Давайте выкурим ее оттуда.

— И я выскажу ей все, что думаю, — пробормотала Мариан.

— Шампанское?

— Нет.

— Думаю, вы согласитесь, что шампанское придает омарам пикантность.

— Меня не интересует ни шампанское, ни омары, ни ваша притворная вежливость. — Несмотря на тлеющий страх, Тейт расправила плечи. Если она не ошиблась, они в миле к западу от «Русалки». В случае необходимости можно добраться вплавь. — Зачем вы похитили меня?

— Какое грубое слово! — Ван Дайк попробовал шампанское, убедился, что оно охлаждено именно так, как

надо. — Пожалуйста, сядьте. — Тейт не шевельнулась и осталась стоять, опершись о поручни. — Сядьте, — повторил он. — Нам нужно кое-что обсудить.

Смелость, даже показная, бывает полезна, но, увидев его остекленевшие, как у акулы, глаза, Тейт решила, что разумнее повиноваться, и села в шезлонг, заставила себя принять протянутый бокал.

«Он так изменился, — подумала она. — Мужчина, с которым я столкнулась восемь лет назад, был психически здоров, а этот...»

— За... судьбу, я думаю?

Тейт предпочла бы выплеснуть содержимое бокала ему в лицо, только это принесло бы небольшое удовлетворение, а заплатить пришлось бы дорого.

— За судьбу? — К счастью, ее голос прозвучал очень спокойно. — Да, за это я могла бы выпить.

Расслабившись, Ван Дайк комфортно расположился в шезлонге, поигрывая бокалом.

— Так мило снова видеть вас на своей яхте. Знаете, Тейт, в нашу последнюю встречу вы произвели на меня неизгладимое впечатление. Все эти годы я с интересом следил за вашими профессиональными успехами.

— Если бы я знала, что вы связаны с последней экспедицией «Кочевника», я никогда бы не приняла в ней участия.

— Как глупо! — Сайлас вытянул ноги и скрестил их в лодыжках, наслаждаясь изысканным вином и приятным обществом. — Я финансирую многие научные проекты. Кроме того, уйму денег трачу на благотворительность. — Он сделал паузу, отпил шампанского. — Тейт, неужели вы отказались бы от экспедиции, если бы не одобряли источник финансирования?

— Когда этот источник — безнравственный человек, вор и убийца — да.

— К счастью, немногие разделяют ваше мнение обо мне и ваши довольно наивные нравственные принципы. Вы меня разочаровали, — добавил Ван Дайк. В его голосе прозвучала скрытая угроза. — Вы меня предали. А вы мне дорого стоили. — Он рассеянно поднял глаза на бесшумно появившегося стюарда, затем перевел взгляд на Тейт. — Ленч подан. Надеюсь, вы любите есть на свежем воздухе.

Ван Дайк поднялся. Тейт последовала его примеру, сделав вид, что не заметила его протянутую руку.

— Не испытывайте мое терпение, Тейт. — Он демонстративно обхватил ее запястье. — Вы и так меня глубоко разочаровали, — продолжал он, волоча ее к столу. — Однако я надеюсь, вы воспользуетесь последним предоставленным мной шансом, чтобы искупить свою вину.

— Уберите от меня свои лапы!

Тейт в ярости развернулась, взмахнула кулаком, но Ван Дайк успел схватить ее за косу и дернуть так сильно, что искры посыпались у нее из глаз. Когда он притянул ее к себе, она обнаружила, что элегантный костюм скрывает хорошо натренированное тело.

— Если вы думали, что я постесняюсь ударить женщину, то вы ошиблись. — Ван Дейк грубо толкнул Тейт на стул и, судорожно дыша, навис над ней. — Если бы я не был разумным цивилизованным человеком, если бы я позволил себе забыть об этом, я переломал бы вам все кости, одну за другой.

Ван Дайк стряхнул с лацканов пиджака невидимые пылинки, сел и взмахом руки приказал стюарду принести с сервировочного столика шампанское и бокалы. Гнев в его глазах погас, словно щелкнули выключателем. Губы изогнулись в насмешливой улыбке.

— Некоторые считают телесные наказания варварством, однако я не согласен с этим мнением. Я убежден в том, что боль очень дисциплинирует людей. И учит уважению. Я требую уважения. Я его заслужил. Попробуйте одну из этих оливок, дорогая. — Плавно вернувшись в образ радушного хозяина, Сайлас придвинул к Тейт хрустальную вазочку. — Они из моих оливковых рощ в Греции.

Тейт сцепила под столом дрожащие руки. Что за человек может в одно мгновение причинять боль, а в следующее — предлагать изысканное угощение? Только безумец.

— Чего вы хотите?

— Во-первых, разделить изысканную трапезу с привлекательной женщиной. — Сайлас заметил, как побелели ее щеки, и приподнял брови. — Не волнуйтесь, дорогая Тейт. Я испытываю к вам чувства, близкие к отцовским, и не собираюсь покушаться на вашу честь.

— Полагаю, я должна испытать облегчение, узнав, что изнасилование не входит в ваши планы.

— Еще одно безобразное слово. — Слегка раздраженный, он положил в рот оливку. — По моему мнению, унизительно пользоваться силой, чтобы завладеть женщиной. Один из моих нью-йоркских служащих силой принудил секретаршу к сексу, после чего ее пришлось госпитализировать.

Ван Дайк отрезал кусочек ветчины и отправил его в рот вслед за оливкой.

— Я его уволил... после того, как его кастрировали

по моему приказу. — Сайлас изящно вытер губы голубой льняной салфеткой. — Надеюсь, бедняжка меня поблагодарила бы. Пожалуйста, попробуйте омаров. Уверен, они превосходны.

— У меня нет аппетита. — Тейт оттолкнула тарелку жестом, который ей самой показался слишком дерзким. — Вы притащили меня сюда и явно не собираетесь отпускать. По меньшей мере до тех пор, пока Мэтью и родители не начнут меня искать. — Выставив подбородок, она посмотрела прямо в глаза Ван Дайка. — Может быть, все-таки скажете, чего хотите?

— Мы поговорим о Мэтью, — задумчиво произнес он, — но позже. Я хочу то же, что и всегда, то, что принадлежит мне. «Проклятие Анжелики».

Истерзанная беспокойством, Мариан металась по вестибюлю отеля. Мимо нее проходили постояльцы, персонал деловито сновал взад и вперед, выполняя свои обязанности. Она слышала смех, плеск воды в бассейне, жужжание миксера в баре. Столько людей вокруг. Тейт просто не могла исчезнуть. Однако сколько бы Мариан ни уговаривала себя, ничего не помогало.

Они с Мэтью разделились: она расспрашивала портье, коридорных, водителей такси — всех, кто мог бы видеть, как Тейт покидала отель; Мэтью искал Тейт на пляже и причале.

Заметив приближающегося Мэтью, Мариан вздохнула с облегчением, но, когда увидела, что он один и мрачен как туча, снова запаниковала.

— Что ты узнал?

— Несколько человек видели ее. Она встретила мужчину и уплыла с ним на катере.

— Уплыла? С кем? Ты уверен, что это была она?

— Она. — Мэтью еще мог контролировать охватившую его панику, но не так легко было контролировать желание убить. — Описание мужчины подходит к Ван Дайку.

— Нет. — Ноги подкосились, и Мариан вцепилась в руку Мэтью, чтобы не упасть. — Она не ушла бы с ним.

— Может, у нее не было выбора.

— Полиция, — еле слышно сказала Мариан. — Мы обратимся в полицию.

— И сообщим, что она покинула остров без борьбы, с человеком, который финансировал ее последний проект? — Мэтью отрицательно покачал головой. — Мы даже не знаем, скольких полицейских он купил. Мы поступим по-моему.

— Мэтью, если он что-то сделает с ней...

— Не сделает. — Они оба понимали, что он сказал это только ради спокойствия Мариан. — У него нет на это причин. Давайте вернемся на яхту. Я думаю, он недалеко от нас.

Тейт лихорадочно перебирала в уме все возможности. Ван Дайк не знает о колье. Он знал, где найти экспедицию, он как-то узнал, чем они занимаются, но он не знает, что они нашли. Пытаясь потянуть время, она отпила шампанского.

— Вы думаете, что, если бы даже оно у меня было, я бы отдала его вам?

— Естественно. Вы бы отдали его мне, чтобы спасти Мэтью и остальных. Пора нам работать вместе, Тейт, как я и планировал.

— Планировали?

— Да. Хотя я все это представлял несколько иначе. — Ван Дайк подумал с минуту, затем отбросил неприятные мысли. — Я готов простить ваши ошибки. Я даже готов позволить вам и вашим партнерам воспользоваться плодами ваших трудов. Мне нужен лишь амулет.

— Вы возьмете амулет и оставите нас в покое? Какие у меня гарантии?

— Мое слово.

— Для меня ваше слово значит меньше чем ничего.

Тейт задохнулась, когда Ван Дайк сильно сжал ее ладонь.

— Я не выношу оскорблений. — Сайлас разжал руку, и ее бедные пальцы запульсировали, как больной зуб. — Мое предложение остается в силе. От вас мне нужен только амулет. В обмен на него вы получите сокровища «Изабеллы» и славу первооткрывателя. Я даже готов использовать свои связи, чтобы упрочить вашу научную репутацию.

— Мне не нужны ваши связи.

— За последние восемь лет вы не раз ими пользовались. Я помогу вам ради собственного удовольствия, хотя обидно, когда за щедрость платят неблагодарностью. — Его лицо потемнело от гнева. — Я понимаю, что виноват Лэситер, но понимаете ли вы, что унизили себя, связавшись с ним? Такой мужчина, как он, никогда не будет достоин вас ни в каком отношении.

— Рядом с Мэтью Лэситером вы кажетесь просто мальчишкой. Избалованным злобным мальчишкой.

От пощечины ее голова резко откинулась назад, глаза налились слезами.

— Я вас предупреждал. — Ван Дайк отшвырнул та-

релку с такой силой, что она слетела со стола и разбилась. — Я не терплю неуважения. Я прощаю вас, поскольку восхищаюсь вашей храбростью и интеллектом, но прикусите язык.

— Я вас презираю, — процедила Тейт сквозь зубы. — Если бы я нашла амулет, я бы скорее уничтожила его, чем передала вам.

Тейт приготовилась к новому удару, но не к тому, что начало происходить на ее глазах. Руки Ван Дайка задрожали, глаза налились кровью, как у бешеного быка. Не только от ярости, поняла Тейт. От предвкушения. Он не просто изобьет ее, он получит от избиения колоссальное удовольствие.

Инстинкт выживания пробил оцепенение, вызванное страхом. Тейт вскочила на ноги и бросилась к поручням. В воде спасение. Море спасет ее. Только она не успела прыгнуть. Ее схватили и оттащили от поручней. Она брыкалась, лягалась, визжала, пыталась укусить, но стюард просто заломил ей руку за спину, и у нее потемнело в глазах.

— Оставьте ее мне, — как в тумане услышала Тейт, когда ее бросили на палубу. — Я надеялся, что вы благоразумнее. — Ван Дайк схватил ее за поврежденную руку, рывком поднял на ноги, и Тейт всхлипнула от сильной боли. — Придется вас поучить...

Отвлекшись на шум лодочного мотора, Ван Дайк отшвырнул ее. Тейт ударилась о палубу, свернулась клубочком и, забыв о гордости, тихо заплакала.

Мэтью! Он пришел за ней. Он заберет ее отсюда, и никто больше не причинит ей боли.

— Опять вы опоздали, — послышался недовольный голос Ван Дайка.

— Не просто было улизнуть от компаньонов. — Ларю легко поднялся на палубу, мельком взглянул на Тейт и потянулся за кисетом. — Как вижу, у вас гости.

— Фортуна улыбнулась мне. — Почти овладев собой, Ван Дайк опустился на стул, взял салфетку и промокнул потное лицо. — Я улаживал на острове кое-какие дела и случайно встретил прелестную мисс Бомонт.

Ларю поцокал языком и, недолго думая, угостился шампанским из бокала Тейт.

— На ее лице отметина. Я не одобряю грубого обращения с женщинами.

Ван Дайк оскалился.

— Я плачу вам не за одобрение.

— Возможно. — Ларю решил закурить позже и занялся итальянской закуской-ассорти. — Когда Мэтью поймет, что она у вас, он за ней явится.

— Конечно. — «Я только этого и жду», — мысленно добавил Ван Дайк. — Вы пришли сообщить мне то, о чем я уже знаю?

— Ларю... — Тейт с трудом поднялась на колени. — Мэтью, где Мэтью?

— Полагаю, мечется по Невису, разыскивая вас.

— Но... — Она не хотела верить в страшную догадку.

Ларю оторвался от еды, улыбнулся, увидев проблески понимания в ее глазах.

— Ну наконец-то до вас дошло.

— Вы работаете на него? Мэтью доверял вам. Мы все вам доверяли.

— Если бы вы мне не доверяли, я не отработал бы свои деньги.

Тейт стерла слезы со щек.

— Деньги? Вы предали Мэтью за деньги?

— Я очень люблю деньги. — Ларю отвернулся и положил в рот оливку. — И раз уж мы вспомнили о моей самой большой любви, поговорим о вознаграждении.

— Ларю, я устал от ваших постоянных требований. — Ван Дайк поднял палец. Стюард приблизился, распахнул белый пиджак и выдернул из кобуры сверкающий пистолет. — Может, я оправдаюсь в глазах Тейт, если прикажу прострелить в вас дырку и выбросить за борт. Думаю, вы немедленно привлечете акул.

Поджав губы, Ларю сосредоточенно выбирал самый красивый перчик.

— Если вы меня убьете, ваши мечты о «Проклятии Анжелики» умрут вместе со мной.

Ван Дайк сжал кулаки, но сделал знак стюарду, и пистолет исчез так же быстро, как и появился.

— Вы только дразните меня амулетом. От этого я тоже устал.

— Двести пятьдесят тысяч милых американских долларов — и амулет ваш.

Ларю закрыл глаза, наслаждаясь обжигающим вкусом перца.

— Ублюдок, — прошептала Тейт. — Надеюсь, он убьет тебя.

Ларю пожал плечами.

— Бизнес есть бизнес. Как я понимаю, *mon ami*, мадемуазель еще не рассказала вам о нашей удаче. Мы нашли «Проклятие Анжелики». За четверть миллиона я прослежу, чтобы завтра к вечеру оно было у вас.

ГЛАВА 26

«Проклятие Анжелики» сверкало в руках Мэтью. Он стоял на мостике «Русалки», обмотав пальцы золотой цепью. Раскаленное солнце высекало искры из рубина, играло бриллиантами.

Главная цель его жизни, его удача и слава. И несчастье.

Словно наяву Мэт видел безжизненное тело отца и побелевшее в смерти лицо, так похожее на его собственное.

Он видел Бака в зубах акулы, видел клубящуюся в воде кровь.

Он видел Тейт, со слезами на глазах протягивающую ему амулет, предлагающую выбор между спасением и гибелью.

Где она сейчас? Он не знал, куда ее увезли. Он только знал, что сделает самое невозможное, лишь бы вернуть ее.

Проклятое колье смертельной тяжестью оттягивало руки и словно издевалось над ним.

— Ларю не появился, — сообщил поднявшийся на мостик Бак и, заметив амулет, отшатнулся.

Мэтью выругался и положил колье на стол.

— Тогда двигаемся без него. Мы не можем ждать.

— Куда двигаемся? Что делать, черт побери? Мэтью, я поддерживаю Рэя и Мариан: мы должны сообщить копам.

— Много они помогли нам в прошлый раз?

— Это не пиратство, парень, это похищение.

— Когда-то было и убийство, — холодно сказал Мэтью. — Он схватил ее, Бак. На глазах у десятков людей он просто увел ее.

— Он обменяет ее на это. — Облизнув пересохшие губы, Бак заставил себя взглянуть на амулет. — Это выкуп.

— Я ждал у рации, но Ван Дайк молчит. Я не могу больше ждать. — Мэт сунул Баку бинокль. — Посмотри. Прямо на запад.

Отступив, Бак поднес к глазам бинокль, сфокусировал его на мерцающей на горизонте белой точке и прошептал:

— Около мили. Может, и он.

— Это он.

— Он ждет тебя. Ждет, когда ты явишься за ней.

— Я не стану его разочаровывать.

— Он убьет тебя... Даже если ты украсишь эту дьявольскую штуковину бантом и преподнесешь ему, он все равно тебя убьет. Как убил Джеймса.

— Я не отдам ему колье, и он больше никого не убьет. — Мэтью нетерпеливо выхватил у Бака бинокль, обвел взглядом море. Никаких признаков Ларю, а время истекало. — Запускай двигатель, Бак.

Забыв о страхе и боли, уже не думая о побеге, Тейт следила, как Ларю с аппетитом поглощает деликатесы и предает своих партнеров. Ну, это ему с рук не сойдет!

Ее атака оказалась настолько неожиданной для всех, что Тейт удалось стряхнуть Ларю со стула и до крови расцарапать ему щеку, прежде чем он умудрился извернуться и схватить ее за руки.

— Вы еще хуже него, — шипела Тейт, извиваясь под Ларю. — Он просто сумасшедший, а вы омерзительны. Если Ван Дайк не убьет вас, то убьет Мэтью. Надеюсь, я это увижу.

Ван Дайк потягивал шампанское, с удовольствием наблюдая за представлением, затем со вздохом подал знак стюарду. К сожалению, нельзя калечить Ларю. Пока.

— Проводите мисс Бомонт в ее каюту, — приказал он. — И проследите, чтобы ее не беспокоили. — Он с улыбкой смотрел, как Тейт тщетно пытается высвободиться из мощных рук его телохранителя. — Думаю, вам не мешает отдохнуть, дорогая, а мы с Ларю обсудим наши дела. Уверен, вам понравится ваше временное пристанище.

— Вы сгорите в аду! — выкрикнула Тейт, глотая слезы. — Оба!

Ван Дайк выжал ломтик лимона на омара в своей тарелке.

— Изумительная женщина. Ее нелегко запугать. Очень жаль, что она не умеет выбирать объекты своей преданности. Со мной она могла бы достичь головокружительного успеха, а теперь просто наживка, не более того.

Несмотря на раздраженный взгляд Ван Дайка, Ларю стер кровь со щеки дорогой льняной салфеткой. Борозды, оставленные ногтями Тейт, горели огнем.

— После денег любовь — мощнейший стимул, — заметил Ларю и жадно глотнул шампанского.

— До того, как нас прервали, вы рассказывали о «Проклятии Анжелики», — напомнил Ван Дайк.

— Да. — Ларю украдкой потер ребро, пострадавшее от локтя Тейт. Черт побери, наверняка останется синяк! — И о двухстах пятидесяти тысячах долларов. Американских.

«Деньги — ничто», — подумал Ван Дайк. Он уже ис-

тратил на поиски колье в сотни раз больше, но как же не хочется платить!

— Чем вы докажете, что нашли колье?

Ларю задумчиво потер исцарапанную щеку и начал скручивать сигарету.

— Это нетрудно, *mon ami.* Тейт нашла его только вчера и с любовью вручила Мэтью. Оно великолепно, гораздо красивее, чем я представлял по вашим описаниям. Центральный камень с гравировкой — вот такой величины. — Ларю жестом показал размер камня. — Рубин — красный как кровь, бриллианты вокруг — как заледеневшие слезы. Цепь массивная, но очень изящного плетения. — Он чиркнул спичкой, загородив огонек от легкого бриза, закурил. — Рубин словно пульсирует в руках.

Глаза Ван Дайка подернулись пеленой.

— Вы его трогали?

— *Bien sur!* Мне доверяют. — Ларю лениво выдохнул струйку дыма. — Мэтью стережет его как цербер, но не от меня же. Мы работали на одном корабле, мы партнеры, друзья. Я достану вам амулет, как только удостоверюсь, что деньги переведены на мой счет.

— Вы получите свое. — Ван Дайк придвинулся к Ларю. — И запомните: если вы меня обманете, если потерпите неудачу или попытаетесь и дальше вымогать у меня деньги, я найду вас хоть на краю земли. А когда найду, вы будете молить о смерти.

Ларю затянулся сигаретой и улыбнулся.

— Трудно напугать богатого человека, а я буду богатым. Вы получите свое проклятие, *mon ami*, а я — свои деньги. — Ларю уже поднимался, когда Ван Дайк остановил его:

— Мы не закончили. Четверть миллиона — большая сумма.

— Ничтожная часть стоимости вашего сокровища, — возразил Ларю. — Неужели вы собираетесь торговаться, когда амулет, можно сказать, в ваших руках?

— Я удвою цену. — Увидев изумление в глазах канадца, Ван Дайк удовлетворенно откинулся на спинку стула. — За амулет и Мэтью Лэситера.

— Вы хотите, чтобы я заманил его сюда? — Ларю рассмеялся и покачал головой. — Даже всесильный амулет не сможет защитить вас от него. Он собирается убить вас. Во всяком случае, здесь я вам не нужен: он явится за Тейт.

— Не нужно заманивать его сюда. В этом удовольствии я вынужден себе отказать. — Сайлас сделал паузу. — Я хочу, чтобы вы разделались с ним сегодня ночью.

— Убийство, — пробормотал Ларю.

— Несчастный случай на море меня бы устроил. Что-то может случиться с яхтой. Пожар, например. Взрыв. Трагедия с летальным исходом. Я уверен, что за лишние четверть миллиона вы проявите изобретательность.

— В сообразительности мне не откажешь, это точно. Переведите двести пятьдесят тысяч немедленно. Я не стану ничего предпринимать, пока не получу их.

— Отлично. Когда я увижу, что «Русалка» уничтожена, я тут же сделаю второй перевод на ваш счет. Жду результата сегодня, Ларю, в полночь. Затем привезете мне амулет.

— Переведите деньги и можете ни о чем не беспокоиться.

* * *

Тейт провела в одиночестве несколько мучительных часов. За огромным окном солнце уже тонуло в бескрайнем море, но потрясающее зрелище не трогало ее. Она дергала раму, пыталась разбить стекло, но все безрезультатно!

Бесполезно кричать, бесполезно колотить кулаками по двери. Тейт прекрасно это понимала и металась по каюте, ругаясь и вынашивая планы мести, прислушиваясь к каждому скрипу, к каждому шагу.

Мэтью не пришел.

Только сказочные герои спасают девиц в беде, напомнила она себе, но, черт побери, она не плаксивая девица. Она выберется отсюда сама... как-нибудь.

Тейт принялась обыскивать каюту. Она ощупала каждую панель обшивки, ободрала пальцы, сломала ногти.

В стенном шкафу нашлись длинный шелковый халат, расписанный розами, и такая же ночная сорочка; расшитая стеклярусом накидка, вечернее черное платье с элегантным жакетом для прохладных вечеров и все необходимое для морского путешествия: шорты, футболки, купальники.

Тейт выгребла одежду из шкафа и обследовала каждый дюйм задней стенки. Шкаф оказался таким же прочным, как и все остальное.

«Ван Дайк ничего не упустил», — мрачно подумала Тейт, обводя взглядом полированные стены, пушистый светлый ковер, огромную кровать с множеством атласных подушек. На стеклянной столешнице низкого столика лежали глянцевые журналы. Под телевизором — видеомагнитофон и кассеты с новинками кино.

Тейт заглянула в маленький холодильник. Шампанское, вино, разнообразные безалкогольные напитки, дорогой шоколад.

Она метнулась в ванную комнату. Огромная сиреневая ванна-джакузи, медные светильники вокруг большого зеркала, на полочках — множество баночек и бутылочек с кремами, лосьонами, солями, кусочки мыла в форме морских звезд, раковин и морских коньков... но в дорожном несессере не оказалось ничего, что можно было бы использовать как оружие, и медную сушилку для полотенец, из которой получилась бы прекрасная бита, не удалось оторвать от стены.

Совсем отчаявшись, Тейт вернулась в каюту, просмотрела содержимое изящного письменного столика. Толстая пачка кремовой почтовой бумаги, конверты, даже марки. Тейт снова выругалась и задумчиво сжала в руке тонкую золотую ручку.

Какой ущерб может нанести подобное орудие? Если нацелиться в глаз... Тейт передернуло, но она все же сунула ручку в карман слаксов и упала в кресло, уставившись в окно.

И где же Мэтью?

Необходимо найти способ предупредить его. Ларю, подонок Ларю! Все меры предосторожности, что они предпринимали в последние месяцы, были напрасны. Каждое их слово, каждый замысел Ларю передавал Ван Дайку.

Канадец ел с ними за одним столом, работал с ними, с увлечением рассказывал истории о днях, проведенных с Мэтью в Атлантике. И все это время он предавал их!

Теперь он украдет колье, отдаст его Ван Дайку и притворится озабоченным, даже разгневанным. Будет сочувственно поддакивать отчаявшимся партнерам.

А что будет с ней самой? Тейт не была дурой и прекрасно понимала, что, как только Ван Дайк получит амулет, она станет бесполезной. У него не останется причин удерживать ее, а освободить ее он не посмеет.

Значит, он ее убьет. Где-нибудь в открытом море, подсказывала логика. Скорее всего удар по голове. Потом мертвую или без сознания ее бросят в воду, где рыбы закончат дело.

Тейт закрыла глаза. Именно так просто Ван Дайк представляет себе ее конец. Действительно, как может защитить себя одинокая безоружная женщина? Ну, его ждет сюрприз. Может, он и убьет ее, но ему придется попотеть.

Щелкнул замок, и Тейт оглянулась. Огромная фигура стюарда заполнила дверной проем.

— Он требует вас.

Тейт в первый раз услышала его голос и различила в нем славянский акцент. Она встала, но не тронулась с места.

— Вы русский?

— Идемте.

— Несколько лет назад я работала с биологом из Ленинграда. Ее звали Наташа Михайлова. Она всегда с любовью рассказывала о России.

Широкое лицо стюарда не дрогнуло.

— Он требует вас, — повторил он.

Тейт пожала плечами, сунула руку в карман, сомкнула пальцы на золотой ручке.

— Я никогда не понимала людей, которые слепо подчиняются приказам. Вы вроде робота, не так ли?

Ни слова не говоря, он подошел, схватил ее за предплечье и поволок из каюты. Тейт обмякла и залепетала.

В ее теперешнем состоянии было совсем не трудно притворяться испуганной.

— Неужели вам все равно, что он хочет убить меня? На что вы готовы ради него? Свернуть мне шею? Размозжить голову? Пожалуйста, помогите мне.

Тейт споткнулась, и охранник на мгновение ослабил хватку. Воспользовавшись этим, Тейт размахнулась, почувствовала, как поддается под острием человеческая плоть, почувствовала кровь на своей руке и в следующее мгновение, отлетев к стене, уже во все глаза смотрела, как стюард стоически вынимает ручку из щеки. Дырка оказалась маленькой, но глубокой, кровь текла ручьем. Тейт затошнило от зрелища и разочарования: она не попала в глаз.

Все так же молча стюард подхватил ее и выволок на палубу.

Ван Дайк ждал. В смокинге и с рюмкой коньяка в руке, что, по его мнению, соответствовало торжественности момента. На столе, защищенные от ветра стеклянными плафончиками, мерцали свечи, сверкали хрустальные блюда со свежими фруктами и крохотными пирожными. Из динамиков лилась «Аппассионата».

— Я надеялся, что вы переоденетесь. Моя последняя гостья покинула яхту довольно поспешно и кое-что оставила, — с упреком произнес Ван Дайк и приподнял брови, заметив окровавленную щеку охранника. — Идите к врачу, потом возвращайтесь, — нетерпеливо приказал он. — Тейт, вы не перестаете поражать меня. Чем вы воспользовались?

— Шариковой ручкой. Жаль, что это были не вы.

Сайлас усмехнулся.

— Я предлагаю вам выбор, дорогая. Мы можем связать вас или одурманить наркотиками... — Он увидел, как ее взгляд невольно метнулся к поручням, и покачал головой. — Прыгать за борт бесполезно. У вас нет снаряжения. Один из моих людей догонит вас ярдов через пятьдесят и вернет на яхту. Может быть, лучше присядете?

Поскольку у Тейт не было никакого приемлемого плана, она решила не упрямиться.

— Где вы нашли Ларю?

— О, когда есть чем платить, поразительно легко найти марионеток. — Сайлас умолк, выбирая виноградину покрупнее. — Изучив окружение Мэтью, я счел Ларю подходящим кандидатом. До сих пор он был прекрасным орудием в моих руках, правда, несколько дороговатым. — Раскусив виноградину, Сайлас прикрыл глаза от удовольствия. — Ларю следил за Мэтью, пока они работали на Фрика. Из его докладов я узнал, что Мэтью не прерывает связи с вашими родителями и не оставляет надежды найти «Проклятие Анжелики». Конечно, Мэтью всегда знал, где покоится амулет, но своего секрета канадцу так и не выдал. Даже дружба имеет свои пределы.

Ван Дайк выбрал еще одну лиловую виноградину.

— Я восхищаюсь его осмотрительностью и целеустремленностью, однако удивляюсь, почему он работал как лошадь, когда мог жить в богатстве? И все же он выдал свой секрет, когда возобновил партнерство с вашими родителями и с вами. Женщины часто заставляют мужчин совершать дурацкие ошибки.

— Вы это знаете по личному опыту?

— Вовсе нет. Я восхищаюсь женщинами так же, как хорошим вином или виртуозным исполнением музы-

кального произведения. Когда бутылка опустошена, а симфония доиграна, всегда можно перейти к другой.

— Куда мы плывем?

— Недалеко. Отойдем на несколько градусов. Я ожидаю грандиозное шоу и хочу занять место в партере, если можно так выразиться. Выпейте коньяка, Тейт. Он вам не помешает.

— Не хочу.

— Ну, вы всегда можете передумать. У меня есть лишний бинокль, не хотите воспользоваться?

Тейт выхватила бинокль, подбежала к поручням и стала рассматривать горизонт. Сердце сжалось в груди, когда она примерно в миле к востоку увидела смутные очертания двух яхт. В каютах «Нового приключения» и на мостике «Русалки» горел свет.

— Если мы видим их, они могут увидеть нас. Вас это не пугает?

— Если бы они знали, куда смотреть. — Ван Дайк подошел и встал за ее спиной. — Рано или поздно они бы увидели нас, но, думаю, им скоро будет не до этого.

— Вы считаете себя очень умным. — Несмотря на все ее усилия, голос сорвался. — Используете меня как приманку.

— Да. Я случайно наткнулся на вас и не упустил шанс, но теперь мои планы изменились.

— Изменились? — Тейт не могла отвести взгляда от далеких огней. Ей показалось, что она заметила какое-то движение. Катер? Да, направляется к берегу. «Ларю, — горько подумала она. — Украл амулет и спешит спрятать его в надежном месте».

— Да, и, полагаю, сейчас мы все увидим, — возбужденно подтвердил Ван Дайк.

Тейт вздрогнула.

— Что вы...

Даже на таком расстоянии Тейт услышала грохот взрыва. Линзы бинокля вспыхнули, ослепив ее, но она не отвернулась. Не смогла отвернуться.

«Русалка» была объята пламенем.

— Нет! Нет! Господи, Мэтью!

Тейт чуть не свалилась за борт, но Ван Дайк оттащил ее. Он обхватил ее за горло и не отпускал, пока ее силы не иссякли и отчаянная борьба не закончилась безудержными рыданиями.

— Власти, естественно, сделают все возможное, чтобы собрать кусочки, если осталось что собирать. Любые найденные улики подтвердят, что Бак Лэситер в пьяном угаре пролил горючее и небрежно чиркнул спичкой. Поскольку ни от него, ни от его племянника ничего не осталось, некому будет оспаривать эту версию.

— Амулет уже ваш, — прошептала Тейт, не сводя глаз с пламени, бушующего посреди темного моря. — Зачем же было убивать Мэтью?

— Он бы никогда не остановился, — сказал Ван Дайк. Танцующие языки пламени заворожили его, и он тоже, не отрываясь, смотрел вдаль. — Мальчишка не простил мне смерти своего отца. Я знал, что когда-нибудь он вернется.

Зрелище пьянило Ван Дайка, как изысканное вино. Парень пусть на мгновение, но почувствовал боль и понял, кто его убил. Как жаль, что нет полной уверенности в этом!

Тейт упала на колени.

— Мои родители!

— Думаю, они не пострадали, если, конечно, не гостили у партнеров. У меня нет причин желать им зла. Вы ужасно бледны, Тейт. Позвольте все же предложить вам коньяку.

Тейт вцепилась в поручни, с трудом поднялась. Ноги дрожали, она почти не могла дышать, но, глядя в глаза убийцы, собрала остатки сил.

— Анжелика прокляла своих тюремщиков. Она прокляла тех, кто обокрал ее, кто приговорил ее к смерти и отнял жизнь ее нерожденного ребенка. Она прокляла вас, Ван Дайк. Если есть на свете справедливость, если амулет не потерял своего могущества, он уничтожит вас.

«Вот так выглядела перед смертью Анжелика», — подумал Ван Дайк, поднося бокал к заледеневшим губам, не в силах отвести от Тейт затуманившийся, мечтательный взгляд.

— Я мог бы убить вас сейчас.

Тейт рассмеялась сквозь слезы.

— Вы думаете, теперь это имеет значение? Вы убили человека, которого я люблю, разрушили жизнь, которую мы могли бы построить вместе, убили детей, которых мы могли бы иметь. Мне теперь все равно. Теперь я знаю, что она чувствовала, когда ждала утра, ждала смерти. Ей было все равно, потому что ее жизнь закончилась со смертью Этьена. Мне плевать, если вы убьете меня. Я умру, проклиная вас.

— Вам пора возвращаться в свою каюту. — После его слов из тени выступил стюард с заклеенной пластырем щекой. — Уведите ее и заприте.

— Вы будете умирать медленно! — выкрикнула Тейт. — Достаточно медленно, чтобы чувствовать себя в аду.

Рыдая, Тейт добрела до каюты и бросилась на кровать. Когда слезы иссякли, она опустилась в кресло перед окном и, глядя на бескрайний океан, стала ждать смерти.

ГЛАВА 27

Запах страха был таким сильным, что перекрывал смрад подземелья. Заря как вор вползала в зарешеченное окно, предвещая скорую смерть. Амулет уже не согревал онемевшие пальцы.

Когда за ней пришли, она поднялась и гордо встретила тюремщиков. Она не омрачит памяти мужа трусливыми слезами и бесполезными мольбами.

Конечно, пришел и граф дю Таш, человек, приговоривший ее к смерти за любовь к собственному сыну. Он протянул руку, сдернул амулет и надел его на себя.

А она улыбнулась, зная, что убила его.

Ее привязали к столбу. Внизу собралась толпа, жаждущая увидеть, как сожгут ведьму. Тупые взгляды, полные злобы голоса. Мужчины подняли на плечи детей, чтобы те лучше видели казнь.

Ей предложили покаяться, помолиться, но она молчала. Даже когда под ногами затрещал огонь, окутав ее жаром и удушающим дымом, она не проронила ни слова и мысленно повторяла лишь одно: Этьен.

Из огня в воду, прохладную и успокаивающую. Она снова свободна, погружается в бездонную синеву, пронзаемую лучами света. От радости слезы брызнули сквозь ее смеженные веки и потекли по щекам. Свобода, и безопасность, и любимый.

Он приближался к ней, и ее сердце чуть не разорва-

лось от счастья. Она рассмеялась, потянулась к нему, но он проплыл мимо, и они почти одновременно вырвались на поверхность в ароматную ночь. Луна серебряным диском покачивалась над ними. Звезды сверкали, как бриллианты, рассыпанные по черному бархату.

Он поднялся на трап «Русалки», повернулся, протянул ей руку. Рубин мерцал на его груди, словно зияющая рана.

Она уже почти дотянулась до него, когда мир взорвался. Пламя и вода. Кровь и слезы. Небеса разверзлись огненным ливнем, море вскипело.

Тейт пошевелилась, не в силах проснуться, не в силах остаться в своем сне. Она не открыла глаз, не заметила ни подкравшейся к ней фигуры, ни поблескивающего в лунном свете ножа. Она не услышала легкого дыхания, когда кто-то склонился над креслом, в котором она дремала.

Только чья-то ладонь, зажавшая ей рот, вывела ее из оцепенения. Инстинктивно сопротивляясь, Тейт широко раскрыла глаза и увидела отливающее серебром лезвие. Даже понимая, что борьба бесполезна, она пыталась отвести руку, сжимавшую нож.

— Тихо! — раздался шепот у ее уха. — Черт побери, Рыжик, неужели я даже спасти тебя не могу без споров?

Тейт дернулась, замерла. Мэтью? Как больно думать о нем, но она уже различила во мраке смутный силуэт и темные волосы, почувствовала запах моря.

— Тихо, — повторил он, когда она, всхлипнув, выдохнула в его ладонь. — Никаких вопросов, никаких разговоров. Доверься мне.

Она и не могла говорить. Если это еще один сон, она останется в нем.

Прижимая к себе дрожащую Тейт, Мэтью вывел ее из каюты на палубу, жестом велел перелезть через поручни. Она повиновалась, не задавая вопросов.

Внизу, цепляясь за основание трапа, их ждал Бак, смертельно бледный Бак. Когда он молча накинул на ее плечи баллоны, его руки дрожали так же сильно, как и ее. Мэтью спустился и закрепил свои баллоны. И они погрузились в воду.

Свет фонарей мог выдать их, поэтому они плыли близко к поверхности, пользуясь лунным светом. Мэтью боялся, что Тейт слишком напугана и измучена, чтобы проплыть почти четыре мили до того места, куда они отвели «Новое приключение», но она держалась и ни разу не сбилась с заданного им ритма, ни разу не отстала.

Он мог бы влюбиться в нее за одно упорство, с которым она плыла.

Минут через сорок они добрались до яхты. Тейт уцепилась за поручни трапа, подтянулась.

— Мэтью, я думала, ты погиб. Я видела, как взорвалась «Русалка», и знала, что ты на ней.

— Как видишь, я жив, — беспечно откликнулся он, поддерживая ее. — Забирайся на палубу, Рыжик, ты вся трясешься.

— Я думала, ты умер... — Рыдания сотрясали тело Тейт, принося облегчение.

— Я знаю, малышка. Прости. Бак, помоги мне поднять ее.

Рэй уже перегнулся через борт и отстегивал ее баллоны.

— Тейт, ты не ранена? Ты в порядке? — Он не пытался скрыть свои слезы.

— В порядке. В полном порядке, — сказала она, когда Мариан схватила ее за руку. — Не плачьте.

Но она сама уже плакала в маминых объятиях.

— Мы так волновались. Дай мне взглянуть на тебя. — Мариан обхватила лицо Тейт ладонями, ее губы уже дрогнули в улыбке, но тут она увидела синяк. — Этот подонок ударил тебя? Я принесу лед и что-нибудь выпить. Посиди, милая, а мы позаботимся о тебе.

— Со мной все в порядке. — Тейт устало опустилась на скамью. — О боже, «Русалка»!

— Ее больше нет, — мягко сказал Рэй. — Но не думай об этом. Тебе надо отдохнуть.

— Я в порядке. Спасибо, — улыбнулась она Баку, укрывшему ее одеялом. — Я должна рассказать вам. Ларю...

— К вашим услугам, мадемуазель.

Приветливо улыбаясь, Ларю появился из камбуза с бутылкой коньяка.

— Сукин сын!

Усталость, страх и последствия шока вмиг куда-то исчезли. Злобно зарычав, Тейт вскочила и бросилась на Ларю. Мэтью едва успел схватить ее, прежде чем она вонзила ногти и зубы в лицо Ларю.

— Ну что я вам говорил? — Ларю театрально передернулся и глотнул коньяка прямо из горлышка. — Она готова выцарапать мне глаза. — Он погладил свободной рукой ссадины, украшавшие его щеку. — Один дюйм к северу, и я остался бы без глаза.

— Он работает на Ван Дайка, — бушевала Тейт. — Он все это время был шпионом Ван Дайка!

— Теперь она меня оскорбляет. — Ларю сунул бутылку Рэю. — Передайте ей сами, а то она мне голову разобьет.

— Я привяжу тебя к корме и скормлю рыбам!

— Об этом мы поговорим позже, — предложил Мэтью. — Сядь, выпей. Ларю не работает на Ван Дайка.

— Он мне только платит, — радостно подтвердил Ларю.

— Мэтью, как ты не понимаешь? Он предатель, шпион. Он взорвал твою яхту!

— Я сам ее взорвал. Пей.

Воспользовавшись тем, что Тейт снова открыла рот, Мэтью взял у Рэя бутылку и влил ей в горло приличную порцию коньяка. Тейт чуть не захлебнулась.

— О чем ты говоришь?

— Если ты сядешь и успокоишься, я тебе объясню.

— Ты давно должен был все рассказать ей и нам тоже, — укоризненно сказала Мариан, появившаяся из камбуза с дымящейся чашкой. — Выпей бульона, доченька. Ты ела?

— Я что... — Тейт расхохоталась и остановилась только тогда, когда поняла, что у нее начинается истерика. — Я не очень интересовалась меню.

— Почему ты, черт побери, упорхнула с ним? — взорвался Мэтью. — Несколько человек видели, как ты спокойненько села в его катер.

— Потому что он сказал, что, если я не пойду с ним, его люди убьют тебя, — огрызнулась Тейт. — И еще один громила слонялся у магазина, где была мама. У меня не было выбора.

— Бедная моя девочка! — Мариан без сил опустилась на колени рядом с дочерью.

Отхлебывая маленькими глотками горячий кури-

ный бульон, Тейт постаралась вспомнить все, что произошло после того, как она столкнулась с Ван Дайком.

— Он даже дал мне бинокль, чтобы я лучше видела взрыв, — закончила она свой рассказ. — И я ничего не могла сделать. Я думала, что ты мертв, — прошептала она, поднимая глаза на Мэтью.

— Мы не могли предупредить тебя. — Не зная лучшего способа успокоить Тейт, Мэтью сел рядом и взял ее за руку. — Мне очень жаль, что ты расстроилась.

— Расстроилась. Да, полагаю, я немного расстроилась, когда решила, что ты мелкими кусочками плаваешь по Карибскому морю. Зачем ты взорвал свою яхту?

— Чтобы Ван Дайк решил, будто я мелкими кусочками плаваю по Карибскому морю, и заплатил Ларю еще четверть миллиона долларов.

— Я с удовольствием приму эти деньги. — Веселая улыбка Ларю растаяла. — Я приношу извинения за то, что не убил его, когда обнаружил вас на его яхте. Такой неожиданный поворот событий.

— Простите, но я все еще в замешательстве, — холодно сказала Тейт. — Так вы передавали Ван Дайку информацию о Мэтью и нашей экспедиции или нет?

— Тщательно профильтрованную информацию. Ван Дайк знал только то, что мы с Мэтью решали ему сообщить. — Присев на корточки, Ларю взял у Мэта бутылку и снова глотнул из горлышка. — Я расскажу все с самого начала. Ван Дайк предложил мне деньги за то, чтобы я следил за Мэтью, стал его другом. Я люблю деньги. Я люблю Мэтью. Мне показалось, что я вполне смогу совместить приятное с полезным.

— Ларю посвятил меня в условия сделки несколько месяцев назад, — продолжил Мэтью, забирая у Ларю бутылку. — К тому времени он уже около года наживался на мне.

Ларю ухмыльнулся.

— Не будем считаться, *mon ami*. В нужный момент я поделился с тобой.

— Да. — Мэтью глотнул коньяка, только сейчас ощутив, что напряжение спадает. — Мы решили продолжить игру и разделить прибыль.

— Семьдесят пять процентов — мне и двадцать пять — моему другу, — уточнил Ларю.

Мэтью мрачно покосился на приятеля.

— В общем, лишние деньги не мешали, тем более что это были деньги Ван Дайка. Когда ты нашла амулет, мы с Ларю решили, что пора подсечь рыбку. Только все немного осложнилось, когда он похитил тебя.

— И ты держал все это в тайне от меня? От всех нас?

— Сначала я не знал, как ты отреагируешь, а потом события стали развиваться слишком быстро. И казалось вполне логичным, что чем меньше народу будет знать об этом, тем лучше.

Тейт собралась с силами и встала.

— Знаешь что, Лэситер? Я обиделась. И мне нужна сухая одежда.

Тейт гордо удалилась в свою каюту и хлопнула дверью, но в ту же секунду дверь распахнулась снова. Мэтью мельком взглянул на лицо Тейт и защелкнул замок.

— Ты заставил меня пройти через ад. — Тейт выхватила из шкафа халат. — И все потому, что не доверял мне.

— Рыжик, я принимал решения по ходу дела. Я не доверял даже самому себе. Ну, успокойся. Это не первая моя ошибка в том, что касается тебя.

— Вот именно.

Она с ожесточением дергала пуговицы, расстегивая мокрую блузку.

— И не последняя. Так что почему бы нам... — Тейт сорвала блузку, и Мэтью осекся, увидев синяки на ее руках и плечах. Когда он снова заговорил, его голос был ледяным: — Это сделал он?

— Он и его цербер с огромными кулаками. — Все еще кипя от злости, Тейт стянула слаксы, завернулась в халат. — Я проткнула этого славянского робота стодолларовой ручкой. Вообще-то я целилась в глаз, но промахнулась. Оставила хорошую дырку в его щеке. Полагаю, я должна сожалеть о том, что расцарапала Ларю физиономию. Только я не сожалею. Если бы ты сказал мне... — Тейт взвизгнула, поскольку Мэтью крепко сжал ее в объятиях.

— Поорешь на меня потом. Он посмел дотронуться до тебя? Богом клянусь, он больше никогда тебя не тронет. — Мэтью осторожно поцеловал ее синяк. — Никогда.

Взяв себя в руки, Мэтью отступил.

— Теперь можешь орать.

— Мэтью, ты все испортил. Мне уже не хочется. — Тейт снова спряталась в его объятиях. — Мне было так страшно. Сначала я убеждала себя, что сбегу, а потом думала, что ты мертв, и мне все было безразлично.

— Теперь все хорошо. Все закончилось. — Подняв Тейт на руки, Мэтью отнес ее на кровать, стал укачивать как ребенка, целовать ее волосы. — Мы с Баком составили план, решили, что тихонько подплывем к яхте, и он подержит снаряжение, пока я найду тебя. Потом вернулся Ларю, и, когда он рассказал, как с тобой обращаются, я впервые понял, что значит умирать от страха. Но Ларю упростил наш план.

— Каким образом?

— Он узнал, в какой каюте тебя держат, и стащил запасной ключ. И хочу добавить в его защиту, что он чуть с ума не сошел, когда пришлось оставить тебя с ублюдком.

— Я постараюсь помнить об этом. — Тейт испустила долгий вздох. — Значит, у тебя был ключ. А я воображала, что ты забрался на борт с кинжалом в зубах, как пират, и ломился в каждую дверь.

— Может, в следующий раз.

— Нет уж. Этого раза мне хватит на всю оставшуюся жизнь.

— Мне тоже. — Мэтью вздохнул. — Мы с Ларю выложили наш секрет Баку, потом Рэю и Мариан и решили использовать план Ван Дайка в своих интересах. Если бы мы не устроили ему представление, он мог уплыть или что-нибудь сделать с тобой. Я не мог рисковать.

— Твоя прекрасная яхта.

— Построю новую, зато взрыв был самым надежным способом убедить Ван Дайка, что все идет по его плану. Я надеялся, что он расслабится и мне удастся вытащить тебя без драки.

— Теперь мы... — Тейт осеклась. — Господи, Бак! До меня только сейчас дошло. Он спустился под воду.

— Ему пришлось нелегко, и я не был уверен, что он выдержит. Сначала я хотел взять с собой Ларю, но боялся, что ты разорешься, когда увидишь его. И Рэй не мог бросить Мариан. Так что оставался Бак. Он сделал это ради тебя.

— Похоже, вокруг меня одни герои. — Тейт легко поцеловала Мэтью в губы. — Мой рыцарь, ты взял замок штурмом. Спасибо. — Она вздохнула и снова положила голову на его плечо. — Мэтью, Ван Дайк — сумасшедший. Это не просто алчность или одержимость. Он совсем не тот человек, которого я видела восемь лет назад. Даже смотреть на него страшно.

— Ты больше никогда его не увидишь, — пообещал Мэт.

— Мэтью, он не остановится. Когда Ван Дайк поймет, что ты не взорвался вместе с яхтой, он придет за тобой.

— Рассчитываю на это, но в любом случае завтра все закончится.

— Ты все еще хочешь убить его? — Тейт поежилась и высвободилась из объятий Мэтью. — Я теперь понимаю твои чувства. Не так давно я готова была убить его собственными руками. И убила бы, но в приступе ярости. — Она глубоко вздохнула и подняла голову. — Я не думаю, что смогла бы сделать это сейчас, когда поостыла, но я понимаю тебя.

Мэтью долго смотрел на нее, понимая, что она простила ему все его ошибки. Ее глаза распухли от слез, лицо побледнело, и след ладони Ван Дайка на ее щеке выступал как клеймо.

— Я не стану его убивать, Тейт. Я мог бы его убить, — продолжал Мэт, словно размышляя вслух, — за моего отца, за того беспомощного мальчишку, каким я был, за то, что он похитил тебя, посмел тебя ударить. За один только синяк, за одну только секунду твоего страха я вырвал бы его сердце и не поморщился. Ты понимаешь?

— Я...

— Нет, не понимаешь. Все эти годы меня поддерживала лишь мысль о том, что когда-нибудь я почувствую кровь Ван Дайка на своих руках. Я даже воспользовался его деньгами, чтобы закончить строительство яхты и купить снаряжение. Я должен был найти амулет, даже если бы на это потребовалась вся моя жизнь. А потом ты... — Мэтью протянул руку, осторожно коснулся ее лица. — Потом ты все изменила. Ты даже не представляешь, какой я испытал шок, когда понял, что все еще люблю тебя и люблю еще больше, чем прежде.

— Представляю, — прошептала Тейт. — Это я прекрасно представляю.

— Может быть. — Мэтью поднес к губам ее руку. — Но и это не остановило бы меня. Я не мог отказаться от того, о чем мечтал больше шестнадцати лет. Даже когда ты отдала мне амулет, я еще не готов был остановиться. Я говорил себе: она меня любит, она поймет и смирится. Да, ты постаралась бы понять, но тебе пришлось бы всю жизнь с этим жить. Если бы я убил его, он всегда стоял бы между нами. И вдруг я понял, что больше всего на свете хочу тебя и жизнь с тобой, а все остальное не идет с этим ни в какое сравнение.

— Я так сильно тебя люблю.

— Я знаю. И хочу, чтобы так было всегда. Можешь звонить любому ученому, в любой комитет.

— Ты уверен?

— Я уверен, что так лучше для всех нас. Амулет полежит в банковском сейфе, пока мы не построим музей. Только постарайся устроить настоящую сенсацию.

— В гласности гарантия нашей безопасности.

— Ван Дайк не сможет добраться до амулета, а я тем временем организую нашу встречу.

Паника снова охватила Тейт.

— Господи, Мэтью, не надо! Он уже пытался убить тебя.

— Это необходимо. Но на этот раз Ван Дайку придется убраться с пустыми руками. Наше открытие встряхнет весь научный мир. Дюжина агентств пришлет своих репортеров. Он поймет, что амулет для него недосягаем.

— Звучит очень разумно, Мэтью, но Ван Дайк не может рассуждать здраво. Я не преувеличиваю. Он действительно психически нездоров.

— Достаточно здоров, чтобы не рисковать своей репутацией и своим положением.

Тейт не испытывала подобной уверенности.

— Он похитил меня. Мы можем добиться его ареста.

— Какие у нас доказательства? Слишком многие видели, как ты без сопротивления уехала с ним. Единственный способ покончить со всем этим — встретиться с ним и заставить его понять, что он проиграл.

— А если он не поймет? Не смирится?

— Я его заставлю. — Мэтью улыбнулся. — Когда ты научишься доверять мне, Рыжик?

— Я доверяю, только пообещай, что не пойдешь на встречу один.

— Я что, идиот? Я же сказал, что хочу прожить с тобой долгую и счастливую жизнь. Я захвачу парочку приятелей, мы встретимся в вестибюле отеля, выпьем, поболтаем. — Тейт вздрогнула. — Не волнуйся. Послезавтра все это станет только кошмарным сном.

— А потом?

— А потом, я думаю, у нас будет не очень много свободного времени. Мы же будем строить музей. В Кейдз-Бэй есть кусочек земли...

— Земли? Откуда ты знаешь?

— Я смотрел вчера. — Он погладил ее синяк, и его глаза снова вспыхнули гневом. — Если бы я не отправился на поиски агента по продаже недвижимости, Ван Дайк не схватил бы тебя.

— Постой. Ты нашел агента и отправился смотреть землю, ничего мне не сказав?

Почуяв новые неприятности, может, даже скандал, Мэтью попятился.

— Но это ни к чему тебя не обязывает. Я просто внес задаток, чтобы участок придержали тридцать дней. Я думал, это будет вроде свадебного подарка.

— Ты решил купить участок земли под музей как свадебный подарок?

Мэтью раздраженно сунул руки в карманы.

— Ты не обязана его принимать. Это был просто порыв... — Тейт метнулась к нему так стремительно, что он даже не успел вытащить руки из карманов, и повалила его на кровать. — Эй!..

— Я люблю тебя. — Тейт осыпала его лицо поцелуями. — Нет, я тебя обожаю.

— Отлично. — Довольный, правда, несколько озадаченный, Мэтью высвободил руки и обхватил ее бедра. — А я подумал, что ты злишься.

— Я с ума по тебе схожу. — Тейт впилась в его губы так, что у него голове помутилось. — Ты будешь счастлив со мной, вот увидишь. Я постараюсь.

Мэтью судорожно вздохнул, когда она сорвала с него футболку.

— У тебя пока отлично получается.

— Я могу еще лучше. — Тейт откинулась, не сводя с него глаз, и медленно развязала халат. — Смотри.

Тейт поднялась над ним воплощением всех его бурных фантазий. Пламенеющие волосы, глаза, как бездонное море, молочно-белая кожа. Его сердце затрепетало при виде разгорающейся в ней страсти.

Они соединились, невесомые и свободные, как в его снах, и, умиротворенный, счастливый, он понял, что наконец нашел свою гавань.

ГЛАВА 28

Тейт проснулась рано и, оставив спящего Мэтью, выскользнула из каюты. Ей необходимо было подумать.

Аромат свежезаваренного кофе привел ее в камбуз, где Мариан уже энергично месила тесто.

— Привет, мам. — Тейт налила себе кофе и повернулась к матери. — Я думала, что все еще спят.

— Мне не спалось, и я решила приготовить завтрак повкуснее: яичницу с грудинкой, салат, печенье. Плевать на холестерин.

— Ты всегда бросаешься на кухню, когда переживаешь. — Тейт озабоченно взглянула на мать поверх кружки. Искусный макияж не скрыл последствий бессонной ночи. — Я в порядке, мам.

— Я знаю. Я понимаю, что все в порядке. — Мариан закусила губу. Она стойко перенесла беду, но теперь еле сдерживала слезы и, чтобы не разрыдаться, вымещала гнев, изо все сил колотя кулаками по тесту. — Только когда я вспоминаю об этом гнусном шакале, я умираю от желания содрать с него заживо шкуру разделочным ножом.

— Ничего себе. — Тейт погладила мать по плечу. — Ты опасная женщина, Мариан Бомонт.

— Никто не смеет трогать мое дитя! — Мариан перевела дух, с благодарностью отметив, что дышит вполне ровно. — Твой отец говорил что-то о пытках и четвертовании.

Мариан переложила тесто в миску, накрыла его полотенцем и озабоченно уставилась на свои пустые руки, затем обвела взглядом безупречно чистый камбуз.

— Пожалуй, я начну готовить завтрак.

Тейт достала из шкафчика сковородку, вынула из холодильника колбасу.

— Я тебе помогу. Тогда парням придется мыть посуду.

— Отличная мысль.

— Ну, у меня все равно не будет времени на мытье. После завтрака необходимо сделать кучу телефонных звонков. Мама, Мэтью говорил тебе, что собирается предать гласности наше открытие перед тем, как встретится с Ван Дайком?

— Да, мы говорили об этом вчера, когда ты заснула.

— Я хотела бы, чтобы Ван Дайк просто исчез и забыл о нас, — тихо сказала Тейт.

— Ван Дайк должен сидеть в тюрьме.

— Я абсолютно с тобой согласна, но у нас нет никаких доказательств. — Тейт поставила сковородку на плиту. — Ван Дайк снова выйдет сухим из воды. Нам придется смириться с этим и жить дальше.

— Неужели он не попробует отомстить нам?

Тейт пожала плечами.

— Он не доберется до колье и до меня. У меня есть мой рыцарь на белом коне.

— Тейт, у меня появилась одна идея, — задумчиво произнесла Мариан, перебирая картошку. — Наверняка она не безупречна, но...

— Какая идея?

— Насчет Ван Дайка. Может, это глупо.

— Расскажи мне. — Тейт помешала содержимое сковороды. — Разберемся вместе.

— Ну, я просто подумала...

— Как просто! — удивленно сказала Тейт десять минут спустя. — Мамочка, ты гений!

Мариан удивленно замигала.

— Правда?

— Чистая правда. Очень просто и гениально. — Тейт поцеловала мать. — Заканчивай завтрак, а я всех разбужу. Пусть знают, что моя гениальность — наследственная.

* * *

Ларю обвел внимательным взглядом просторный вестибюль отеля.

— Это может сработать, Мэтью, но ты точно не хочешь вернуться к первоначальному плану: разрезать Ван Дайка на мелкие кусочки и скормить его рыбам?

— Я бы с удовольствием сделал это, но боюсь отравить рыбу.

— Верно. — Ларю вздохнул. — Это лишь первая жертва, принесенная тобой, мой юный друг. Женатому мужчине приходится отказываться от многих радостей. Забудь о других женщинах, о пьяных драках, о холостяцком завтраке у кухонной раковины в одних трусах. Твои веселые денечки позади, мой друг.

— Проживу как-нибудь.

Ларю осторожно коснулся исцарапанной щеки и улыбнулся.

— Полагаю, она стоит даже таких жертв.

— Вряд ли Тейт разрешит мне завтракать в одних трусах, но, думаю, в остальном мы найдем компромисс. Как ты считаешь, все готово?

— Все отлично. — Ларю снова оглядел пустынный вестибюль: укромные уголки, отгороженные пышными пальмами, широкие окна. — В такую погоду все загорают. И мы, конечно, удачно выбрали время. Для ленча поздно, для коктейлей рано. Наш гость обычно пунктуален. Он явится через десять минут.

— Сядь и закажи выпивку. Мы же не хотим, чтобы он сам выбирал столик.

Ларю расправил плечи, пригладил волосы.

— Как я выгляжу?

— Великолепно.

Удовлетворившись ответом, Ларю выбрал столик у окна, выходящего во внутренний двор, достал свой кисет.

Когда появился Ван Дайк в сопровождении телохранителя, Ларю читал роман Хемингуэя, наслаждаясь пенистым майтаем[1] и душистой сигаретой.

— Вы необыкновенно пунктуальны, — приветствовал Ларю Ван Дайка и криво улыбнулся, кивнув на громилу. — Вам необходима защита даже от преданного служащего?

— Мера предосторожности. — Ван Дайк указал своему спутнику на ближайший диван. — Но и вы назначили встречу в общественном месте.

— Мера предосторожности. — Ларю отложил книгу, предварительно отметив страницу. — Как поживает ваша гостья? Ее родители совсем извелись.

---

[1] Майтай — коктейль из рома и ликера кюрасо с фруктовым соком.

Ван Дайк скрестил на груди руки, слегка расслабился. Обнаружив исчезновение Тейт, он бушевал все утро, но теперь стало ясно, что она не вернулась в лоно семьи. «Утонула, — решил он, — очень жаль».

— Шампанского, — приказал он подошедшей официантке и снова взглянул на Ларю. — Моя гостья не ваша забота. Перейдем к делу.

— Я не спешу. — Ларю демонстративно откинулся на спинку стула. — Вы видели фейерверк, который я устроил для вас ночью?

— Да. — Ван Дайк снял крохотную ниточку с накрахмаленного манжета рубашки. — Предполагаю, никто не выжил.

Ларю сухо улыбнулся.

— Вы обещали заплатить мне за то, чтобы кто-нибудь выжил?

— Нет. — Ван Дайк довольно вздохнул. — Мэтью Лэситер мертв, и... — он помолчал, пока официантка, ослепительно улыбаясь, ставила перед ним бокал, — ...вы заработали свои деньги, Ларю. — Глаза Ван Дайка затуманились. — Думаете, он умер мгновенно или почувствовал взрыв?

Ларю задумчиво уставился в свой коктейль.

— Если вы хотели, чтобы он страдал, то должны были это уточнить при заключении сделки. За отдельные деньги я бы это устроил.

— Вряд ли это имеет значение. Надеюсь, он страдал. А как Бомонты?

— Убиты горем. Это естественно, ведь Мэтью был им как сын, а Бак — любимым другом. Я притворялся несчастным и повторял, что, если бы я не уехал на Сент-Китс поразвлечься.... — Ларю прижал ладонь к груди, горестно покачал головой. — Они утешали меня, уверяли, что я ничем не смог бы помочь.

— Какое великодушие! — презрительно процедил Ван Дайк. — Красивая пара, — задумчиво добавил он. — Особенно женщина.

— Ах! — Ларю поцеловал кончики сложенных в горсть пальцев. — Изысканный южный цветок.

— И все же.... — Ван Дайк умолк, потягивая шампанское. — Не будет ли уместен несчастный случай при их возвращении домой?

От изумления Ларю так резко поставил свой бокал, что часть коктейля выплеснулась на стол.

— Вы хотите уничтожить Бомонтов?

— Вот именно, — пробормотал Ван Дайк, распаляясь. Они посмели коснуться амулета. Его амулета! Эта причина казалась ему вполне достаточной для убийства. — Правда, за меньшее вознаграждение. По пятьдесят тысяч за каждого из них.

— Сто тысяч долларов за двойное убийство? О, *mon ami*, какая скаредность!

— Я мог бы справиться сам, не потратив ни цента, — возразил Ван Дайк. — Я плачу сто тысяч долларов за то, чтобы вы избавили меня от хлопот. Подождите недельку-две. — «Чтобы дать мне время, — мысленно добавил он, — организовать твою смерть». — Ну, и где же амулет?

— В сейфе.

Лицо Ван Дайка окаменело.

— Вы должны были принести его мне.

— Ничего подобного. Сначала деньги.

— Я перевел требуемую сумму, как мы договорились.

— Все деньги.

Ван Дайк с трудом подавил приступ бешенства и пообещал себе, что маленький канадский ублюдок доит его в последний раз. Скоро этому вымогателю придет конец, и в роли палача Ван Дайк увидел себя.

— Вы получите деньги к концу дня, как я и сказал.

— Вы получите свое сокровище после подтверждения перевода.

— Черт побери, Ларю! — Ван Дайк оттолкнулся от стола с такой силой, что чуть не перевернулся вместе со стулом, но успел вовремя схватиться за край стола. — Я прикажу перевести деньги немедленно.

Ларю философски принял в общем-то нежданное вознаграждение.

— Как пожелаете. В соседнем зале вы найдете телефон. — Тихо посмеиваясь, Ларю проводил взглядом Ван Дайка. — Еще четверть миллиона. Очень мило, — пробормотал он и великодушно решил увеличить долю Мэтью до пятидесяти процентов — в качестве свадебного подарка.

— Дело сделано! — рявкнул вернувшийся через пару минут Ван Дайк. — Деньги уже переводятся.

— С вами очень приятно иметь дело. Я перезвоню, чтобы убедиться, как только допью коктейль.

Ван Дайк с такой силой сжал кулаки, что суставы пальцев побелели.

— Мне нужен амулет. Он теперь мой.

— Вам осталось потерпеть всего несколько минут, — заверил Ларю, вынимая из кармана рубашки листок бумаги. — А пока развлекитесь вот этим. — Он развернул листок и разложил его на столе.

Каждое звено цепи, каждый камень были изображены с изумительной точностью. Можно было различить даже крохотные буковки надписи. За долю секунды лицо Ван Дайка стало таким же белым, как суставы его пальцев.

— Потрясающе!

— Согласитесь, Тейт прекрасно рисует.

— Власть, — прошептал Ван Дайк, поглаживая рисунок кончиками пальцев. — Даже рисунок излучает силу. Я ее чувствую. Почти двадцать лет я искал это колье.

— И убивали за него.

— Человеческие жизни — ничто в сравнении с этим. Никто из жаждавших заполучить его не понимал, что оно олицетворяет, на что способно. Мне самому понадобились годы, чтобы понять это.

— Даже Джеймс Лэситер не знал?

— Джеймс думал только о материальной ценности колье и о славе и верил, что сможет перехитрить меня.

— И вы его убили.

— Это было так просто. До смешного легко было испортить регулятор.

Подавляя желание взглянуть в сторону распахнутой двери библиотеки, Ларю не сводил глаз с лица Ван Дайка.

— Лэситер был опытным аквалангистом. Как же он не заметил вредительства? Почувствовав избыток азота, он должен был вынырнуть на поверхность.

— Пришлось лишь чуть-чуть придержать его. Он был сначала озадачен, а потом очень счастлив, даже улыбался, когда я выдернул из его рта загубник. Он утонул в эйфории — это мой дар ему. Только я не знал тогда, умерла ли его тайна вместе с ним.

Словно очнувшись от чар, Ван Дайк потянулся к бокалу. Остался один шаг, один крохотный шаг к заветной цели.

— Все эти годы Лэситеры водили меня за нос. Теперь все они мертвы, а амулет достался мне.

— Боюсь, вы ошибаетесь, — тихо сказал Ларю. — Мэтью, не хочешь выпить с нами?

Ван Дайк разинул рот и во все глаза уставился на усевшегося перед ним Мэтью.

— Я не отказался бы от пива. Отличное местечко, не правда ли? — заметил Мэтью, забирая рисунок.

Ван Дайк вскочил на ноги.

— Я видел твою яхту, объятую пламенем!

— Я сам установил заряд. — Мэтью оглянулся на вытянувшегося по стойке «смирно» телохранителя. — Можете отозвать своего пса, Ван Дайк. В таких шикарных отелях не допускают драк.

— Ларю, ты мертвец. Я убью тебя собственными руками!

— Нет, я богатый человек благодаря вам. Мадемуазель, — Ларю улыбнулся встревоженной официантке, — мой гость несколько перевозбужден. Будьте добры, принесите ему «Корону»[1] с лаймом и пиво для моего друга.

— Думаете, вам это сойдет с рук? — Дрожа от ярости, Ван Дайк зашипел на телохранителя, и тот послушно опустился на диван. — Думаете, что можете обманывать меня, развлекаться за мой счет, отбирать то, что принадлежит мне по праву рождения? Я уничтожу вас!

---

[1] «Корона» — фирменное название безалкогольного фруктового напитка.

Он задыхался. Он не видел ничего, кроме спокойных холодных глаз Мэтью... глаз Джеймса Лэситера.

Мертвец вернулся!

— Все, что у вас есть, через неделю станет моим. Я только шепну пару нужных слов в нужные уши. А когда вы потеряете все, я загоню вас и убью, как диких животных.

— Ваши слова так же близки к истине, как вы — к «Проклятию Анжелики». — Мэтью сложил рисунок и сунул его в карман. — И вы никогда больше и пальцем не дотронетесь ни до меня, ни до всего, что принадлежит мне.

— Надо было убить тебя, как я убил твоего отца!

— Это ваша ошибка. — Мэтью с презрением и гадливостью смотрел на убийцу своего отца. — У меня есть предложение, Ван Дайк.

— Предложение?! — Он презрительно выплюнул это слово, но в голове уже пульсировала боль так, что она готова была расколоться. — И ты думаешь, что я буду вести с тобой дела?

— Думаю, будете. Бак, выходи.

Раскрасневшийся от долгого сидения в засаде, Бак пыхтя выбрался из декоративных джунглей.

— Ну, Мэтью, скажу я тебе, эти японцы просто гении. — Усмехаясь, он раскрыл ладонь и вынул из маленькой видеокамеры крохотную кассету. — И должен добавить, что четкость изображения и звука безупречна. Я даже слышал, как шипит девчачий коктейль Ларю.

— А я предпочитаю свою модель. — Мариан подошла к столу, снимая на ходу цветастую шляпу с широченными полями. — Я даже могла пересчитать поры на

его лице. — Она тоже достала кассету. — Думаю, Мэтью, мы ничего не упустили.

— Современные технологии. — Мэтью подбросил на ладони мини-кассету. — Мы записали на видео ваше признание в подстрекательстве к убийству и в предумышленном убийстве Джеймса Лэситера. Я слышал, на убийства нет срока давности. Ты не выйдешь из тюрьмы до конца жизни.

Мэтью протянул кассеты Ларю.

— Спасибо, компаньон. Позаботьтесь с Баком о них.

Ларю расплылся в улыбке, сверкая золотым зубом.

— Всегда рад помочь.

— Никто не воспримет эти кассеты всерьез. — Ван Дайк прижал к губам носовой платок и сделал знак стюарду.

— Еще как воспримут. Минуточку. — Не желая пропустить коронный номер Ларю, Мэтью развернулся на стуле как раз в тот момент, когда Ларю нагнулся будто бы завязать шнурок и пулей метнулся между ногами телохранителя.

Двести шестьдесят восемь фунтов крепких костей и натренированных мышц обрушились на сверкающий пол и с жалобным хныканьем свернулись в позе эмбриона.

— Это за Тейт, — назидательно сказал Ларю и, повернувшись к перепуганным служащим отеля, беспомощно всплеснул руками. — Ах, это вероятно, сердечный приступ! Пусть кто-нибудь вызовет врача.

— Вы всегда недооценивали канадца. — Мэтью повернулся к Ван Дайку и поблагодарил официантку, принесшую свежие напитки. — Мариан, пожалуй, вам не помешает майтай.

— Не откажусь, милый. — Она удобно уселась, расправив пышную юбку сарафана, затем презрительно взглянула на Ван Дайка. — Хочу, чтобы вы знали, что это была моя идея. Вы бледны, мистер Ван Дайк. Не хотите сыра? Он очень быстро поднимает содержание протеина в крови.

— Правда, она бесподобна? — Мэтью поднес к губам пальцы Мариан и поцеловал. — Теперь к делу. Копии этих пленок будут размещены в нескольких банковских сейфах. С обычной в таких случаях инструкцией... ну, вы знаете, «если что-нибудь случится со мной» и так далее и тому подобное. «Мной» включает меня, моих будущих родственников, Бака, Ларю и, естественно, Тейт. Ах да, говоря о Тейт...

Рука Мэтью метнулась как змея и впилась в шелковый галстук Ван Дайка. Глядя Сайласу в глаза, Мэтью затянул узел.

— Если ты подойдешь к ней хотя бы на пушечный выстрел, если один из твоих зомби хотя бы пальцем до нее дотронется, я убью тебя... после того, как переломаю тебе все кости и заживо сдеру шкуру. Надеюсь, ты все понял?

Закончив внушение, правда, не до конца удовлетворенный, Мэтью ослабил хватку.

— Как мило, что вы еще здесь! — Тейт вплыла в вестибюль, затмевая улыбкой внушительный фонарь под глазом. — Привет, любимый. — Она наклонилась и чмокнула Мэтью в щеку. — Мы немного запоздали. Самолет задержался. Познакомьтесь с моими друзьями и коллегами. Доктор Хейден Дил и доктор Лорейн Росс. Вернее, мистер и миссис Дил. Они поженились несколько дней назад.

— Рад познакомиться. — Мэтью встал и ловко заключил Ван Дайка в круг. — Вы хорошо долетели?

— Наслаждались каждой минутой полета, — проворковала Лорейн.

— Мы решили совместить медовый месяц с делом и провести его здесь. — Хейден обнял Лорейн за плечи, словно боясь, что она вдруг исчезнет.

— Мы опередили всех. — Лорейн прислонилась к Хейдену, старательно подавляя зевоту. — Через пару дней Невис будет кишеть учеными и репортерами. Нам очень хочется первыми обследовать «Изабеллу».

— Кажется, вы не встречались с моими коллегами лицом к лицу, Ван Дайк, — обратилась к нему Тейт, — но вы, безусловно, знакомы с ними заочно. Это не вашего служащего сейчас погружали в машину «Скорой помощи»? Он был ужасно бледен.

Задыхаясь от бессильной ярости, Ван Дайк поднялся:

— Это еще не конец.

— Согласна. — Тейт положила ладонь на плечо Мэтью. — Это только начало. Несколько очень уважаемых научных учреждений присылают своих представителей для наблюдения за ходом работ и исследования артефактов. Особый интерес вызывает некий амулет, известный как «Проклятие Анжелики». «Научный вестник» собирается опубликовать подробную статью о его истории, находке и связанной с ним легенде. «Национальное географическое общество» заказало документальный фильм.

— Вы потерпели полное поражение, Ван Дайк.

— Пожалуй, мы закончили, — подвел итог Мэтью. —

А теперь, надеюсь, вы нас извините, Ван Дайк, у нас море дел.

Ван Дайк обвел взглядом окружающие его лица, прочел на них радость триумфа, вызов. Глотая горечь поражения, он чопорно развернулся и удалился. Единственное утешение — он сохранил самообладание.

Тейт бросилась на шею Мэтью.

— Поцелуй меня. И поцелуй покрепче.

Хейден затеребил очки.

— Может, мне кто-нибудь объяснит, что здесь происходит?

— Такое впечатление, что мы прибыли в театр к последнему акту, — согласилась Лорейн. — Это был Сайлас Ван Дайк, бизнесмен и покровитель археологов?

— Это был Сайлас Ван Дайк, неудачник, — ответила Тейт. — Лэситер, я тебя обожаю. Давай закажем шампанского и отпразднуем нашу победу.

ГЛАВА 29

— Ну и история! — заметила Лорейн, глядя на звезды и луну, покачивающиеся над яхтой.

Была уже полночь. Позади остались объяснения, сопровождаемые изумленными возгласами, и праздничный ужин.

— Ты действительно думаешь, что Анжелика Монуар была колдуньей?

Тейт вздохнула.

— Нет, я думаю, что она была сильной и храброй женщиной.

— Амулет, конечно, великолепен, но тебя не тревожит проклятие?

— Анжелика не проклинала тех, кто найдет амулет. Она одобрила бы то, что мы собираемся с ним сделать. Мы покажем его людям, расскажем ее историю. Кстати, об историях... — Тейт щедро поделилась шампанским с Лорейн. — Я хотела бы услышать о тебе и Хейденс.

— Наша история не столь фантастична, но мне нравится. — Лорейн полюбовалась своим обручальным кольцом. — Надеюсь, ты не поймешь меня превратно, но, когда ты сбежала с «Кочевника», я воспряла духом. Лорейн, сказала я себе, путь свободен. Вперед!

— Ты быстро справилась.

— Я просто люблю его. Пришлось брать инициативу на себя. В конце концов я забыла о гордости и как-то ночью, когда мы допоздна заработались в лаборатории, загнала его в угол и соблазнила.

— В лаборатории?

— Ну да. В общем, он сказал, что будет лучше, если мы поженимся.

— Так и сказал?

— Точно так. — Она снова вздохнула. — А потом улыбнулся. И тогда я разревелась как девчонка. — Лорейн шмыгнула носом и одним глотком допила шампанское. — Кажется, я сейчас опять разревусь.

— Не надо, а то я тоже разревусь. Думаю, нам обеим повезло.

— Я ждала своей удачи тридцать восемь лет. Чушь собачья. Я достаточно пьяна, чтобы признать — сорок три. И надо же, я, морской химик, влюбилась впервые в жизни. Черт побери, я все же пореву!

— Ладно. — Тейт сама засопела. — Ты будешь подружкой невесты на моей свадьбе через пару дней?

— Да. — Лорейн совсем расчувствовалась и улыбнулась сквозь слезы Хейдену, вышедшему на палубу вместе с Мэтью.

— Что здесь происходит? — поинтересовался Хейден.

— Мы пьяны и счастливы, — объяснила Лорейн. — И влюблены.

— Прекрасно. — Хейден погладил ее по голове. — Только приготовься к утреннему похмелью и к напряженному рабочему дню.

— Он такой... — Лорейн встала, покачнулась и повисла на муже. — Он такой организованный.

Хейден оглянулся на Мэтью.

— Вас не затруднит подбросить нас до Невиса? Думаю, ее надо поскорее уложить в постель.

— Бак с Ларю охотно помогут вам. — Мэтью протянул руку. — Рад принять вас в нашу команду.

Когда катер умчался в сторону острова, Тейт обняла Мэтью.

— Они так чудесно смотрятся вместе.

— Теперь я понимаю, почему ты допекала меня этим Хейденом. Он быстро все схватывает и сосредоточивается на самом важном.

— Хейден самый авторитетный морской археолог, и Лорейн Росс очень известна в своей области, а чем больше влиятельных людей узнает о «Изабелле» и амулете, тем сложнее будет Ван Дайку что-либо предпринять.

— И все же не будем терять бдительность. — Мэтью достал из кармана колье. — Амулет принадлежит тебе.

— Нам.

— Закон о собственности находок, Рыжик. Кто нашел, тому оно и принадлежит. — Мэтью надел колье на Тейт, поцеловал ее в лоб, щеки, губы. — Думаю, что, когда Этьен заказывал его для Анжелики, он выбрал рубин как символ своего сердца.

— Мэтью... Как мило!

— Я думал, ты захочешь надеть его на свадьбу.

— Да, наверное, если бы у меня не было того, чем я дорожу еще больше. Маленького золотого медальона с жемчужинкой.

Тронутый до глубины души, Мэтью провел пальцем по ее щеке.

— Ты сохранила его?

— Что бы я ни поднимала со дна моря, оно — самое ценное. Даже ценнее, чем это.

Мэтью поцеловал ее.

— У нас все получится, Рыжик. Ты — мой талисман. Слушай, пойдем-ка в каюту. Хейден прав: завтра тяжелый день.

— Иди, я только просмотрю каталог. Это не займет больше получаса.

— Я столько не выдержу.

— Дай мне двадцать минут. — Тейт засмеялась и легко подтолкнула его локтем. — Мне действительно нужно привести все в порядок. Не хочу опозориться перед коллегами.

— Амбициозна и сексуальна. — Мэтью наклонился и куснул ее нижнюю губу. — Я буду ждать тебя.

— Пятнадцать минут! — крикнула Тейт ему вслед и задумчиво накрыла ладонью колье. У нее есть или вот-вот будет все, о чем она мечтала. Любимый мужчина, необыкновенный взлет карьеры, музей... Может быть, и

Анжелика наконец найдет покой. В мире нет ничего невозможного.

Тейт направилась к столику, чтобы забрать бутылки и бокалы, и усмехнулась, услышав тихие шаги за спиной.

— Я же сказала: пятнадцать минут, Лэситер. Десять, если не будешь меня отвлекать.

Неожиданно чья-то ладонь зажала ей рот. Что-то твердое ткнулось в поясницу.

— У меня пистолет с глушителем, Тейт. Никто не услышит выстрела. Если закричите, я убью и вас, и любого, кто прибежит на помощь. Вы поняли? Не дергайтесь, не то мгновенно умрете.

А может, свернуть ей шею? Сайлас Ван Дайк с сожалением отверг эту мысль. Убийство может подождать.

— Что вы надеетесь этим доказать? — прохрипела Тейт. — Вам не добраться до «Изабеллы» и ее сокровищ. Вы можете убить меня, убить всех нас, но ничего не изменится. Вас схватят и посадят в тюрьму.

— Никто и пальцем до меня не дотронется. Вы же знаете о могуществе амулета.

— Вы безумны.

— Амулет мой. Он всегда был моим.

— Вам это с рук не сойдет. Все ваши деньги, все ваше влияние на этот раз не защитят вас.

— Амулет защитит.

— Вам придется прятаться до конца жизни. — Тейт с тоской уставилась на бутылку из-под шампанского. Далеко. Не дотянуться. — У нас есть видеозаписи, мы объявили о находке. Вы не сможете убить всех.

— Это мы еще увидим. Отдайте мне амулет, Тейт, если не хотите, чтобы я разделался с вашими родителями.

Тейт сжала рубин, и ей показалось, что он запульсировал в ее ладони.

— Я вам не верю. Вы убьете меня. Вы убьете всех нас. И ради чего? Ради безумной фантазии о власти и безнаказанности?

— И бессмертии, — с уверенностью безумца заявил Ван Дайк. — И другие в это верили, но они были слабы, не умели контролировать то, что держали в руках. Я совсем другой. Я привык властвовать. Вот почему амулет принадлежит мне. Где он?

— Здесь. На мне.

Ван Дайк резко развернул ее лицом к себе и ослабил хватку, но Тейт не отшатнулась, не побежала. Некуда было бежать. Лицо Ван Дайка расслабилось, словно размягчилось, растеклось, как расплавленное стекло... но пистолет в его руках не дрогнул.

— Прекрасно, не правда ли? — тихо сказала Тейт. Она не могла взывать к его разуму, так что воззвала к безумию. Может быть, у нее все-таки есть оружие. — Амулет столетиями ждал, когда его найдут и снова будут носить и восхищаться им. Знаете, когда я его подняла с песка, он был абсолютно чистым.

Тейт повернула рубин так, чтобы он поймал лунный луч. В оглушительной тишине, нарушаемой лишь шепотом волн, ласкающих корпус яхты, ожили свет и тени.

— Время и стихия не коснулись колье. Оно выглядело точно так же, как в последний раз, когда обвивало шею Анжелики. — Ван Дайк молчал, зачарованно глядя на рубин, и Тейт чуть-чуть попятилась, понизила голос: — Думаю, колье было на ней в утро перед казнью.

Мужчина, приговоривший ее к смерти, ждал. Он не мог овладеть ею, но он мог разорвать последнее звено, связывавшее ее с любимым. Однако он не мог разорвать их духовную близость. Ни он, ни смерть. Когда дым наполнял ее легкие, а языки пламени лизали босые ноги, она мысленно повторяла его имя — Этьен. Я слышу ее, Ван Дайк, а вы?

Сайлас еще несколько секунд не шевелился, словно кролик, загипнотизированный удавом, затем облизнул губы.

— Оно мое.

— О нет, оно все еще принадлежит Анжелике. И всегда будет принадлежать. Это и есть ее секрет, Ван Дайк, в этом вся магия и власть. Те, кто не понимал это и использовал колье в эгоистических целях, сами навлекали проклятье на свои головы. Если вы возьмете его, — очень тихо и очень уверенно сказала Тейт, — вы будете прокляты.

— Оно мое, — повторил Ван Дайк. — Я истратил целое состояние, чтобы найти его.

— Но его нашла я. Вы же хотите его украсть. — Тейт уже была почти у самых поручней. Уже слышала далекий шум мотора. Или просто очень хотела услышать? Если закричать сейчас, спасет ли она тех, кого любит, или убьет их?

Глаза Ван Дайка метнулись с колье к ее лицу, прояснились, словно с них спала тонкая пелена безумия.

— Думаете, я не понимаю, что вы делаете? Тянете время, ждете своего широкоплечего героя. Жаль, что он не явился спасти вас, а то бы вы умерли вместе. Очень романтично. Ну, хватит, Тейт. Снимите амулет и отдай-

те его мне или первая пуля попадет вам в живот, а не в сердце.

— Хорошо. — Она стянула через голову цепь. Ее пальцы, как ни странно, не дрожали и были очень послушными. — Если он вам так нужен, получайте.

Тейт размахнулась и швырнула колье далеко в море.

Ван Дайк взвыл. В его вое не было ничего человеческого. Он взвыл, как дикий зверь, отведавший крови, и бросился в море. Не успел он исчезнуть, как Тейт прыгнула следом.

Разрезая темную воду, она осознала всю безрассудность своего поступка. Разум убеждал, что она никогда не найдет амулет в ночном море без маски и акваланга. Даже Ван Дайка она не найдет.

Когда логика уже начала побеждать импульсивность, Тейт увидела движущуюся тень и бросилась на нее как акула. Здесь, в подводном мирс, превосходящие силы Ван Дайка компенсировались ее молодостью и ловкостью, его слепая алчность — ее яростью. И поскольку он потерял пистолет, у них было одно и то же оружие — ногти и зубы.

Ван Дайк отчаянно тянул Тейт к поверхности, но, хотя и ее легкие ныли, она не давала ему всплыть, пока он ногой не отпихнул ее.

Тейт бросилась за ним. Он уже поджидал ее и, пока она жадно глотала воздух, озверело колотил кулаками по голове. Затем он схватил ее за волосы и притопил. Тейт захлебнулась, попыталась высвободиться, но ее пальцы соскальзывали с его прорезиненного костюма. Звон в ушах превратился в грохот, голова раскалывалась, из глаз сыпались искры... Нет, подумала Тейт, наконец освободившись, это свет, одинокий огонек на песке.

Ван Дайк уже мчался сквозь черную воду к амулету, сверкавшему на белом песке кровавой звездой.

Тейт как зачарованная следила за ним. Вот он поднял колье. Вот жадно сомкнул ладонь. Красный свет, мерцающий сквозь его пальцы, словно загустел, стал темным, как кровь.

Ван Дайк обернулся и победно взглянул на нее. Их взгляды встретились, задержались. И вдруг он завопил.

— Она приходит в себя. Ну же, Рыжик, откашляйся.

До нее словно бы издалека донесся голос Мэтью. Она почувствовала под спиной доски палубы. Мэтью поддерживал ее голову. С него лилась вода.

— Мэтью...

— Не разговаривай. Господи, ну где это чертово одеяло?

— Несу, несу. — Мариан накрыла дочь одеялом. — Все в порядке, милая, только лежи спокойно.

— Ван Дайк...

— Все в порядке. — Мэтью оглянулся на Ван Дайка, за которым присматривал Ларю.

— Амулет.

— Господи, он все еще на ее шее. — Мэтью осторожно снял амулет. — Я даже не заметил.

— Ты был немного занят, спасал ей жизнь. — Рэй закрыл глаза. Когда Мэтью вытащил Тейт из воды, он был уверен, что его единственный ребенок мертв.

— Что случилось? — Тейт наконец нашла силы,

чтобы поднять тяжелые как свинец веки, и увидела бледные озабоченные лица. — Господи, как все болит!

— Зрачки нормальные. Она не дрожит.

— Надо снять с нее мокрую одежду и уложить в постель. — Мариан закусила губу, чтобы сдержать слезы. — Я приготовлю тебе ромашковый чай, милая.

— Хорошо. — Тейт слабо улыбнулась. — Можно мне встать?

Подавив ругательство, Мэтью подхватил ее вместе с одеялом.

— Я отнесу ее в постель. — Он на мгновение остановился, оглянулся на Ван Дайка. — Ларю, Бак, отвезите то, что от него осталось, на Невис и сдайте копам.

Тейт с любопытством уставилась на Сайласа.

— Почему он смеется?

— Не знаю. С тех пор, как Рэй вытащил его, он смеется и бормочет о горящих в воде ведьмах.

Мэтью наполнил ванну горячей водой, помассировал плечи Тейт, даже вымыл ей голову. Затем он насухо растер ее полотенцем, облачил в ночную рубашку и халат, уложил в постель.

— Не боишься, что я привыкну? — прошептала она, откидывая голову на взбитые подушки, и с благодарностью взяла чашку с чаем.

— Лежи, — приказала Мариан, подтыкая одеяло. — Рэй тоже уехал на Невис. Не хотел выпускать Ван Дайка из виду, пока его не запрут в камеру. Мэтью, позвать тебя, когда они вернутся?

— Я сам скоро приду.

Мариан приподняла брови. Похоже, Тейт предстоит еще одна взбучка.

— Я сварю побольше кофе. Отдыхай, милая. — Мариан поцеловала Тейт в лоб, вышла и тихо прикрыла за собой дверь.

— Лучше ее никого нет, — прошептала Тейт. — Ничто не может лишить ее самообладания. Южное воспитание.

— Сейчас ты узнаешь, что может лишить самообладания янки. Ты хоть соображала, что делала?

Тейт поморщилась. Вопрос прозвучал слишком громко для ее несчастных ушей.

— Я точно не знаю. Все произошло так быстро.

— Ты не дышала. — Мэтью схватил ее за подбородок дрожащими пальцами. — Когда я тебя вытащил, ты не дышала.

— Я не помню. После того, как я нырнула за ним, все как-то перемешалось в голове.

— Значит, ты за ним нырнула, — медленно повторил Мэтью.

— Я не хотела, — поспешила оправдаться Тейт. — Он сказал, что пристрелит меня, и я бросила колье в воду, чтобы отвлечь его.

Многострадальное сердце Мэта снова перестало биться.

— У него был пистолет?

— Да, он, наверное, теперь лежит на дне. — Сознание стало ускользать, и Тейт попыталась сосредоточиться. — Мэтью, только ты ушел, как Ван Дайк вдруг оказался прямо за моей спиной и ткнул в меня пистолетом. Видимо, он поднялся с правого борта. Я не могла позвать тебя. Он убил бы нас всех. Я сняла колье, — прошептала она, закрыв глаза и, как наяву увидела игру света, мелькающие тени, пульсирующий, как живое сердце, рубин. — Я даже не успела подумать, просто швырнула его. Ван Дайк промчался мимо и, не взглянув на меня, бросился в море.

— Почему ты прыгнула за ним? Я же был рядом, Рыжик.

— Я не могу объяснить. В одну секунду я подумала: вот сейчас позову Мэтью, а в следующую уже была в воде. Я поймала Ван Дайка, и мы сцепились. Я помню, как вырвалась вместе с ним на поверхность, помню, как он топил меня. Я стала задыхаться, а потом увидела свет... Все было так странно. Должно быть, галлюцинации. Свет превратился в колье. Я видела его так же ясно, как вижу тебя. Я понимаю, что это невозможно, но я видела. И Ван Дайк тоже.

— Я верю тебе, — тихо сказал Мэтью. — Продолжай.

— Я словно парила в воде и смотрела. — Тейт нахмурилась. — Как будто я должна была оставаться там, должна была смотреть. Я плохо объясняю...

— Ты прекрасно объясняешь.

— Я смотрела, ждала. Ван Дайк схватил колье, и я увидела, как сквозь его пальцы сочится кровь, как будто камень превратился в жидкость. Ван Дайк поднял на меня глаза... а потом...

Тейт задрожала, и Мэтью наклонился, погладил ее волосы. Он хотел обнять ее, прижать к себе, заставить забыть обо всем, но понимал, что она должна закончить.

— Что потом?

— Он завопил... Он смотрел на меня и визжал. А потом вспыхнуло пламя, настоящее пламя, только я не

чувствовала жара. И мне совсем не было страшно. И я забрала у него амулет. — Тейт нервно засмеялась. — Я не знаю, может, я потеряла сознание. Может, все время была без сознания, потому что так не бывает.

— Тейт, амулет был на тебе. Когда я вытащил тебя, амулет был на тебе.

— Должно быть... я нашла его.

Мэтью откинул волосы с ее лица.

— А это, по-твоему, имеет смысл?

— Да... нет, — признала она, беря Мэтью за руку. — Не имеет.

— Теперь я расскажу, что видел я. Когда я услышал, что ты зовешь меня, я выбежал на палубу. Ван Дайк был в воде. Он колотил по воде руками и визжал. Я понял, что ты тоже в воде, и прыгнул.

Не было смысла рассказывать ей, что он нырял, пока легкие не стали разрываться, но он не допускал и мысли о том, что вернется без нее.

— Я нашел тебя на дне. Ты лежала на спине, как будто спала. И ты улыбалась. Я даже подумал, что ты откроешь глаза и посмотришь на меня. А когда я стал поднимать тебя, то понял, что ты не дышишь. Прошло три или четыре минуты после твоего крика, но ты не дышала.

— И ты вернул меня к жизни. — Тейт поставила чашку на столик и обхватила его лицо ладонями. — Мой верный рыцарь.

— Нет ничего романтичного в дыхании рот в рот и закрытом массаже сердца.

— Но в данных обстоятельствах это гораздо лучше букета лилий. — Тейт ласково поцеловала его. — Мэтью, только еще одно: я не кричала. — Она покачала головой, не давая ему возразить. — Я не кричала, но я мысленно произнесла твое имя, когда думала, что тону. И ты меня услышал.

ГЛАВА 30

Сквозь решетку тюремной камеры Мэтью изучал Сайласа Ван Дайка.

Вот человек, думал он, преследовавший меня всю жизнь, убивший отца, пытавшийся убить меня и чуть не убивший женщину, которую я люблю. Он был богат и влиятелен, а теперь сидит в клетке как зверь.

Лицо Ван Дайка заострилось, а сам он всего за одну ночь словно стал меньше ростом, но, может, это лишь казалось из-за слишком просторной тюремной одежды. Он был небрит, волосы спутались от морской воды и пота. Багровые ссадины на лице и руках напомнили Мэту об отчаянной борьбе Тейт за свою жизнь. За одно это он хотел сломать прутья решетки и услышать, как хрустят кости Ван Дайка... но он заставлял себя стоять и смотреть.

Ничего не осталось от достоинства и властности, только ненависть, жгучая ненависть горела в безумных глазах. Мэтью подумал, что одной этой ненависти хватит, чтобы поддерживать жизнь в этом теле долгие годы. Дай-то бог. Мэтью хотел, чтобы Ван Дайк прожил за решеткой как можно дольше.

— Я пришел сказать, что ты теперь абсолютный ноль. Что чувствуешь, когда теряешь все?

— Думаешь, это меня остановит? — прошипел Ван Дайк. — Думаешь, я оставлю его тебе?.. Надо было убить

ее. Надо было прострелить ей живот, и ты бы смотрел, как она умирает.

Мэтью метнулся к решетке, но злорадный блеск глаз Ван Дайка остановил его.

— Анжелика тебя уничтожила. Ты ее видел, не так ли? Огонь в воде. И она смотрела на тебя. Она была так прекрасна, а ты визжал, как ребенок в кошмарном сне.

Щеки Ван Дайка вспыхнули от гнева, но тут же стали белыми как бумага.

— Я ничего не видел. Ничего! — Сознание его затуманилось. Перед глазами поплыли ужасающие образы. Хриплые крики вырвались из пересохшего горла.

— Ты ее видел. И ты будешь видеть ее снова и снова. Каждый раз, как закроешь глаза. Сколько ты сможешь прожить с этим страхом?

— Я ничего не боюсь. — Паника ледяным клубком свернулась в желудке Сайласа. — С моим положением и деньгами я в тюрьме не задержусь.

— Ничего у тебя нет, — прошептал Мэтью, — кроме долгих лет на раздумья.

— Я выйду отсюда и доберусь до тебя.

— Нет. — Мэтью улыбнулся. — Не доберешься.

— Я уже победил. — Сайлас приблизился, обхватил прутья решетки, буравя Мэтью безумным взглядом. — Твой отец мертв, твоя дядя — калека, а ты — грязный мусорщик.

— Но в клетке сидишь ты, Ван Дайк. А я на свободе с амулетом.

— Я с тобой разделаюсь. Я верну амулет, Джеймс, и разделаюсь с тобой. Ты думал, что можешь перехитрить меня?

Мэтью отошел от решетки.

— Не сходи с ума, Ван Дайк. Я хочу, чтобы ты жил долго и в здравом уме.

Пронзительные вопли Ван Дайка провожали Мэтью до выхода из полицейского участка. Он стоял и поджидал Тейт, которая давала показания.

Она появилась минут через двадцать, совершенно измученная, и Мэтью молча протянул ей букет.

— Что это?

— Продавщица уверяла, что цветы.

Тейт улыбнулась и спрятала лицо в ярких цветах, сразу воспрянув духом.

— Спасибо.

— Я подумал, что они не помешают. Тяжелое утро?

— Ну, бывали и получше. Теперь у полиции достаточно материалов, чтобы предъявить Ван Дайку обвинение и выдать его властям США.

Взяв Тейт за руку, Мэтью повел ее к арендованной машине.

— Думаю, он проведет остаток жизни в психушке. Я только что его видел.

Тейт забралась в машину и подождала, пока Мэтью сядет за руль.

— Я подозревала, что ты пойдешь к нему.

— Хотел увидеть его за решеткой. — Мэтью завел двигатель и вывел автомобиль на дорогу. — Он на грани безумия. Пытался убедить меня... или себя, что он победил.

Тейт прижалась щекой к цветам.

— Нет. Мы знаем, что он проиграл, и это самое главное.

— Он назвал меня Джеймсом.

— Мэтью, мне очень жаль.

— Знаешь, почти половину жизни я хотел повернуть время вспять, вернуться в тот день, спасти отца или умереть за него. А сегодня, пусть на несколько минут, я как будто занял его место.

— Справедливость вместо мести, — прошептала Тейт. — С этим легче жить... Мэтью, я кое-что вспомнила, когда разговаривала с полицейскими. Прошлой ночью, когда я была на палубе с Ван Дайком, я положила ладонь на колье и пожелала ему ту жизнь, какую он заслужил.

— Двадцать или тридцать лет взаперти, вдали от всего, к чему он привык, чего жаждал. Отличное пожелание, Рыжик.

— Но кто его исполнил? — Она вздохнула. — У него нет амулета, Мэтью, но у него точно есть проклятие Анжелики.

Как чудесно вернуться в море, вернуться к любимой работе! Отвергнув все предложения использовать остаток дня для отдыха, Тейт уединилась в рубке с Хейденом.

— Отличная работа, Тейт, — сказал Хейден, просмотрев ее каталог. — Вы очень много успели.

— У меня была отличная команда. — Тейт потянулась за кофе, улыбнулась цветам, пылающим рядом с монитором компьютера. — А теперь, с тобой и Лорейн, она стала еще лучше.

— Мы ни за что в жизни не упустили бы подобный шанс.

— Думаю, надо арендовать еще одну яхту, пока Мэтью не построит новую.

Но не это волновало Тейт, пока Хейден перелистывал ее записи. Наконец она собралась с духом и выпалила:

— Хейден, скажи честно, я готова к приезду всех этих знаменитостей? Без справочников мне приходилось многие артефакты оценивать на глазок, и...

— Ты хочешь защищать докторскую? — прервал Хейден.

— Нет. Ну, может быть... Я нервничаю.

Он снял очки, потер переносицу, снова нацепил очки.

— Ночью ты сражалась с сумасшедшим, утром давала показания в полиции, но нервничаешь из-за встречи с коллегами?

— Хейден, я хочу настоящей сенсации. Все это должно стать фундаментом музея Бомонтов—Лэситеров. — Тейт взяла со стола колье, словно нуждаясь в его поддержке. Теперь оно было холодным. Прекрасным, бесценным и... успокоившимся? — И я... я хочу, чтобы «Проклятие Анжелики» через более чем четыреста лет странствий обрело дом.

— Понимаю. Мое профессиональное мнение: у тебя есть очень крепкий фундамент.

Тейт осторожно положила колье в футляр.

— Но ты не думаешь... — Она осеклась и повернулась к окну, за которым вдруг что-то залязгало и заскрежетало. — Что это, черт побери?

— Что бы это ни было, но звук отвратительный.

Они выбежали на палубу, где уже стояли у поручней Мэтью и Лорейн. Рэй и Мариан появились из камбуза.

— О мой боже, что это такое? — воскликнула Мариан.

— По-моему, яхта, — прошептала Тейт.

По ядовито-розовому корпусу расползлись пятна ржавчины. Мостик угрожал слететь в море при каждой отрыжке двигателя. Когда странная посудина поравнялась с «Новым приключением», Тейт прикинула, что в ней футов сорок покоробленного дерева, битого стекла и ржавого железа.

За штурвалом гордо стоял Бак.

— Ну разве она не красотка? — крикнул он и выключил двигатель, окутав всех облаком черного дыма. — Бросить якорь.

Раздался скрежет. Посудина содрогнулась. Бак снял темные очки и ухмыльнулся во весь рот.

— Хочу назвать ее «Дианой». Ларю говорит, что она была потрясающей охотницей.

— Бак... — Мэтью закашлялся и замахал руками, разгоняя дым. — Ты хочешь сказать, что купил это чудовище?

— *Мы* ее купили, — объявил Ларю, выходя на накренившуюся палубу. — Мы с Баком теперь компаньоны.

— Вы решили свести счеты с жизнью? — предположил Мэтью.

— Ничего подобного. Подкрасим ее, подшлифуем детали, переберем двигатель. — Бак начал спускаться с мостика, и, к счастью, только предпоследняя ступенька не выдержала его веса. — Поплотничаем, — добавил он, продолжая ухмыляться.

— Ларю, это вы дали ему деньги? — спросила Тейт.

— Она досталась нам почти бесплатно. — Ларю осторожно постучал по поручням. — Как только подлатаем ее, отправимся на Бимини.

— Бимини? — переспросил Мэтью.

— В море полно затонувших кораблей, мой мальчик, — просиял Бак. — Давно я не стоял на палубе собственной яхты.

— Бак, не лучше ли... — начала Тейт, но Мэтью сжал ее плечо.

— Она засверкает у тебя, Бак.

— Готовься к инспекции, приятель! — Рэй сбросил туфли и рубашку и бросился в воду.

— Мужчины обожают свои игрушки, — прокомментировала Мариан. — Я испекла лимонные пирожные. Может, кто-нибудь хочет перекусить?

— Мы. — Лорейн схватила Хейдена за руку и потащила к камбузу.

— Мэтью, это же дырявое корыто. Им придется заменить каждую доску, каждую железяку.

— Ну и что?

Тейт сдунула челку с глаз.

— Не практичнее ли вложить деньги во что-нибудь в более приличном состоянии? В любом состоянии?

— Можно, конечно, но будет не так интересно. — Мэтью поцеловал Тейт и, поскольку она все равно пыталась что-то сказать, поцеловал еще раз. — Я люблю тебя.

— Я тоже тебя люблю, но Бак...

— Он прекрасно знает, что делает. — Мэтью с улыбкой оглянулся на троицу, со смехом обследующую сломанную ступеньку. — Прокладывает новый курс.

Тейт ошеломленно покачала головой.

— По-моему, ты не прочь отправиться с ними, даже если бы пришлось до самого Бимини вычерпывать воду.

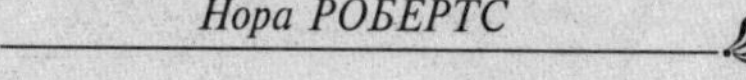

— Нет. У меня свой курс. — Мэтью подхватил ее и закружил по палубе. — Полный вперед! Хочешь замуж?

— Хочу. Как насчет завтра?

— Договорились. — В его глазах замелькали веселые искры. — Хочешь понырять?

— Да, но.... — Увидев, что Мэтью несет ее к поручням, Тейт запротестовала: — Не смей бросать меня в воду. Я в новом платье. Мэтью, я не шучу. Не...

Ее возражения сменились смехом, когда он, не выпуская ее из рук, прыгнул в море.

Литературно-художественное издание

Нора Робертс

ПОСЛЕДНИЙ ШАНС

Редактор *Н. Любимова*
Художественный редактор *С. Курбатов*
Технический редактор *О. Куликова*
Компьютерная верстка *Е. Кумшаева*
Корректор *Н. Овсяникова*

Налоговая льгота — общероссийский классификатор продукции
ОК-005-93, том 2; 953000 — книги, брошюры.

Подписано в печать с готовых диапозитивов 14.07.2000
Формат 84x108 $^{1}/_{32}$. Гарнитура «Таймс».
Печать офсетная. Усл. печ. л. 23,52. Уч.-изд. л. 17,41.
Тираж 10 000 экз. Заказ 5412.

ЗАО «Издательство «ЭКСМО-Пресс»
Изд. лиц. № 065377 от 22.08.97
125190, Москва, Ленинградский проспект, д. 80, корп. 16, подъезд 3.
Интернет/Home page — www.eksmo.ru
Электронная почта (E-mail) — info@ eksmo.ru

Книга — почтой:
Книжный клуб «ЭКСМО»
101000, Москва, а/я 333. E-mail: bookclub@ eksmo.ru

Оптовая торговля:
109472, Москва, ул. Академика Скрябина, д. 21, этаж 2
Тел./факс: (095) 378-84-74, 378-82-61, 745-89-16
E-mail: reception@eksmo-sale.ru

Мелкооптовая торговля:
Магазин «Академкнига»
117192, Москва, Мичуринский пр-т, д. 12/1
Тел./факс: (095) 932-74-71

ООО «Дакс». Книжная ярмарка «Старый рынок».
г. Люберцы Московской обл., ул. Волковская, д. 67
Тел.: 554-51-51; 554-30-02

Всегда в ассортименте новинки издательства «ЭКСМО-Пресс»:
ТД «Библио-Глобус», ТД «Москва», ТД «Молодая гвардия»,
«Московский дом книги», «Дом книги на ВДНХ»

ТОО «Дом книги в Медведково». Тел.: 476-16-90
Москва, Заревый пр-д, д. 12 (рядом с м. «Медведково»)

ООО «Фирма «Книинком». Тел.: 177-19-86
Москва, Волгоградский пр-т, д. 78/1 (рядом с м. «Кузьминки»)

ГУП ОЦ МДК «Дом книги в Коптево». Тел.: 450-08-84
Москва, ул. Зои и Александра Космодемьянских, д. 31/1

АООТ «Тверской полиграфический комбинат»
170024, г. Тверь, пр-т Ленина, 5.